Irish–English
English–Irish
DICTIONARY

LAGAN BOOKS

Introduction

The Irish language is one of the three Gaelic languages together with Scots Gaelic and Manx. The language has been spoken in Ireland for at least two thousand years and records of its literature stretch back to about the year 800 AD.

Irish remained the majority language in the country until the middle of the nineteenth century when the famine saw over one million people dying and another milion being forced to leave their homeland. The decline of the language was speeded up by the English authorities' official policy against the language, church discouragement and the crushing of the national psyche following the disaster of the famine.

The revival of the language began in earnest at the end of the nineteenth century and, while not always successful, has pointed the way for the language to be brought back into more popular usage throughout the country. Today there is an Irish language television station with Irish programmes on others and two radio stations broadcasting in the language, two weekly newspapers, numerous magazines and a vibrant publishing industry with many novels, books of poetry and general works being published.

One feature of the modern Irish revival is that the Irish-speaking community has become an international community with many Irish speakers throughout the world. There are also a large number of Irish language websites on the internet.

The aim of this dictionary is to provide a wide range of vocabulary, being designed for both the student and those with a more general interest in Irish history and culture. Of course in a dictionary of this size it would be impossible to give every possible meaning of a word. What has been done is to leave the most obvious definition with some metaphorical uses given later with explanation. Some grammar pointers are given but it is recommended that the serious student should use this dictionary in conjunction with a modern grammar book and some of the printed, audio and audio-visual courses readily available. One which is recommended is *Now You're Talking* which is based on the series broadcast by the BBC. If there is any doubt about the meaning of any word in Irish it is recommended that Ó Dónaill's Irish–English dictionary *Foclóir Gaeilge–Béarla (An Gúm)*, published by An Gúmy, 1978, be consulted.

Grammar Notes

Aspiration and eclipsion

Irish differs greatly from English both structurally and in its treatment of individual words. In common with the other Celtic languages, Irish can show a grammatical change at the beginning of many words by either aspiration (lenition) or eclipsion. As a rule of thumb aspiration usually is shown by the insertion of the letter 'h' after the consonant concerned, thereby softening its sound. Eclipsion refers to the placing of a certain consonant in front of the letter concerned thus changing its sound. Below is a list of letters and their eclipsing pairs (the eclipsing letter is marked in bold here):

consonant : **n-**
b : **mb**
c : **g**c
d : **n**d
f : **bh**f
g : **n**g
p : **b**p
t : **d**t

Another noticeable difference between English and Irish is that the verb usually starts the sentence e.g.:

Tá mé go maith. I am well.

Tá indicates the present tense of the verb 'to be'.

Ólaim bainne. I drink milk.

The copula

In Irish, the copula is also used. Thus when one noun is described as being another noun the copula is used e.g.:

Is bean í (í = bean). She is a woman (She = woman).

The copula is also used in a variety of other cases e.g.:

Is maith liom é. I like it. (Literally 'it is good with me', 'I consider it nice'.)

Is liomsa é. It is mine. (Literally 'it is with me'.)

Prepositions and verbal meanings

Irish, unlike English, depends much more on prepositions to indicate verbal meanings. For example the word *tabhair* can variously be translated as 'give' or 'take' depending on the preposition which follows it e.g.:

tabhair dom. give me ('give to me').

tabhair leat é . take it with you ('take it away with you').

Thus a better definition for the word *tabhair* may be 'bear' or 'carry'. Therefore it should be borne in mind that definitions are sometimes approximations of a word which has no exact parallel in English.

Answering a question

When answering a question positively or negatively it is important to repeat the verb and tense in which the question was originally put and then to put in either a negative or positive marker at the start e.g.:

An dtuigeann tú? Do you understand?
Tuigeann. Yes.
Ní thuigeann. No.
or
An maith leat é? Do you like it?
Is maith. Yes.
Ní maith. No.

Genitive case

Irish, like Scots Gaelic, retains a genetive case. At its most basic a gentive conveys the meaning 'of' in English, but instead of having a separate word Irish shows this connection by changing the following word. The word *bosca* ('box') when put in front of the word *post* ('post'/'mail') puts it in the genitive case e.g.:

bosca poist. post box (literally box of [the] post).

Similarly, *cóta* ('coat') and *bean* ('woman') when put together in the phrase *cóta mná* means 'a woman's coat' (*mná* being the genitive form of 'bean'). It is to be noticed that the second word is changed. Below is a short description of some of the more regular types of words and their gentive case:

Masculine

Broad endings are usually slenderised e.g.:
bád becomes *báid*, *fear* becomes *fir*; *-acht* endings add the letter 'a'; *-éir/-iúir* endings change to *-éaraliúra*; *-ín* endings do not change their form words ending in a vowel generally do not change; *-áil* endings change to *-ála*.

Feminine

Broad endings are often slenderised and the letter 'e' is added;
spúnóg becomes *spúnóige*; *-acht* endings add the letter *-a*'; *-ach* endings change to *-aí*; *-each* endings change to *-í*.

Because of space constraints only the more irregular genitive forms have been given.

Verbs

Some verbs have been given in the form which approximates to the English infinitive e.g.:
rud a dhéanamh. to do something.
Whereas, some are given in the imperative form e.g.:
déan seo. do this.

Format

Words are given in alphabetical order. It is not uncommon in Irish for words to express a variety of meanings, and in such cases the most common meaning or meanings are given. Often further meanings are given, with significant differences separated by a semicolon. In many cases an explanatory note is inserted in brackets to help with clarification.

Abbreviations

abbrev	abbreviation		according to what it
adj	adjective		names, its case (often
adv	adverb		the genitive) or its
anat	anatomy		dialect
arith	arithmetic	*milit*	military
art	article	*mus*	music
bot	botanical	*neg*	negative
coll	colloquial/collective	*ocas*	occasionally
comput	computing	*orthog*	orthography
corres	correspondence	*part*	particle
derog	derogatory	*pers*	personal
esp	especially	*phys*	physical
excl	exclamation	*pl*	plural
f	noun (feminine gender)	*poss*	possessive
fam	familiar	*pp*	present or past
fem	feminine		participle
fig	figurative	*prep*	preposition
fin	financial	*pn*	pronoun
fml	formal	*refl*	reflexive
gen	genitive	*rel*	relative
govt	government	*relig*	religion
gram	grammar	*sing*	singular
imp	imperative	*usu*	usually
lit	literature	*v*	verb
m	noun (masculine gender	*vi*	intransitive verb
med	medical	*vt*	transitive verb
m/f	a noun the gender of	*vulg*	vulgar
	which may change		

Irish–English
Gaeilge–Béarla
A

a *pn* their (+ *eclipse*); *rel pn* what; who. • *adj* her; his (+ *aspiration*); its; • *conj* that (*relative*).

ab *m* abbot.

abacás *m* abacus.

abair *vt* to say; to utter.

abairt *f* sentence.

ábalta *adj* able. • *vi* **bheith ábalta** to be able.

ábaltacht *f* ability.

abhac *m* dwarf.

abhainn *f* river.

ábhalmhór *adj* gigantic.

ábhar *m* material; matter; subject. • *adj* **ag baint le hábhar** relevant. • *adv* **ar an ábhar sin** consequently.

ábhar gearáin *m* cause for complaint.

abhcóide *m* advocate.

abhcóideacht *f* advocacy.

abhlann *f* wafer.

ábhraigh *vi* to fester.

abhus *adv* here.

ablach *m* carrion.

absalóideach *adj* absolute.

absalóideachas *m* absolutism.

acadamh *m* academy.

acadamhaí *m* academician.

acadúil *adj* academic.

ach *prep* except. • *conj* but.

ach amháin *prep* except for.

ach oiread *adv* either.

achainí *f* petition.

achar *m* distance; duration.

achomair *adj* concise.

achomharc *m* (*law*) appeal. • *vi* **déan achomharc** to appeal.

achrann *m* disturbance; tangle.

achtaigh *vi* to legislate. • *vt* to legislate; to enact.

achtúire *m* actuary.

aclaí *adj* supple.

aclaigh *vt* to exercise.

aclaíocht *f* dexterity; exercise; • *vi* **déan aclaíocht** to exercise.

acmhainn *f* capacity, capability.

acra *m* acre.

adamh *m* atom.

adamhach *adj* atomic.

ádh *m* luck.

adhaint *f* ignition.

adhaltrach *m* adulterer.

adhaltranas *m* adultery.

adharc *f* horn.

adhartán *m* cushion.

adhastar *m* halter.

adhfhuafaireacht *f* abomination.

adhlacadh *m* burial.

adhlaic *vt* to bury.

adhmad *m* wood, timber.

adhmadóireacht *f* carpentry.

adhradh *m* worship.

ádhúil *adj* fortunate.

admhaigh *vt* to acknowledge; to admit.

admháil *f* acknowledgment; admission.

ae *m* liver.

aer *m* air.

9

aerach *adj* jaunty; gay (*homosexual*).
• *adv* **go haerach** gaily.

aeráid *f* climate.

aeráideach *adj* climatic.

aeráil *vt* to air.

aerfort *m* airport.

aerlíne *f* airline.

aerloingseoir *m* aeronaut.

aeróg *f* aerial .

aerphost *m* airmail.

aerthonn *f* airwave.

áfach *adv* however.

Afracach *adj m* African.

Afraic: *f* **An Afraic** Africa.

ag *prep* at; denotes possession; **tá peann agam** I have a pen.

agaill *vt* to accost.

againne *pn* ours (*emphatic*).

agair ar *vt* beseech.

agallamh *m* interview.

aghaidh *f* facade; face; front. • *adv* **ar aghaidh** forward(s); onward.• *vi* **éirí bán san aghaidh** to pale. • *prep* (+ *gen*) **in aghaidh** against; *prep* **le haghaidh** for.

agóid *f* objection, protest.

aguisín *m* appendix (*of book*); addendum.

agus *conj* and.

agus leis sin *adv* whereupon.

aibhleog *f* ember.

aibhleog dhóite *f* cinder.

aibí *adj* mature; ripe.

aibíd *f* habit (*monk*).

aibigh *vt vi* to ripen.

aibítir *f* alphabet.

aibítreach *adj* alphabetical.

Aibreán *m* April.

aibreog *f* apricot.

aice *f* nearness. • *prep* **in aice le** beside; by.

aicíd *f* disease.

aicne *f* acne.

aicsean *m* action.

aidhm *f* aim.

aidiacht *f* adjective.

aiféala *m* regret, remorse.

aiféaltas *m* embarrassment; regret.

áiféis *f* absurdity.

áiféiseach *adj* absurd, ludricrous.

aifreann *m* (*church*) mass.

aigéad *m* acid.

aigéadacht *f* acidity.

aigéan *m* ocean; **An tAigéan Atlantach** Atlantic Ocean.

áiléar *m* attic.

ailgéabar *m* algebra.

ailiúnas *m* (*law*) alimony.

aill *f* cliff.

áilleacht *f* beauty.

ailse *f* cancer.

ailtire *m* architect.

ailtireacht *f* architecture.

áiméan *int* amen.

aimhleas *m* detriment.

aimhleasach *adj* adverse.

aimhréidh *f* tangle.

aimpliú *m* (*audio*) amplification.

aimrid *adj* barren; sterile.

aimsigh *vt* to find; to locate.

aimsir *f* time; weather.

aincheist *f* dilemma.

aincleachta *adj* unaccustomed; unused.

aindiachaí *m* atheist.

aindiachas *m* atheism.

aindleathacht *f* illegality.

ainéistéiseach *m* anaesthetic.

aineolach *adj* ignorant; **aineolach (ar)** unaware.

aineolas *m* ignorance.

aingeal *m* angel.

aingíne *f* angina.

ainglí *adj* angelic.

ainm *m* name. • *adj* **gan ainm** anonymous. • *vt* **ainm a thabhairt ar dhuine** to dub. • *m* **ainm bréige** alias; **ainm sinsearthachta** patronymic.

ainmhí *m* animal.

ainmhian *f* lust.

ainmnigh *vt* to assign; to nominate.

ainmniú *m* assignation.

ainnis *adj* deplorable; lousy; third-rate; miserable.

ainniseach *adj* abject.

ainriail *f* anarchy.

ainrialaí *m* anarchist.

ainrianta *adj* dissolute.

ainriocht *m* abnormality.

ainsealach *adj* chronic.

aint *f* aunt.

aintiarna *m* tyrant.

aintiún *m* anthem.

aipindic *f* (*anat*) appendix.

áirc *f* ark.

aird *f* consideration; heed; regard. • *vt* **aird a dhíriú** to call attention; **aird a thabhairt** heed.

airde *f* altitude; height; (*mus*) pitch. • *adv* **in airde** aloft.

airdeallach *adj* alert; wary.

aire *m* (*govt*) minister.

aireach *adj* attentive.

áireamh *m* calculation • *adj* **gan áireamh** countless.

áireamhán *m* calculator.

aire *f* attention, care.

airgead *m* money, cash; silver.

airgead tirim *m* cash.

airgeadaí *m* financier.

airgeadaíochta *f adj* fiscal.

airgeadas *m* finance.

airgeadóir *m* cashier.

airgeadra *m* currency.

airgtheach *adj* inventive.

airigh *vt* to perceive.

áirigh *vt* to count; to calculate; to reckon.

airíoch *m* caretaker.

áirithe *adj* particular.

áiritheoir *m* counter.

airsinic *f* arsenic.

airteagal *m* article.

airtríteas *m* arthritis.

ais: ar ais *adv* back.

áis *f* amenity; **áis éisteachta** *f* hearing aid.

Áise: *m* **An Áise** Asia.

Áiseach *adj m* Asiatic, Asian.

aiseag *m* vomit.

aisghair *vt* to abrogate.

aisghairm *m* abrogation.

aisig *vt vi* to vomit.

áisíneacht *f* agency.

aisíoc *m* refund. • *vt* to refund, reimburse, repay.

áisiúil *adj* convenient; serviceable.

aisling *f* vision, dream.

aislingeach *m* dreamer.

aiste *f* essay; quirk; **aiste bia** diet.

aisteach *adj* curious, strange.

aisteoir *m* actor.

aisteoireacht *f* **bheith ag aisteoireacht** *vi* (*theat*) to act.

aistrigh *vt* to move, flit (*house*); to transfer; to translate.

áit *f* place. • *m* **áit chónaithe** abode, dwelling. • *conj* **an áit** where. • *adv* **áit ar bith** anyplace; **áit éigin** somewhere.

aiteal *m* juniper.

aiteann *m* gorse; whin.

aitheantas *m* identification.

aithin *vt* to place, identify, recognise;

aithin roimh ré to foreknow.

aithne f identity.

aithnidiúil adj familiar.

aithnigh vt vi to know; to diagnose.

aithreachas m regret. • vt **tá aithreachas orm (faoi)** to regret.

aithrí f penance.

aithris f imitation; mimicry; recital. • vt to narrate; to relate.

áitigh vt to occupy; **áitigh (ar)** to persuade.

áitiú m persuasion.

áitiúil adj local.

áitreabh m domicile, dwelling.

áitreabhach m inhabitant.

áitreamh m premises.

áitrigh vt to inhabit.

ál m brood; litter (of young).

álainn adj beautiful; scenic.

Albain (na hAlban) f Scotland.

albam m album.

Albanach adj Scottish.

alcól m alcohol.

alcólach m alcoholic.

alcólacht f alcoholism.

allas m sweat.

allta adj wild.

almanag m almanac.

almóir m niche.

alp vt to devour.

alt m article; joint; knuckle.

altán m (geog) gorge.

altóir m altar.

altramaigh vt to foster.

altú (roimh bhia) m grace (prayer).

alúmanam m aluminium.

am m time; **am dinnéir** dinner time; **an t-am atá thart** past; **an t-am i láthair** present. • adj **i ndea-am** timeous. • adv **am éigin** sometime.

amach adv out; **as seo amach** henceforth. • vi **gob amach** to jut. • adj **amach is amach** downright.

amadán m imbecile, fool, idiot.

amaideach adj foolish, silly, stupid, ridiculous.

amaidí f nonsense.

amaitéarach m amateur.

amárach adv m tomorrow.

amas m aim (of a gun). • vt **déan amas** to putt.

ambasadóir m ambassador.

ambasáid f embassy.

amfaibiach adj m amphibian.

amh adj crude; raw.

amháin adj one; only.

ámharach adj lucky.

amharc m look; sight; view. • vi to gaze; to look. • vt to regard; **amharc (ar)** to view; to watch.

amhas m boor.

amhlaidh adv so.

amhránaí m singer, vocalist.

amhras m distrust; doubt. • vt **bí in amhras faoi rud** to doubt (something).

amhrasach adj doubtful; sceptical; suspicious; incredulous; (fig) fishy.

amplach adj rapacious; ravenous.

amscaí adj untidy.

amuigh adj exterior. • adv without.

an- adv very.

an art the.

anabaí adj abortive; immature.

anabaíocht f immaturity.

anáil f breath. • adj **as anáil** breathless. • vt **anáil a chur amach** to breathe out; **anáil a tharraingt isteach** to breathe in.

anailís f analysis. • vt **déan anailís ar** to analyse.

anailísí m analyst.

anall adv across; fro.

anam m soul.

anamúil adj spirited.

anás: ar an anás adj destitute.

anatamaíoch adj anatomical.

anatamaíocht f anatomy.

ancaire m anchor.

andúil f addiction.

andúileach m addict.

andúileach drugaí m drug addict.

aneas adj southerly, from the south.

anghrách adj erotic.

aniar adj westerly. • adv from the west.

aníos adv upward (from below).
• adv up (from below).

anlann m (culin.) relish, sauce.

anlathas m anarchy.

annamh adj rare. • adv seldom.

ann féin adj intrinsic.

anocht adv m tonight.

anoir adj (wind) easterly.

anonn adv across.

anord m chaos.

anordúil adj chaotic.

anraith m soup, broth.

anró m hardship.

anróiteach adj inclement.

anseo adv here.

ansin adv then; there.

antoisceach adj extreme; m extremist.

antraipeolaíocht f anthropology.

anuas adv downward(s) (from above).
• prep down (from above).

aoi m guest.

aoibh f mood.

aoibhinn adj delightful.

aoibhneach adj blissful.

aoibhneas m bliss.

aoileach m dung.

Aoine f Dé hAoine (on) Friday.

aoir f satire.

aoire m shepherd.

aois f age; century.

aolchloch f limestone.

aon adj one. • pn any. • m ace. • f adv ar
  aon líne abreast. • adv faoi aon do
  within an ace of. • pn gach aon each.

aonach m fair.

aonad m unit.

aonair (ceol) m (mus) solo.

aonarach adj alone; lone.

aon déag m eleven.

aonréadaí m soloist.

aontacht f unity.

Aontachtaí m (pol) Unionist.

aontaigh (le) vi to agree (with).

aontas m union.

aontíos m cohabitation.

aontoil f accord.

aontú m assent; accord. • vi gan aontú
  le duine to disagree.

aontumha adj celibate.

aorach adj satirical.

aorthóir m satirist.

aosach m adult.

aosta adj aged.

ápa m ape.

ar[1] conj that (past tense indirect).

ar[2] prep at (time); on, upon.

ár[1] m carnage; massacre; slaughter.

ár[2] pn our.

Arabach adj Arab, Arabic. • m Arab.

árachaigh vt to insure.

árachas m (com) insurance.

arán coirce m oatcake.

arán m bread; **arán sinséir** gingerbread.

araon adj both.

árasán m flat, apartment.

arbhar m cereal; corn.

ard- adj chief, supreme.

ard adj high; tall; capital; loud.

ardaigeantach adj high-minded.

ardaigh vi to grow, appreciate. • vt

to heighten; to ascend; to elevate; to raise.

ardaitheoir *m* lift, elevator; **ardaitheoir sciála** ski-lift.

ardán *m* stage; platform; pad (*for helicopter*).

ardcheannasach *adj* predominant.

ardchlár *m* plateau.

ardeaglais *f* cathedral.

ardeaspag *m* archbishop.

ardintleacht: *f* **tá ardintleacht aige** he has a brilliant mind.

ardmháistir *m* headmaster.

ardmháistreás *f* headmistress.

ardmhinicíochta *adj* high frequency.

argóint *f* argument, dispute. • *vt* **argóint a dhéanamh** to dispute.

argóinteach *adj* disputatious.

arís *adv* again .

arm *m* army; *f* **arm tine** firearm.

armáil *vt* to arm.

armlann *f* (*mil*) arsenal.

armlón *m* ammunition.

armónach *adj* harmonic.

arracht *f* spectre.

arrachtach *adj* grotesque. • *m* monster.

arraing *f* convulsion.

ársa *adj* ancient.

ársaitheoir *m* antiquary.

artaire *m* artery.

árthach *m* craft, vessel.

as *prep* from.

asal *m* ass.

asarlaí *m* magician.

ascaill *f* armpit.

asma *m* asthma.

aspairín *m* aspirin.

aspal *m* apostle.

aspalóid *f* absolution.

asphrionta *m* print out.

Astráil: *f* **An Astráil** Australia.

Astrálach *adj m* Australian

astralaí *m* astrologer.

astralaíocht *f* astrology.

Astráláise: *f* **An Astráláise** Australasia.

ata *adj* bloated.

atáirg *vt* to reproduce.

atáirgeadh *m* reproduction.

atarlaigh *vi* to recur.

ateangaire *m* interpreter.

áth *m* ford.

athair (athar) *m* father; **athair altrama** foster-father; **athair céile** father-in-law.

atharthа *adj* fatherly; paternal.

atharthacht *f* patrimony.

áthasach *adj* glad.

athbheochan *f* renaissance, revival.

athbheoigh *vt* to revive.

athbhreithnigh *vt* to review.

athbhrí *f* ambiguity.

athbhríoch *adj* ambiguous.

athchóirigh *vt* to refit; to restore.

athchóiriú *m* adaptation.

athchraol *vt* (*TV*) to rebroadcast.

athchuimhne *f* reminiscence.

athdhúbláil *vt vi* redouble.

athghabháil *f* recovery.

athghair *vt* to recall.

athimir *vt* to replay.

athláimhe *adj* secondhand.

athlíon *vt* to refill.

athnuaigh *vt* to renew.

athraigh *vi vt* to change; to vary.

athrú *m* alteration, change; mutation.

athsheol *vt* to redirect.

athshondach *adj* resonant.

athsmaoineamh *m* afterthought .

átigh *vi* to argue.

atlas *m* atlas.

atmaisféar *m* atmosphere.

atóg *vt* to rebuild.

aturnae *m* solicitor.

B

bá[1] *f* bay.

bá[2] *f* sympathy.

babhla *m* bowl.

bac *vt* to hinder, impede, obstruct; impediment, obstruction; **bac a bheith agat i do chuid cainte** to stammer.

bacach *adj* lame. • *m* cripple.

bacaíl *f* lameness.

bácáil *vt* to bake.

bachlóg *f* bud; slur (*speech*).

bacradadh: bheith ag bacadradh *vi* to limp.

bacús *m* bakery.

bád *m* boat; **bád farantóireachta** *f* ferry-boat; **bád tarrthála** *m* lifeboat.

badmantan *m* badminton.

bagair *vt* to threaten.

bagairt *f* threat. • *vt* **déan bagairt** to bluster.

bagáiste *m* baggage, luggage.

baghcat *m* boycott.

bagún *m* bacon.

báicéir *m* baker.

baictéarach *adj* bacterial.

báigh *vi vt* to drown; to plunge; to drench; to flood; to quench.

baile *adj* home. • *m* home; town.

bailéad *m* ballad.

bailí *adj* valid.

bailigh *vt* to assemble, collect, gather; to accumulate.

bailitheoir *m* collector.

bailiú *m* accumulation.

bailiúchán *m* collection.

baill ghiniúna *npl* genitals.

báille *m* bailiff.

bain *vt* to mow; to reap; to cut; to extract; to win; to achieve, attain; **bain an craiceann de** to skin; **bain as** to make off; **bain (rud) de (dhuine)** to exact; **bain cor as** to tweak; **bain croitheadh as** to shock; **bain de** to bereave; to deduct; to touch; **bain díoltas amach** to avenge; **bain greim as** to bite; **bain liomóg as duine** to pinch; **bain míthuiscint as** to misunderstand; **bain slis de** to chip; **bain suimín as** to sip; **bain sult as** to enjoy. • *vi* **bain amach** to arrive; **bain le** to meddle.

baincéir *m* banker.

baineann *adj* female.

bainis *f* wedding.

bainise *adj* bridal.

bainisteoir *m* manager.

bainisteoireacht *f* management.

bainistréas *f* manageress.

bainne *m* milk.

bainniúil *adj* milky.

bainseó *m* banjo.

baint: ag baint le hábhar *adj* relevant;

baint a bheith (agat) le *vt* to be involved with, associated with; **baint ó** to detract from. • *f* **baint amach** attainment

baintreach *f* widow; **baintreach fir** widower.

bairille *m* barrel; wine butt.

bairneach *m* limpet.

baist *vt* baptise, christen.

baisteadh *m* baptism, christening.

báistiúil *adj* rainy.

báiteach *adj* wan.

baitsiléir *m* bachelor.

bál *m* ball, dance.

balbh *adj* dumb; mute.

balbhán *m* dummy.

balcóin *f* balcony.

ball *m* member; organ; spot; **ball d'acadamh** academician; **ball dobhráin** mole, spot; **ball éadaigh** garment; **ball gorm** bruise. • *adv* **ar ball** presently, by and by.

balla *m* wall.

ballasta *m* ballast.

ballóid *f* ballot.

ballraíocht *f* membership.

balsamaigh *vt* to embalm.

bambú *m* bamboo.

bán *adj* blank; fallow; white.

ban-ab *f* abbess.

ban-aisteoir *m* actress.

bánaigh *vt* to bleach.

banaltra ceantair *f* district nurse.

banaltra *f* nurse.

banana *m* banana.

banc *m* bank.

banchliamhain *m* daughter-in-law.

banda[1] *adj* feminine.

banda[2] *m* band.

bándearg *adj* pink.

bandia *m* goddess.

banlaoch *m* heroine.

bannaí *npl* bail.

banoidhre *m* heiress.

banóstach *m* hostess.

banrach *f* padlock.

bansa *m* manse.

banúil *adj* ladylike; womanly.

baoi *m* (*mar*) buoy.

baois *f* folly.

baoite *m* bait.

baoth *adj* fatuous; inept.

barainneach *adj* parsimonious.

barántúil *adj* authentic.

barbaiciú *m* barbecue.

bardal *m* drake.

barr *m* (*culin*) cover; crop; top. • *vt* to crop. • *adv* **ar a bharr sin** further, furthermore; moreover; **dá bharr sin** thereby. • *adj* **thar barr** excellent; magnificent.

barra *m* bar; ingot.

barraineach *adj* abstemious.

barrúil *adj* droll, funny.

barúil *f* idea; opinion.

bás *m* death.

basár *m* bazaar.

basc *vt* to crush, to mangle.

básmhar *adj* mortal.

bata *m* stick; **bata druma** drumstick; **bata siúil** walking stick.

báúil *adj* sympathetic; **báúil (le)** sympathetic (with).

beach *f* bee.

beacht *adj* accurate; exact; precise. • *adv* **go beacht** exactly.

beag *adj* little, small; **beag beann (ar rud)** impervious.

beag bídeach *adj* minute.

beagán *adv* rather. • *m* few.

beagmhaitheasach *adj* worthless.

beagnach *adv* almost, nearly.

beairic *f* barracks.

béal *m* brim; mouth.

bealach *m* way; (TV) channel; **bealach isteach** access; entrance; **bealach mór** highway.

bealadh *m* grease.

bealaigh *vt* to grease, lubricate.

bealaithe *adj* greasy.

béalbhach *f* (*horse*) bit.

béalchuas *m* cavity.

béaloideas *m* folklore.

béalscaoilte *adj* indiscreet.

Bealtaine *f* May.

bean *f* woman; **Bean** Mrs; **bean (chéile)** wife; **bean déirce** beggar; **bean feasa** fortuneteller; **bean ghlúine** midwife; **bean ghrinn** comedienne; **bean ghnó** businesswoman; **bean luí** mistress; **bean mhuinteartha** kinswoman; **bean tí** landlady; **bean uasal** gentlewoman, lady.

beann[1] *f* antler.

beann[2] *f* regard; **beag beann ar** with little regard for.

beannacht *f* blessing, benediction; greeting.

beannaigh *vt* to bless; **beannaigh do** to greet; to salute.

beannaithe *adj* blessed.

beár *m* bar (*in pub*).

béar *m* bear.

bearbóir *m* barber.

Béarla *m* (*ling*) English.

béarlagair *m* jargon.

bearna *f* breach; gap.

bearnaigh *vt* to breach.

bearnas *m* (*geog*)pass.

bearr *vt* to clip; to prune; to shave.

bearránach *adj* irksome.

beart *m* (*comput*) byte; (*pol*) instrument; bundle; parcel; deed.

beartach *adj* artful.

beartaigh *vt* to brandish.

béasa *m* manner, behaviour.

beatha *f* life; fare (food) .

beathaisnéis *f* biography.

béic *f* roar. • *vi* to bellow, roar.

béile *m* meal, repast. • *vi* **béile a ithe** to dine.

béim *f* emphasis.

beir ar *vt* to grasp; to catch; **beir barróg f (ar)** to hug.

beirt *f* two (persons). • *pn* **an bheirt** both.

beith *f* birch.

beithíoch *m* beast.

beo *adj* alive; live; animated; **beo bocht** destitute.

beochan *f* animation.

beoga *adj* brisk.

beogacht *f* briskness; vitality.

beoigh *vt* to animate.

beoir (beorach) *f* beer.

bheith *f* being, existence.• *adv* **thar a bheith** exceedingly; immeasurably.

bhur *pn* (*pl*) your(s).

bí *vi* to be (*see grammar notes*). • *adj* a bhfuil **dearmad déanta air (rud)** forgotten.

bia *m* food • *npl* **bia sliogán** shellfish.

biabhóg *f* rhubarb.

biachlár *m* menu.

bialann *f* restaurant.

bicíní *m* bikini.

bídeach *adj* tiny; **an-bhídeach** infinitesimal.

bileog nuachta *f* bulletin.

bille *m* bill.

billiún *m* billion.

bindealán *m* bandage.

binn *f* (*mountain*) peak; gable.

binse *m* bench.

bíobla *m* bible.

bíodh go *conj* though.

biogóid *m* bigot.

biogóideacht *f* bigotry.

bíogúil *adj* vivacious.

biorán *m* pin. •*f* **biorán cniotála** knitting needle.

biotáille f booze.

birling f galley.

bís f (tool) vice .

biseach m recovery.

bith: adj pn **ar bith** any.

bithcheimic f biochemistry.

bithcheimicí m biochemist.

bitheog f microbe.

bitheolaíoch adj biological.

bitheolaíocht f biology.

bithiúnach m (person) crook, ruffian; villain.

bitseach f bitch.

biúró m bureau.

bladhm f flame.

bladhmadh: bheith ag bladhmadh vi to blaze.

bladhmaire m boaster.

blagadán m bald person.

blaincéad m blanket.

blais vt to taste.

blaistigh vt to flavour.

blaosc f cnó f nutshell.

blas m accent; (language) brogue ; flavour.

blasta adj delicious; savoury.

bláth m bloom, flower.

bláthach adj floral.

bláthfhleasc f garland.

bleachtaire m detective.

bléin f groin.

bliain f year; (wine) vintage; **An Bhliain Úr** New Year; **bliain bhisigh** leap year; **bliain ghealaí** lunar year. • adv **gach bliain** annually.

bliantúil adj annual, yearly.

bligh vt to milk.

blípire m bleeper.

bloc m block.

blogh f fragment.

bloiscíneach adj buxom.

blonag f lard; **blonag (míl mhóir)** blubber.

blús m blouse.

bó f cow.

bob m prank.• vt **bob a bhualadh (ar dhuine)** (fig) to circumvent; **bob a bhualadh (ar)** to con.

boc m buck, playboy, rascal.

bocht adj needy. poor.

bochtaigh vt to impoverish.

bod m penis.

bodach m lout.

bodhaire f deafness.

bodhar adj deaf; numb.

bodhraigh vt deafen.

bodóg f heifer.

bog adj lenient; soft. • vi vt to budge; to move; to relax; to soften.

bogásach adj complacent.

bogearraí m software.

bogha m bow; **bogha báistí** rainbow.

bogshodar m jog;• vi bheith **ar bogshodar** to jog.

bogthe adj lukewarm.

boige f softness.

boigéiseach adj indulgent.

boilg f bellows.

boilgeog f bubble.

boilsciú m (money) inflation .

bóín f Dé f ladybird.

boinéad m bonnet.

boiseog f slap.

bóithrín m lane.

boladh m odour, smell; sniff.

bolaigh vt to smell.

bolg m abdomen, belly. • vi **déan bolg le gréin** to sunbathe.

bolgach adj abdominal.

bolgam m draught (drink); mouthful.

bolgán m bulb.

bolta m bolt.

bolta a scaoileadh vt to unbolt.

boltáil vt to bolt.

bomaite m minute.

bómánta adj dull, stupid; hare-brained.

bómántacht f stupidity; dullness.

bóna m lapel.

bónas m bonus.

bonn[1] m base, foundation; tyre; **bonn (na coise)** sole.

bonn[2] m coin; medal.

bonnóg f bun; scone.

borb adj luxuriant; rude.

bord m board; table. • adv ar bord aboard; **thar bord** overboard.

borr vi to surge.

bos f palm.

bosca m box; **bosca bruscair** dustbin; **bosca litreacha** letter box.

both f booth, kiosk.

bothán m cabin; hut, shed; shieling.

bóthar m road. • vt bóthar a **thabhairt do** to sack.

bothóg f cabin.

botún m blunder.

brabús m profit. • vt déan brabús **ar** to profit.

brách: go brách adv evermore.

brachán m porridge.

bradán m salmon.

braich f malt.

braicheadóir f maltster.

braighdeanas m bondage; captivity.

braillín m bed sheet.

braiteoireacht f hesitation.

braith vt to betray; to detect; **braith ar** vi to rely (on).

bráithreachas m brotherhood.

bráithriúil adj brotherly, filial, fraternal.

branda m brandy.

braon m drop; dram, nip (of drink).

brat m covering; cloak; curtain; layer; **brat urláir** carpet.

bratach f flag.

bráthair m friar.

breá adj fine; (meteor) clement.

breab f bribe. • vt to bribe.

breabaireacht f bribery.

breac[1] m trout; **breac geal** salmon trout

breac[2] adj variegated.

breac- adv partly.

breacadh an lae m dawn.

breacán m plaid.

breac do dhochar vt (com) debit.

breactha adj dappled.

bréag f lie, falsehood. • vi **déan bréag** to lie.

bréagach adj dud; unreal.

bréagadóir m liar.

bréagán m toy.

bréagnaigh vt to contradict; to disprove; to refute.

bréagnú m contradiction.

bréagriocht m disguise.

bréan adj filthy, foul; rancid.

bréantas m stink.

Breatain: f **An Bhreatain Bheag** Wales; **An Bhreatain (Mhór)** (Great) Britain.

breathnaigh (ar) vt to regard; to scan; to watch.

bréid m cloth.

bréidín m tweed.

bréige adj counterfeit; false, fake.

breis f addition; extra. • adv de bhreis extra.

breise adj additional.

breith f (law) sentence; birth, delivery; **breith anabaí** miscarriage; **breith clainne** childbirth.

breitheamh *m* judge.

breithiúnas *m* (*law*) verdict; judgment; adjudication; discrimination.

breithlá *m* birthday.

breogán *m* crucible.

breoite *adj* ill.

breosla *m* fuel.

brí *f* import, meaning. • *adv* dá bhrí sin therefore; in ísle brí run down.

bríce *m* brick.

bríceadóir *m* bricklayer.

bricfeasta *m* breakfast.

bricíneach *adj* freckled.

bricíní *npl* freckles.

bricliath *adj* grizzled.

brídeach *f* bride.

bríomhar *adj* dynamic; lively.

brionglóid *f* dream.

briosc *adj* brisk; brittle; crisp.

briosca *m* biscuit.

Briotanach *adj* British; *n* Briton.

bris *vt* to break; to depose; **bris as oifig** to dismiss.

briseadh *m* defeat; fracture; (*fin*) change.

briste *adj* broken.

bríste *m* trousers; **bríste gairid** shorts, boxer shorts; **bríste géine** jeans.

brístín *nsg* pants, knickers.

bró *f* quern.

broc *m* badger.

brocailí *m* broccoli.

brocaire *m* terrier.

bródúil *adj* proud.

bróg *f* brogue; shoe.

bróicéir *m* broker.

bróicéireacht *f* brokerage.

broid *vt* to prod.

bróidnigh *vt* to embroider.

broim *m* fart (noisy).

broincíteas *m* bronchitis.

broinn *f* uterus, womb.

bróisiúr *m* brochure.

bróiste *m* brooch.

brollach *m* breast. • *adj* le brollach íseal low-cut.

brón *m* mourning; sadness, sorrow.

brónach *adj* sorry, sad.

broncach *adj* bronchial.

bronn *vt* to donate; to present; **bronn (rud) ar** to bestow.

bronnadh *m* presentation; endowment; **bronnadh céimeanna** graduation (ceremony).

bronntanas *m* present, gift.

bronntóir *m* donor.

brosna *m* firewood.

brostaigh *vi* to hurry, rush; to hasten; to urge.

brothall *m* heat; sultriness.

brú *m* push; shove; pressure; **brú fola** blood pressure.

bruach *m* (*river, etc*) bank; brink; verge.

brúchtadh *m* eruption.

brúid *f* brute.

brúidiúil *adj* bestial; brutal.

brúidiúlacht *f* brutality.

brúigh *vt* to cram; to crush; to push, shove; to bruise; to mash; **brúigh isteach ar** to intrude; **brúigh síos** to depress, press down.

Bruiséil *f* An Bhruiséil Brussels.

bruite *adj* boiled.

bruith *vi* *vt* to boil.

bruitíneach *f* measles.

bruscar *m* garbage, junk, rubbish; litter.

bua *m* faculty; flair; victory. • *vt* an

bua a fháil to carry the day; **bua a bhreith ar (dhuine)** to triumph (over someone).

buabhall *m* drinking horn; bugle (horn).

buabhallaí *m* bugler.

buach *adj* triumphant.

buachaill *m* boy; **buachaill bó** cowherd, cowboy; **buachaill freastail** page (boy).

buaf *f* toad.

buafhocal *m* punchline; epithet.

buaic *f* apex, climax, zenith.

buaiceas *m* wick.

buaigh *vt* to win; **buaigh ar** to conquer.

buail *vt vi* to beat; to thrash (corn); to strike, hit; to flap; to conquer; **buail (ar rud éigin)** to impinge (on something); **buail le** to meet; **buail sonc ar** to butt.

buailteoir *m* bat.

buaine *f* permanence.

buair *vt* to trouble, annoy.

buaireamh *m* care, worry.

buairt *f* anxiety; bother.

buaiteoir *m* victor.

bualadh *m* beating; **bualadh bos** applause.

buama *m* bomb.

buamáil *vt* to bomb.

buan *adj* durable, lasting, permanent.

buanna *npl* accomplishments.

buanseasmhach *adj* durable.

buartha *adj* anxious; sorry; (*person*) worried.

buatais *f* boot.

búcla *m* buckle.

Búdachas *m* Buddhism.

buí *adj* m yellow.

buicéad *m* bucket.

buidéal *m* bottle.

buile *f* fury; lunacy; frenzy. • *adj* ar buile frantic.

builín *m* loaf.

buille *m* hit.

buimpéis *f* pump, shoe.

buinneach *f* diarrhoea.

buinneán *m* sapling.

buíocán *m* yolk.

buíoch *adj* grateful; thankful.

buíocháin: na buíocháin *mpl* jaundice.

buíochas *m* gratitude. • *vt* gabh buíochas (le) to thank.

buíon *f* (*band*) body; **buíon cheoil** (*mus*) band.

buirgléir *m* burglar.

buirgléireacht *f* burglary.

buiséad *m* budget.

búistéir *m* butcher.

buitléir *m* butler.

bulaí *m* bully.

bullán *m* bullock.

bun *m* base; bottom; origin; **bun toitín** butt. • *f* **bun na spéire** horizon.

bunachar sonraí *m* database.

bunaigh *vt* to establish; to found.

bunáit *f* (*milit*) base.

bunaitheoir *m* founder.

bungaló *m* bungalow.

bunoscionn *adv adj* upside-down; chaotic.

bunreacht *m* (*pol*) constitution.

bunscoil *f* primary school.

bunstoc *npl* aborigines, original people.

buntáiste *m* advantage.

buntomhas *m* dimension.

bunú *m* foundation.

bunús *m* most; basis; **bunús an scéil** gist (of story).

bunúsach *adj* aboriginal; basic, elementary, fundamental; cardinal; essential.

burg *m* burgh.

burgar *m* beefburger.

bus *m* bus; **ar an bhus** *adv* by bus.

busta *m* bust.

butrach *adj* buttery.

C

cá (háit) *interr pn* where (+ *indirect*).

cabach *adj* garrulous.

cabaíl *f* garrulity.

cabaireacht *f* babble. • *vi* déan cabaireacht to chatter.

cabáiste *m* cabbage.

cábán *m* cabin.

cábán (píolóta) *m* cockpit.

cabanta *adj* flippant; glib.

cabhail *f* hull.

cabhlach *m* fleet, navy.

cabhrach *adj* helpful.

cabhraigh le *vi* to help.

cabhsa *m* causeway.

cábla *m* cable, hawser.

cac *m* dung; excrement.

cáca *m* cake.

cachtas *m* cactus.

cad *interr pron* what; how; why. • *n* cad (é) what (+ *direct*). • *adv* cad as whence (+ *indirect*); cad é mar how; cad chuige why (+ *indirect*).

cadairne *m* scrotum.

cadás *m* cotton.

cadhnra *m* battery.

cadóg *f* haddock.

caibidil *f* chapter.

caibinéad *m* cabinet.

caidéal *m* pump.

caidreamh *m* association (*of people*); intercourse; caidreamh collaí sexual intercourse; caidreamh poiblí public relations.

caidreamhach *adj* gregarious.

caife *m* café; coffee.

caiféin *f* caffein(e).

caifitéire *m* cafeteria.

caighean *m* cage.

cailc *f* chalk.

cáiligh *vt* to qualify.

cailín *m* girl; girlfriend; lass, lassie; maid; cailín aimsire maid; cailín coimhdeachta bridesmaid.

cáilíocht *f* qualification.

caill *vt* to lose; to miss.

caille *f* veil.

cailleach *f* hag; witch; coward.

cailleadh *m* loss.

caillte *adj* lost.

Cailvíneach *m* Calvinist.

caimiléireacht *f* duplicity; fraud.

cáin[1] *vt* to censure; to condemn; to criticise; to decry.

cáin[2] *f* tax. • *vt* gearr cáin (ar) to tax; cáin bhreisluacha *f* value added tax; cáin ioncaim *f* income tax.

cáinaisnéis *f* (*govt*) budget.

cáineadh *m* censure; condemnation.

cainneann *f* leek.

cainéal *m* channel.

cáinmheas *m* tax assessment.

caint *f* speech, talk; caint na ndaoine vernacular.

cainte *adj* oral.

cáinteach *adj* critical.

cáipéis *f* document, record.

caipín *m* cap.

caipitleachas *m* capitalism.

caiptlí *m* capitalist.

cairde *m* credit; respite.

cairdeas *m* friendship.

cairdín *m* (*mus*) accordion .

cairdinéal *m* cardinal.

23

cairdiúil *adj* friendly.

cairdiúlacht *f* friendliness.

cairéad *m* carrot.

cairéal *m* (*geog*) quarry.

cairpéad *m* carpet.

cairt *f* cart; chart; charter.

cairtchlár *m* cardboard.

cairtfhostaigh *vt* to charter.

cáis *f* cheese.

Cáisc *m* Easter.

caiséad *m* cassette.

caisearbhán *m* dandelion.

caisiné *m* casino.

caisleán *m* castle.

caite *adj* worn.

caiteachas *m* expenditure.

caith *vt* to consume; to expend; to spend (*money, time*); to cast; to throw; to wear (*clothes*); **caith amach** to dump; to eject; to oust; **caith amhras ar** to suspect; **caith anuas ar** to malign; **caith ar** to afflict; **caith clocha le duine** to pelt someone with stones; **caith dímheas ar** to denigrate; **caith go doscaí** to lavish; **caith le (duine, etc)** to treat; **caith (rud) san aer** to toss; **caith rud uait** to discard; **caith solas** to flash; **caith tabac** to smoke; **caith toitín** to smoke. • *vi* **caith seile** to spit;

caitheamh *m* throw; spending; **caitheamh aimsire** recreation, diversion, pastime, hobby.

caithfidh: caithfidh mé é a dhéanamh *vb* I have to do it .

cáithnín *m* particle.

caithréim *f* triumph.

caithréimeach *adj* triumphal.

caiticeasma *m* catechism.

Caitliceach *adj m* (*relig*) Catholic.

Caitliceachas *m* Catholicism.

cál *m* kale.

caladh cuain *m* jetty.

calafort *m* seaport.

calaois *f* foul; **déan calaois ar** *vt* to defraud.

calcalas *m* (*math, med*) calculus.

callaire *m* loudspeaker.

callán *m* din, racket, noise (*noise of people*); **callán a thógáil** *vi* to brawl.

callánach *adj* boisterous.

calóga arbhair *npl* cornflakes.

calra *m* calorie.

Calvaire *m* Calvary.

cam *adj* crooked, wry, bent.

cam an ime *m* (*bot*) buttercup.

camall *m* camel.

camán *m* hurley, shinty stick; (*mus*) quaver.

camas *m* (*mar*) cove.

camchosach *adj* bandy-legged.

camóg *f* bracket; comma.

camógaíocht *f* camogie (game similar to hurley).

campa *m* camp; **campa géibhinn** concentration camp.

campáil *vi* to camp.

campálaí *m* camper.

can *vt* to sing; **can (amhrán) de chrónán** to croon.

cána *m* cane.

canabhas *m* cannabis.

canáil *f* canal.

canbhás *m* canvas.

cancrach *adj* fretful.

candaí *m* candy.

canna *m* can.

canóin *f* cannon; canon.

cantaireacht *f* chant. • *vt* **cantaireacht a dhéanamh** to chant.

cantalach *adj* cantankerous, cross.

canúint *f* dialect.

caoch *vt* to daze; to dazzle. • *vi*
caoch na súile to blink; **caoch
súil** to wink.

caochán *m* mole.

caoga *adj* fifty.

caogadú *adj* fiftieth.

caoi *f* manner; **cén chaoi a bhfuil
tú?** how are you?

caoin *adj* (*person*) benign, gentle.
• *vi vt* to lament, bewail, keen,
mourn; to weep; to deplore.

caoineadh *m* elegy; lament; lamen-
tation.

caointeach *m* elegiac.

caoireoil *f* mutton.

caol[1] *adj* lean; skinny. • *m* **caol na
láimhe** *m* wrist.

caol[2] *m* firth, kyle.

caolchúiseach *adj* subtle.

caomhnaigh *vt* to conserve.

caomhnóir *m* guardian.

caomhnú *m* conservation; conserv-
ancy.

caonach *m* moss.

caor *f* berry.

caora *f* ewe; sheep.

caorthann *m* rowan.

caoithiúil *adj* convenient; expedient.

caoithiúlacht *f* convenience; **ar do
chaoithiúlacht** at your convenience.

capall *m* horse.

capán glúine *f* kneecap.

capsúl *m* capsule.

captaen *m* captain.

cár *m* teeth (set of); **cár bréagach**
dentures.

cara (carad) *m* friend.

carabhán *m* caravan.

carachtar *m* character.

carbaihiodráit *f* carbohydrate.

carball *m* palate (hard).

carbón *m* carbon.

Carghas: *m* An Carghas Lent.

carn *vt* to accumulate; to heap; to
pile. • *m* **carn aoiligh** dunghill;
carn fuílligh dump.

carnabhal *m* carnival.

carnadh *m* accumulation.

carr *m* car; **carr cábán infhillte** con-
vertible; **carr scriosta** wreck; **carr
sleamhnáin** sledge, sleigh.

carráiste *m* carriage.

carria *m* deer; stag.

carsán *m* wheeze. • *vi* **cársán a
bheith ionat** to wheeze.

cárta *m* card; **cárta airgid** cash card;
cárta baincéara bank card; **cárta
bordála** boarding pass; **cárta
creidmheasa** credit card; **cárta
poist** postcard.

carthanach *adj* beneficent; charita-
ble.

cartlann *f* archive.

cartún *m* cartoon.

cartús *m* cartridge.

cas *vi vt* to turn; to spin; to twist; to
sing; **cas le** to meet.

cás *m* cage; case. • *vt* **duine (rud) a
chur isteach i gcás** to cage. • *adj*
sa dara cás secondly.

casacht *f* cough. • *vi* **déan casacht**
to cough.

casaigh *vt* to deplore.

casaoid *f* reprimand; complaint.

casaról *m* casserole.

caschoill *f* brushwood.

casóg *f* jacket.

casta *adj* intricate.

casúr *m* hammer.

casta *adj* complex; elaborate.

cat *m* cat. • *adj* **mar chat** feline.

cat crainn m marten.

catagóir f category.

catalóg f catalogue.

cataracht fionn f cataract.

cath m battle.

cathair (cathrach) f city; **cathair ghríobháin** labyrinth.

cathaoir (cathaoireach) f chair; **cathaoir uilleach** armchair.

cathaoirleach m chairman, chairperson.

cathartha adj civic.

cathéide f armour.

cé[1] f pier.

cé[2] interr pn who (+ direct) • pn whose. • adj **cé (acu)** which. • conj **cé acu** whether. • pn which; **cé go** although, though; whereas; **cén fáth** (+ indirect); adv why; **cén uair** (+ direct); adv when.

ceacht m lesson.

céachta m plough.

cead m consent; **cead isteach** admission; **cead scoir** leave.

céad adj first; **an chéad bhean** the first woman • m century; hundred. • adj hundred. • adv **faoin gcéad** per cent.

ceadaigh vi vt to consent; to allow, permit; to approve.

ceadaitheach adj permissive.

ceadal m (mus) recital.

céadghin f first-born.

Céadaoin: f **An Chéadaoin** Wednesday.

céadú adj hundredth.

ceadúnaigh vt to license.

ceadúnas m licence; permit; **ceadúnas tiomána** driving licence.

ceal m lack, abscence; **cur ar ceal** m abolition.

cealg f sting; deception, deceit. • vt to sting; to deceive.

cealaigh vt to counteract; to annul; to cancel; to delete.

ceallra m battery.

cealú m cancellation.

ceamara m camera.

ceamaradóir m camera operator.

ceangal m link; bond; connection.

ceangail vt to tie, to bind; to connect; to fasten; to join; to lace.

ceangailteach adj astringent.

ceann m head. • adv **an ceann** apiece (thing); **ceann ar cheann** singly. • vt **an ceann a bhaint de scéal** to broach a question; **dul i gceann ruda** to go about a thing. • prep **go ceann** for (time: future). • m **ceann feadhna** captain; **ceann staighre** landing; **ceann tíre** headland; **ceann urra** chief.

ceann- adj capital.

céanna adj same; **den chineál chéanna** like. • adv **mar an gcéanna** likewise; ditto.

ceannaí m buyer; merchant.

ceannaigh vt to buy.

ceannairc f mutiny.

ceannairceach m rebel.

ceannaire m leader.

ceannas m dominion. • vt **bheith i gceannas ar** to dominate.

ceannasach adj dominant; assertive; ruling.

ceannbhán m bog-cotton.

ceannbhrat m canopy.

ceanncheathrú fsg npl (milit) headquarters.

ceanndána adj dogged; headstrong; stubborn.

ceannlitir (-treach) f capital letter.

ceannsolas *m* headlight.

ceansa *adj* meek; tame.

ceansacht *f* meekness.

ceansaigh *vt* to domesticate (*animal*); to appease; to tame.

ceant *m* auction.

ceantar *m* area, locality, district.

ceanúil *adj* affectionate, fond.

ceap *m* butt (target); pad. • *vt* to appoint; to design; to devise; to intercept; to trap.

ceapachán *m* appointment.

cearbhán *m* basking shark.

cearc *f* hen; **cearc fhraoigh** (bird) grouse.

ceardaí *m* craftsman.

ceardaíocht *f* workmanship.

cearnach *adj* square.

cearnamhán *m* hornet.

cearnóg *f* square.

cearr *adj* wrong. • *adv* awry; **tá rud éigin cearr** something's amiss.

cearrbhach *m* gambler.

cearrbhachas *m* gambling. • *vi* **bheith ag cearrbhachas** to gamble.

ceart *adj* correct; right. • *m* justice; right. • *vt* **cuir i gceart** to right.

céarta *f* forge.

ceartaigh *vt* to correct; to adjust; to rectify.

ceart oidhreachta *m* birthright.

céas *vt* to persecute.

céasadh *m* agony.

céasaigh *vt* to agonise.

céaslaigh *vi* to paddle.

ceathair *adj m* four; **ceathair déag** *m* fourteen.

ceathrar *m* foursome.

ceathrú[1] *adj m* fourth. • *f* **ceathrú pionta** gill. • *adv* **sa cheathrú háit** fourthly.

ceathrú[2] *f* quarter; stanza; (*anat*) thigh.

ceathrú déag *adj m* fourteenth.

ceil *vt* to cloak; to hide.

céile *m* consort, mate, partner, spouse; **céile comhraic** antagonist; opponent. • *adv* **de réir a chéile** gradually; **le chéile** together.

céilí *m* visit (to someone's house); social evening.

ceiliúir *vt* to celebrate; to warble; to fade, vanish.

ceiliúr *vt* to warble. • *m* **ceiliúr éan** birdsong.

ceiliúradh *m* celebration; **ceiliúradh céad bliain** centenary.

céillí *adj* sane; sensible.

ceilp *f* kelp.

ceilt *m* concealment; denial. • *adv* **faoi cheilt** *adv* secretly.

ceilteach *adj* secretive.

céim *f* degree; grade; step; (*educ*) degree; **céim bhacaí** limp; **céim fhada** stride.

céimí *m* graduate.

ceimic *f* chemistry.

ceimiceoir *m* chemist.

céimíocht *f* rank.

céimiúil *adj* eminent.

céimseach *adj* gradual, gradated.

céimseata (-n) *f* geometry.

ceinteagrád *m* centigrade.

ceintiméadar *m* centimetre.

céir *f* wax.

ceird *f* craft.

ceirmeach *adj* ceramic.

ceirnín *m* (*mus*) record.

ceirtlín *m* (*thread*) reel.

ceirtlis *f* cider.

ceist *f* issue; question.

ceistigh *vt* to question.

ceithearnach *m* (*chess*) pawn.

ceithre *adj* four.

ceo *m* fog; mist; haze.

ceobhrán *m* drizzle.

ceobhránach *adj* misty; hazy.

ceol *m* music. • *vt vi* to sing. • *m* **ceol aonair** (*mus*) solo; **ceol na méan** birdsong; *f* **ceol tíre** folksong.

ceolmhar *adj* musical; tuneful; (*mus*) harmonious.

ceomhar *adj* foggy.

cheana (féin) *adv* already.

choíche *adv* (in future) ever.

chomh *adv* so; **chomh maith** too, also. • *adj* **chomh fada ar shiúl** equidistant. • *conj* **chomh ... le** as.

chuig *prep* to.

chun *prep* to (+ *gen*). • *adj* **chun tosaigh** forward, to the fore.

ciall *f* meaning; sense; reason; wit. • *adj* **gan chiall** meaningless, senseless.

ciallaigh *vt* to imply, mean.

cianrialú *m* remote control.

ciap *vt* to annoy; to bait; to harass; to plague.

ciapach *adj* annoying.

ciapadh *m* annoyance.

ciarbhuí *adj* tawny.

ciaróg *f* beetle.

ciarsúr *m* handkerchief.

cibé *pn* whoever. • *adv* **cibé áit** wherever.

cic *m* kick.

ciceáil *vt* to kick.

cíl *f* keel.

cileagram *m* kilogram.

ciliméadar *m* kilometre.

cill *f* cell.

cime *m* captive.

cín lae *f* diary.

cine *m* race; **an cine daonna** humankind.

cineál *adj* kind. • *m* gender; make. • *adj* **den chineál chéanna** like.

cineálta *adj* kindly.

cinedheighilt *f* apartheid.

ciníochas *m* racism.

cinn ar *vt* to determine.

cinneadh *m* decision; determination.

cinnitheach *adj* decisive.

cinniúint *f* destiny; doom.

cinnte *adj* certain; sure. • *adv* **go cinnte** assuredly, surely.

cinnteachas *m* determinism.

cinnteacht *f* certainty, certitude.

cinntigh *vt* to confirm; to ascertain; to ensure.

cinntiú *m* confirmation.

cinsire *m* censor.

cinsireacht *f* censorship.

cíoch *f* breast.

cíochbheart *m* bra.

cíocrach *adj* avid; eager.

cíocras (chun) *m* craving (for).

cion¹ *m* affection; **tá cion agam ort** I am fond of you.

cion² *m* share.

cion³ *m* offence.

cionmhaireacht *f* proportion.

cionn is (go) *conj* as.

ciontach *adj* guilty. • *m* convict; culprit.

ciontacht *f* delinquency; guilt.

ciontaigh *vt* to incriminate; to convict.

ciontóir *m* delinquent.

ciontú *m* conviction.

cíor *f* comb. • *vt* to comb; *f* **cíor thuathail** muddle.

ciorcad *m* (*elec*) circuit.

ciorcal *m* circle; ring.
ciorclach *adj* circular.
ciorclán *m* circular.
ciorraigh *vt* to hack; to mutilate.
ciorrú coil *m* incest.
cíos *m* rent.
ciotach *adj* awkward; clumsy; left-handed.
ciotachán *m* bungler.
ciotóg *f* left hand; left-handed person.
ciotógach *adj* left-handed.
ciotrúntacht *f* clumsiness.
cipín *m* match, stick; **bheith ar cipíní** to be in suspense, on tenterhooks.
circeoil *f* chicken (meat).
cis *f* handicap; rut.
ciseán *m* basket, hamper.
cispheil *f* basketball.
cist *f* cyst.
cisteog *f* casket.
cistin *f* kitchen.
citeal *m* kettle.
cithfholcadh *m* shower.
cithréim *f* deformity.
ciúb *m* cube.
ciúin *adj* calm; quiet; silent.
ciumhais *f* edge; margin.
ciúnaigh *vt* to calm; to quieten.
ciúnas *m* calm, calmness; placidity; silence.
clábar *m* mud.
clabhsúr *m* close.
cladach *m* seashore, shore.
cladhaire *m* coward; rogue.
clagarnach *f* clatter. • *vi* **déan clagarnach** to clatter.
claí *m* dyke.
claidhreacht *f* cowardice.
claíomh (claímh) *m* sword.

cláirseach[1] *f* harp .
cláirseach[2] *f* woodlouse.
cláirseoir *m* harpist.
clais *f* furrow.
clamhair *vt* to maul; to pull hair/skin off.
clamhán *m* buzzard.
clamhsán *m* grumble, grouse. • *vi* **déan clamhsán** to grumble.
clampaigh *vt* to clamp.
clampar *m* tumult; wrangle; **déan clampar** *vi* to wrangle.
clann *f* children, offspring; family.
claon *vt vi* to incline; to deviate; to divert; to slant.
claonadh *m* inclination; diversion; bias; slant.
claonpháirteachas *m* collusion.
clapsholas *m* dusk, gloaming, twilight.
clár *m* board; catalogue; lid; register; (*TV, etc*) programme; **clár comhardaithe** balance sheet; **clár dubh** blackboard; **clár fógraí** bulletin board.
cláraigh[1] *vt* to record.
cláraigh[2] *vt* to have sexual intercourse with.
clasaiceach *adj* classic; classical.
claspa *m* clasp.
clé *adj* left.
cleacht *vt* to practise; to rehearse.
cleachta *adj* acustomed.
cleachtadh *m* practice; rehearsal.
cleas *m* catch; contrivance; trick; prank; **cleas deaslámhaí** knack.
cleasach *adj* artful.
cléir *f* clergy.
cléireach *m* clerk.
cléiriúil *adj* clerical.
cleite *m* feather.

cliabh *m* (*anat*) chest; creel.

cliabhán *m* cradle.

cliamhain (~) *m* son-in-law.

cliant *m* client.

cliarscoil *f* seminary.

cliath *f* stave; **cliath fhuirste** harrow.

clinic *m* (doctor's) surgery, clinic.

cliobóg *f* filly.

clíoma *m* climate.

cliste *adj* bright, clever, smart.

clóbhuail *vt* to print.

clóca *m* cape, cloak.

cloch *f* rock; stone; **cloch shneachta** hailstone; **cloch thine** flint.

clochar *m* convent.

clog *m* bell; blister; clock. • *vi* to blister.

clóghrafaíocht *f* typography.

cloicheán *m* prawn.

cloigeann *m* skull.

cloígh *vt* defeat.

cloigín *m* bell.

cloíte *adj* abject.

clós *m* enclosure; yard.

closamhairc *adj* audiovisual.

clú *m* fame; reputation.

cluas *f* ear.

cluasán *m* earphone.

club *m* club.

clúdach *m* cover; envelope.

clúdaigh *vt* to cover; to veil.

cluiche *m* game; **cluiche cártaí** card game.

cluin *vt vi* to hear.

clúiteach *adj* famous.

clúmhach *adj* furry.

clúmhilleadh *m* defamation; slander.

clúmhúil *adj* mouldy.

cnádaigh *vi* to smoulder.

cnag *m* knock. • *vt* to knock; to click.

cnagaosta *adj* elderly.

cnaipe *m* button. • *vt* **cnaipí a cheangal** to button.

cnámh *f* bone; **cnámh droma** backbone; **cnámh géill** jawbone. • *adj* **gan chnámh** boneless.

cnámhach *adj* bony.

cnámharlach *m* skeleton; lanky person.

cnap *m* knob; lump.

cnapach *adj* lumpy.

cnapán *m* bump, swelling.

cnapsac *m* knapsack.

cneá *f* sore; wound.

cnead *vi* to pant. • *f* gasp.

cneáigh *vt* to wound.

cneamhaire *m* knave.

cneasacht *f* honesty; sincerity; probity.

cneasta *adj* honest, sincere; decent.

cneastacht *f* decency.

cniog *m* click.

cniotáil *vt* to knit.

cniotálaí *m* knitter.

cnó *m* nut; **cnó cócó** coconut.

cnoc *m* hill; **cnoc oighir** iceberg.

cnocach *adj* hilly.

cnuasach *m* anthology; compilation.

cobhsaí *adj* stable.

cócaire *m* cook.

cócaireacht *f* cookery.

cócaireán *m* cooker; **cócaireán gáis** gas cooker.

cócaráil *vi vt* to cook.

cóch *m* squall.

cochall *m* hood; (*bot*) capsule.

cócó *m* cocoa.

cocún *m* cocoon.

cód *m* code; **cód poist** postcode.

codail *vi* to sleep.

codán *m* fraction.

codladh *m* sleep. • *vi* **tá mé i mo chodladh** I am asleep.

codlatach *adj* drowsy, sleepy.

cófra *m* chest, coffer; cupboard.

cogadh *m* war.

cogain *vt* to chew.

cogar *m* whisper. • *vt vi* **abair i gcogar** to whisper.

coguas *m* (*anat*) palate (soft).

cogúil *m* warlike.

coibhneasta *adj* relative.

coicís *f* fortnight.

coigeadal *m* chant.

coigil *vt* to economise.

coigilt *f* frugality.

coigilteach *adj* frugal.

coileach *m* cock.

coileán *m* pup, cub (*animal*).

coiléar *m* collar.

coilíneach *adj* colonial.

coilíneacht *f* colony.

coilínigh *vt* to colonise.

cóilis *f* cauliflower.

coill¹ *f* wood.

coill² *vt* to castrate; to violate.

coilleadh *m* castration; violation; robbery.

coillteán *m* eunuch.

coim *f* waist. • *adv* **faoi choim** incognito.

coiméad *m* comet.

coimeádach *adj* conservative.

coiméide *f* comedy.

coimhlint *f* conflict.

coimhthíoch *adj* exotic; foreign; alien. • *m* foreigner; alien.

coimirceoir *m* guardian.

coimisiún *m* commission.

coimisiúnaigh *vt* to commission.

coimre *f* neatness; abridgment.

coimriú *m* abstract.

coincheap *m* concept.

coincréit *f* concrete.

coincréitigh *vt* to concrete.

coineascar *m* evening; twilight, dusk.

coinicéar *m* warren.

coinín *m* rabbit.

coinleach *m* stubble.

coinlín reo *m* icicle.

coinne *f* appointment, meeting, assignation, tryst. • *vt* **cuir i gcoinne** to object; **faoi choinne** *prep* for.

coinneal *f* candle.

coinneálach *adj* tenacious.

coinnigh *vt* to contain, hold; to keep, maintain; to retain.

coinnigh ort le *vt* to persevere.

coinséartó *m* concerto.

coinsias *m* conscience.

coinsiasach *adj* conscientious.

coinsíneacht *f* consignment.

coip *vt vi* to ferment; to foam.

cóip *f* copy.

cóipcheart *m* copyright.

coipeach *adj* effervescent.

coipeadh *m* fermenation; ferment.

coipeadh *vi* to fizz.

cóipeáil *vt* to copy.

coir *f* crime; offence; trespass; **coir a dhéanamh** *vt* to commit (a crime, etc).

cóir² *adj* just; proper. • *f* equity. • *vb aux* **ba chóir** (**dom**, etc) ought. • *adv* **mar is cóir** duly.

coirceog *f* hive.

coire *m* boiler; corrie; **coire guairneáin** whirlpool.

coiréal *m* coral.

cóirigh *vi* to dress. • *vt* to adjust; to arrange; to fix.

cóiriú *m* dressing; (*mus*) arrangement.

coiriúil *adj* criminal.

coirm *f* treat.

coirnéal *m* corner.

coirnín *m* bead; curl.

coirníní a chur i *vt* to curl.

coirnis *f* cornice.

Coirnis *f* (*ling*) Cornish.

coirpeach *m* criminal; outlaw.

coirpín *m* corpuscle.

coirt *f* bark (of a tree).

coisbheart *m* footwear.

cois: *adv* **ar cois** afoot; **le cois** besides.

coisc *vt* to block; to deter; to forbid, prohibit.

coiscéim *f* pace; step.

coiscín *m* sheath, condom, contraceptive.

coisí *m* pedestrian.

coisric *vt* to consecrate, bless.

coiste *m* committee.

cóiste *m* carriage, coach; **cóiste na marbh** hearse.

coiteann *adj* common.

coitianta *adj* accustomed; ordinary, undistinguished; popular, prevailing; usual.

col[1] *m* dislike.

col[2] *m* kinship; **col ceathar** *m* cousin; **col cúigear** first cousin once removed.

colach *adj* incestuous.

colainn *f* body. • *adj* **i gcolainn dhaonna** *adj* incarnate.

coláiste *m* college.

colbha cosáin *m* kerb.

colg *m* bristle.

colgach *adj* bristly; irritable, peevish.

collaí *adj* carnal.

collaíocht *f* sexuality. • *vi* **collaíocht a bheith agat le duine** to have sex with someone.

colm *m* dove; scar.

colscaradh *m* divorce.

colscaraigh *vt* *vi* to divorce.

colún *m* column; pillar.

colúnaí *m* columnist.

colúr *m* pigeon.

comaoin *f* favour; obligation. • *adj* **faoi chomaoin** indebted.

comair *adj* shapely, trim.

comhábhar *m* ingredient.

comhad *m* file (*documents*).

comhadaigh *vi* to file.

comhaimseartha *adj* contemporaneous, contemporary.

comhair *vt* to count.

comhairigh *vt* to compute, calculate.

comhairle *f* advice; council; **idir dhá chomhairle** in a quandary.

comhairleoir *m* adviser; councillor.

comhairligh *vt* to advise.

cómhalartach *adj* mutual; reciprocal.

comhalta *m* member; foster-sibling.

comhaltacht *f* fellowship.

comhaontas *m* alliance.

comhaontú *m* agreement.

comhardaigh *vt* to equalise; (*fin*) to balance.

comharsa (-n) *f* neighbour.

comhartha *m* sign; **comhartha ceiste** question mark; **comhartha uaillbhreasa** exclamation mark.

comhbheith *f* coexistence.

comhbhrí *f* equivalent. • *adj* **ar comhbhrí (le)** equivalent (to).

comhbhrón *m* sympathy, commiseration. • *vt* **comhbhrón a dhéanamh le duine** to commiserate.

comhcheangail *vi vt* to combine; join.

comhcheangal *m* coalition; combination; affiliation.

comhcheilg *f* conspiracy, plot.

comhcheol *m* harmony.

comhchoirí *m* accomplice.

comhchruinniú *m* muster.

comhdháil *f* conference.

comhdhéanamh *m* (*phys*) constitution.

comhdheas *adj* ambidextrous.

comhdhírigh *vi* to converge.

comhéigean *m* coercion.

comhfhios *m* consciousness.

comhfhiosach *adj* conscious.

comhfhreagras *m* correspondence.

comhghairdeas *m* congratulations. • *vt* comhghairdeas a dhéanamh (le) to congratulate.

comhghuaillí *m* ally.

comhionannas *m* uniformity.

comhla *f* valve.

comhlacht *m* company, firm.

Comhlathas *m* Commonwealth.

comhlíon *vt* to fulfil; to perform.

comhlíonadh *m* fulfilment.

comhluadar *m* (*social*) company.

comhoibrí *m* colleague.

comhoibrigh (le) *vi* to cooperate; to collaborate.

comhpháirteach *adj* joint.

comhpháirtíocht *f* partnership. • *adv* i gcomhpháirtíocht jointly.

comhrá *m* chat, conversation. • *vi* comhrá a dhéanamh (le) to converse.

comhrac *m* combat; comhrac aonair *m* duel.

comhréir *f* proportion. • *vt* cuir i gcomhréir (le) to attune; cuir i gcomhréir le chéile (smaointe,

etc) to harmonise (*thoughts, etc*).

comhréiteach *m* compromise.

comhriachtain *f* copulation. • *vi* comhriachtain a dhéanamh to copulate.

comhrian *m* (*map*) contour.

comhshamhlaigh *vt* to assimilate.

comhshínigh *vt* to countersign.

comhshondas *m* assonance.

comhtháite *adj* coherent; cohesive.

comhthaobhach *adj* collateral.

comhtharlaigh (le) *vi* coincide.

comhtharlú *m* coincidence.

comhtháthaigh *vi vt* fuse; integrate; cohere.

comhthéacs *m* context.

comhthíreach *m* compatriot.

comhthreomhar *adj* parallel.

comhuaineach *adj* simultaneous.

comórtas *m* competition; contest.

compánach *m* chum; companion.

compás *m* compass.

compord *m* comfort.

compordach *adj* comfortable.

comrádaí *m* comrade, mate.

conablach *m* carcass.

cónacht *f* equinox.

cónaí *m* residence; i gcónaí *adv* always.

cónaidhme *adj* federal.

cónaigh *vi* to dwell; to abide.

conairt *f* pack of hounds; rabble.

cónaisc *vt vi* to amalgamate; to merge.

conas *adv* how; conas atá tú? how are you?.

cónasc *m* conjunction.

conchró *m* kennel.

confach *adj* bad-tempered.

cóngarach *adj* adjacent; cóngarach (do) *prep* near (to).

cónra f coffin.

conradh m contract; (pol) league.

consan m (gr) consonant.

conspóid f controversy; dispute. • vt to dispute, argue, contest.

conspóideach adj argumentative; controversial.

constaic f impediment, obstacle.

contae m county.

contráilte adj wrong.

contrártha adj contrary.

contúirt f danger.

contúirteach adj dangerous, unsafe.

copóg f (bot) dock(en).

cor m turn; **cor bealaigh** detour; **cor cainte** idiom.

cór m choir.

cora f weir.

córas m system.

corc m cork. • vt **corc a chur i mbuidéal** to cork; **corc a bhaint as** to uncork.

corcairdhearg adj crimson.

corcra adj purple.

corcscriú m corkscrew.

corda m cord; string.

corn m (mus) horn. • vt to coil; to wrap.

coróin (-ónach) f crown.

corónach adj coronary.

corónaigh vt to crown.

corónú m coronation.

corp m body; corpse.

corpán m corpse.

corparáid f corporation.

corr[1] adj eccentric; odd, peculiar. .

corr[2] f heron; **corr f éisc** heron; **corr f bhán** stork; .

corraigh vt to agitate; to stir.

corraíl f agitation.

corraitheach adj emotional; heady, thrilling.

corrmhéar f forefinger.

corrmhíol m mosquito.

corrthónach adj restless.

cos f foot; leg; haft.

cosain vi to cost. • vt to champion; to defend; to protect, shield.

cosaint f defence; protection. • ad gan chosaint defenceless.

cosán m path, footpath.

cosantach adj defensive.

cosantóir m defender, protector (auto) bumper.

cosc m ban. • vt to ban.

coscán m brake.

cosmaid f cosmetic.

cosnochta adj barefoot(ed).

cos-slua m infantry.

cósta adj coastal. • m coast.

costas m cost.

costasach adj costly.

cosúil adj alike, similar. • adv akin.

cosúil le adv like.

cosúlacht f analogy; likeness.

cóta m coat; **cóta dúbailte** double-breasted coat.

cothabháil f sustenance; maintenance.

cothaigh vt to feed; to maintain.

cothrom adj equal; even; flat; level. • m balance; fairness; **cothrom an lae** anniversary. • adv go cothrom fairly.

cothromaigh vt to balance; to equalise (game).

cothrománach adj horizontal.

cothromas m (fin) equity.

cothromóid f equation.

crá m anguish; annoyance; irritation; bother.

craiceann m peel, rind, skin; craiceann an chinn scalp.

cráifeach *adj* devoted, holy.

cráigh *vt* to bother, harass, vex.

cráin *f* sow.

cranda *adj* decrepit.

crann *m* tree; mast; **crann creathach** (*bot*) aspen; **crann líomaí** lime tree; **crann tabhaill** catapult; **crann tógála** crane; **crann úll** apple tree; **crann cinn** bowsprit; *f* **crann teile** lindin tree.

crannchur *m* lottery; raffle.

crannóg *f* crannog, lake dwelling.

craobh *f* bough, branch; championship.

craobhabhainn *f* tributary.

craolaigh *vt vi* to broadcast.

craoltóir *m* broadcaster.

craos *m* gullet; gluttony. • *vt* **déan craos** to gorge.

craosach *adj* ravenous.

craosaire *m* glutton.

crap *vi* to contract; to shrink; to crumple. • *vt* to crumple.

crapadh *m* contraction.

cré-earraí *npl* earthenware.

creach *f* booty; plunder; prey, quarry. • *vi* to prey. • *vt* to plunder; to ravage; to rob.

creachadóir *m* robber; vandal.

creachlaois *f* light work; chore.

créacht *f* gash.

créam *vt* to cremate.

creathán *m* shudder, tremble, quiver.

créatúr *m* creature.

creid *vi vt* to believe; to credit.

creideamh *m* (*relig*) conviction, belief; creed, faith, religion.

creidiúnaí *m* creditor.

creidmheas *m* credit.

creig *f* crag.

creim *vt* to corrode; to erode; to gnaw.

creimeadh *m* corrosion.

criathar *m* sieve.

críoch *f* border; dominion; end; finish.

críochdheighilt *f* (*pol*) partition.

críochnaigh *vi vt* to finish, end; to complete, accomplish; to conclude; to consummate.

críochnaithe *adj* accomplished.

críochnú *m* completion; accomplishment.

críochnúil *adj* thorough, businesslike.

críol *m* creel.

críonna *adj* prudent, wise.

críonnacht *f* wisdom.

crios *m* belt.

Críostaí *adj m* Christian.

critéar *m* criterion.

crith *m* quaver; quiver; tremor. • *vi* to quiver; to shiver; to vibrate.

crith talún *m* earthquake.

cró *m* byre, (small) outhouse; **cró folaigh** hiding-place; **cró muc** (pig) sty.

crobhaing *f* cluster.

croch *f* gallows. • *vt* to hang; to suspend.

cróch *m* saffron.

cróchar *m* bier; stretcher.

crochta *adj* steep.

cróga *adj* brave; heroic.

crógacht *f* bravery; valour; hardihood.

croí *m* core; heart.

croiméal *m* moustache.

crónán: bheith ag crónán *vi* to hum.

cróineolaíoch *adj* chronological.

cróineolaíocht *f* chronology.

croinic *f* chronicle.

croinicí *m* chronicler.

crois *f* crucifix.

croisín *m* (*mus*) crotchet.

croit *f* croft.

croitéir *m* crofter.

croith *vi vt* to wave; to jolt; to wag.

croitheadh láimhe *m* handshake.

croíúil *adj* cheerful; cordial; hearty.

croíúlacht *f* cheerfulness, cheeriness; heartiness.

crom *vi* to bend down; to crouch; to droop; **crom síos** to duck.

cromán *m* hip.

cronaigh *vt* to miss; to reprove.

crónán *m* drone (of bee); buzz, hum.

cros[1] *f* cross.

cros[2] *vt* to prohibit, forbid.

crosbhealach *m* crossroad.

croscheistigh *vt* to cross-examine.

croschineálach *m* hybrid.

croschruthach *adj* cruciform.

crosfhocal *m* crossword.

cros-síolrú *m* crossbreed.

crosóg mhara *f* starfish.

crotach *f* curlew.

crotal *m* lichen.

crú capaill *m* horseshoe.

crua *adj* hard; obdurate.

cruach *f* steel; **cruach fhéir** hayrick, haystack.

cruachadh *m* accumulation.

cruachás *m* plight.

cruachroíoch *adj* callous, pitiless.

crua-earraí *npl* hardware.

cruaigh *vt vi* to harden.

cruálach *adj* cruel.

cruálacht *f* cruelty.

cruan *m* enamel.

crúb *f* claw; hoof.

crúca *m* crook; hook.

crúcach *adj* hooked.

cruimh *f* caterpillar.

cruinn *adj* accurate; round.

cruinne *f* universe.

cruinneas *m* accuracy.

cruinneog *f* globe.

cruinniú *m* gathering; meeting.

cruit *f* hump; (*mus*) small harp.

cruithneacht *f* wheat.

crúsca *m* jar; jug.

crústa *m* crust.

cruth *m* form, shape.

cruthaigh *vt* to create; to form; to prove.

cruthú *m* creation; proof.

cuach *f* cuckoo.

cuachma *f* whelk.

cuaille *m* post, pole; **cuaille báire** goalpost; **cuaille eolais** signpost.

cuairt *f* call; stay. • *vt* **cuairt a thabhairt ar** to call on.

cuairteoir *m* caller, visitor.

cuan *m* harbour.

cuannacht *f* grace (manner).

cuar *m* curve. • *vt* to curve.

cuardach *m* search.

cuardaigh *vt* to search, to seek.

cuas *m* hollow; cavity.

cuasach *adj* hollow.

cufa *m* cuff.

cuí *adj* appropriate, apt, suitable. • *adv* **go cuí** duly.

cuibheasach *adj* moderate; passable.

cuibhiúil *adj* decorous.

cuid *f* some. • *f* part; **cuid gruaige** hair; **do chuid a dhéanamh** to eat a meal. • *adv* **den chuid is mó** mainly.

cuideachta *f* (*social*) company. • *adv* **i gcuideachta** (*pers*) along (+ gen).

cuideachtúil *adj* sociable.

cuidigh vi to help. • vt **cuidigh le** to help, assist.

cuiditheoir m accomplice.

cuidiú m aid, assistance, help.

cúig adj m five. • adj **cúig déag** fifteen.

cúige m province.

cúigiú adj fifth.

cúigleáil vt to embezzle.

cuil f fly.

cúl m rear, back.

cuileann m (bot) holly.

cuilithín m ripple (on water).

cuilt f quilt.

cuimhne f memory; **cuimhne randamrochtona** (comput) random access memory (RAM). • vt **cuir i gcuimhne do (rud)** to remind.

cuimhneachán m keepsake, memento.

cuimhní cinn npl memoirs.

cuimhnigh ar vt to remember.

cuimil vt to wipe.

cuimilt f rub, rubbing, friction, attrition.

cuimse f good amount. • adj **as cuimse** extreme, utmost.

cuimsitheach adj comprehensive.

cuing f isthmus; yoke.

cuir vt vi to lay; to place (object); to plant; to put; to set; to send; to shed (hair, leaves).

cuir ag dul vt to start (motor).

cuir agallamh ar vt to interview.

cuir aiféaltas ar vt embarrass.

cuir allas vt to sweat.

cuir amú vt to waste.

cuir an dlí ar vt to sue.

cuir aois ar vt to age.

cuir (rud) ar vt to impose.

cuir ar ais vt to replace.

cuir ar athló vt to defer.

cuir ar ceal vt to abolish; to cancel.

cuir ar leibhéal vt to level.

cuir ar neamhní vt to overrule.

cuir ar oileán uaigneach vt to maroon.

cuir ar slabhra vt to chain.

cuir as a riocht (scéal) vt to garble.

cuir as áit vt to dislodge; to displace.

cuir as oidhreacht vt to disinherit.

cuir as oifig vt to depose.

cuir beaguchtach ar vt to discourage, dishearten.

cuir bréagriocht ar vt to disguise.

cuir cathú (ar) vt to tempt.

cuir chun bóthair vt to dismiss.

cuir chun cinn vt to advance.

cuir chun suain vt to lull.

cuir cuid den mhilleán ar vt to implicate.

cuir dallach dubh ar vt to bamboozle.

cuir de ghlanmheabhair vt to memorise.

cuir d'fhiacha ar dhuine rud éigin a dhéanamh vt to impel someone to do something.

cuir draíocht ar vt to enchant.

cuir duine ar fuascailt vt to ransom.

cuir duine in aghaidh (duine eile) vt to alienate.

cuir duine in aithne vt to introduce.

cuir eagla ar vt to scare.

cuir eanglach ar vt to benumb.

cuir fad le vt to lengthen.

cuir fál ar vt to fence.

cuir faoi chois vt to suppress.

cuir faoi dhraíocht vt to fascinate.

cuir faoi gheasa vt bewitch.

cuir faoi léigear vt (milit) to besiege.

cuir fearg ar *vt* to incense, enrage.

cuir forrán ar *vt* to accost; to address, speak to.

cuir fuil *vi* to bleed.

cuir gáir mholta asat do (dhuine) *vt* to cheer.

cuir geall ar *vi vt* to bet.

cuir glas ar *vt* to lock.

cuir grág as *vi* to croak.

cuir gruaim ar *vt* to depress.

cuir i bhfeidhm *vt* to enforce; to implement.

cuir i bpríosún *vt* imprison.

cuir i dtaisce *vt* to hoard.

cuir i dtír *vt* to land.

cuir i gceart *vt* to right.

cuir i gcéill *vi* to pretend.

cuir i gcoinne *vt* to object.

cuir i gcomhréir (le) *vt* to attune.

cuir i gcomhréir a chéile (smaointe, etc) *vt* to harmonise.

cuir i gcrích *vt* to accomplish.

cuir i gcuimhne do *vt* to remind.

cuir i leith (duine) *vt* to accuse; to impute.

cuir i ngeall *vt* to pawn.

cuir i ngníomh *vt* to realise.

cuir imní ar *vt* to worry.

cuir in iúl (rud) *vt* to inform.

cuir in iúl do (rud) *vt* to notify.

cuir in iúl *vt* to express.

cuir in olcas *vt* to aggravate .

cuir ina luí ar *vt* to instil.

cuir ionadh ar *vt* to astonish.

cuir iontas ar *vt* to amaze.

cuir isteach *vt* to insert; to interrupt.

cuir isteach ar *vt* to disturb; to hamper; to molest.

cuir le *vt* to add; to append; to apply.

cuir luach ar *vt* to appreciate.

cuir lúcháir f ar *vt* to delight.

cuir mearbhall ar *vt* to baffle; to fluster.

cuir míshásamh ar (dhuine) *vt* to displease.

cuir nótaí le *vt* to annotate.

cuir olc ar *vt* to offend.

cuir pionós ar *vt* to punish.

cuir rudaí in eagar *m* array.

cuir rud as a chuma *vt* to distort.

cuir rud i gcuimhne do *vt* to remind.

cuir rud i gcomparáid (le rud eile) *vt* to contrast; to compare.

cuir rud i leith duine *vt* to attribute; to reproach.

cuir rud in ionad ruda eile *vt* to substitute.

cuir rud in iúl *vt* to inform.

cuir rud in iúl do *vt* to notify.

cuir rud in oiriúint (do) *vt* to adapt.

cuir rud ina oibleagáid ar *vt* to oblige.

cuir rud ó chuma *vt* to deform.

cuir rud síos do dhuine *vt* to ascribe.

cuir rudaí le hais a chéile *vt* to juxtapose.

cuir sa phost *vt* to mail, to post, to send.

cuir samhnas ar *vt* to disgust.

cuir san áireamh *vt* to include.

cuir scaoll i *vt* to alarm.

cuir scéal as a riocht *vt* to garble (a message).

cuir seoladh ar *vt* to address.

cuir seomra, etc trína chéile *vt* to litter.

cuir síos ar *vt* to describe; to depict.

cuir slacht ar *vt* to tidy.

cuir sneachta *vi* to snow.

cuir sobal ar *vt* to lather.

cuir stailc suas *vi* to jib.

cuir straois ort féin *vi* to grin.

cuir trína chéile (seomra, etc) *vt* to litter.

cuir uisce ar *vt* to water.

cuir urlár ann *vt* to floor.

cuireadh *m* bidding (invitation); invitation.

cúiréir *m* courier.

cúirt *f* court.

cúirtéiseach *adj* courteous.

cuirtín *m* curtain.

cúis *f* case; cause; motive; reason.

cúis dlí *f* lawsuit.

cúiseamh *m* accusation.

cúiseoir *m* accuser.

cúisí *m* accused.

cúisigh *vt* to accuse.

cuisle *f* pulse.

cúiteamh *m* retribution; atonement. • *vt* déan cúiteamh i to atone.

cuisleannach *m* flautist.

cúitigh *vt* to compensate.

cúl *m* back; goal. • *adj* ar gcúl backward. • *adv* backwards.

cúl báire *m* goalkeeper.

cúl le stailc *f* blackleg.

cúlaigh *vi* to back; to recede; to retreat.

culaith *f* costume; suit; uniform; culaith shnámha bathing suit.

cúlchaint *f* gossip; backbiting. • *vi* bheith ag cúlchaint (ar) to gossip.

cúlchiste *m* reserve.

cúlra *m* background.

cultas *m* cult.

cultúr *m* culture.

cultúrtha *adj* cultural.

cum *vt* to compose; to devise.

cuma *f* look, appearance. • *adv* ar chuma eile otherwise. • *adj* ar nós cuma liom indifferent; is cuma liom I don't care.

cumadh *m* contrivance.

cumaisc *vt* to blend.

cumann *m* association, club.

cumann carthanachta *m* charity.

cumann foirgníochta *m* building society.

cumannachas *m* communism.

cumarsáid *f* communication.

cumas *m* ability; capability.

cumasach *adj* able.

cumasaigh *vt* to enable.

cumasc *m* blend.

cumha *m* homesickness, loneliness.

cumhach *adj* homesick.

cumhacht *f* power; cumhacht uisce water power. • *vt* cumhacht a chinneachadh to devolve power.

cumhdach *m* coating.

cumhra *adj* fragrant.

cumhracht *f* scent.

cumhraithe *adj* scented.

cumhrán *m* perfume.

cúng *adj* narrow.

cúngaigh *vt* to restrict. • *vi* cúngaigh ar encroach.

cúngú *m* constriction.

cúnta *adj* auxiliary.

cuntar bia *m* buffet.

cuntas *m* counting; record; account. • *vt* déan cuntas to count.

cuntasaíocht *f* bookkeeping.

cuntasóir *m* accountant; bookkeeper.

cuntasóireacht *f* accountancy.

cúntóir *m* assistant.

cupán *m* cup.

cúpláil *vt vi* to mate.

cúpón *m* coupon.

cur *m* sowing; burial; cur i gcéill bluff, pretence; cur i gcrích ac-

complishment; **cur isteach** distur-
bance; interruption; **cur síos (ar)**
description.

cúr *m* foam; spume.

curach *m* canoe, currach.

curadh *m* champion.

curadóir *m* tiller.

curaíochta *adj* arable.

cúram *m* care; concern; custody.

cúramach *adj* careful.

curata *adj* gallant.

curfá *m* chorus.

cúrsa *m* circuit; course.

cúrsaí reatha *npl* current affairs.

cúrsáil *m* cruise.

curtha as alt *adj* disjointed.

curtha i gcrích *adj* accomplished.

cuspóireach *m* (*gr*) accusative.

cuthach *m* rage.

cúthail *adj* (*person*) backward;
bashful; coy.

D

dá *conj* if (*cond/imp*).

dada *m* jot.

daibhir *adj* poor, indigent.

daichead *adj m* forty.

daidí *m* dad(dy).

dáigh *adj* adamant; obstinate.

dáil *vt* to dispense; to distribute.

dáil (-ála) *f* meeting, assembly; **dála Sheáin** like Seán; **mo dhála féin** like myself; **dála an scéil** by the way.

dáil (ar) *vt* to impart.

dáilcheantar *m* constituency.

dáileadh *m* dispensation.

dáileoir airgid *m* cash dispenser.

daille *m* blindness.

dáimh *f* affinity; **tá dáimh agam le** I have an affinity for.

daingean *adj* firm; secure; solid. • *m* fort, keep.

daingneacht *f* constancy.

daingnigh *vt* to secure.

dair (darach) *f* oak.

dáiríre *adj* earnest, serious; • *adv* **i ndáiríre** seriously.

daite *adj* coloured.

daitheacha *npl* rheumatism.

dalba *adj* bold.

dalbacht *f* boldness.

dall *adj* blind. • *m* blind person.

dallóg *f* window blind.

dallrú *m* glare.

dalta *m* pupil.

damanta *adj* damnable.

damba *m* dam.

dámh *f* faculty (*university*); retinue.

damhán alla *m* spider.

damhfhia *m* hart.

damhna *m* matter.

damhsa *m* dance.

damhsaigh *vt vi* to dance.

damnú *m* damnation.

dán *m* fate; poem; **an rud atá i ndán duit** what fate has in store for you.

dána *adj* bold; naughty.

dánacht *f* boldness.

daoine *m* folk, people.

daoire *f* dearness (*cost*).

daol *m* beetle.

daonáireamh *m* census.

daonlathach *adj* democratic.

daonlathaí *m* democrat.

daonlathas *m* democracy.

daonna *adj* human. • *m* **an cine daonna** humankind.

daonnacht *f* humanity (*quality*).

daonnachtúil *adj* humane.

daonra *m* population.

daor *adj* dear, expensive; **an-daor** exorbitant.

dara *adj* second. • *adj* **sa dara cás** secondly.

dara: an dara (ceann) déag *adj m* twelfth.

dáta *m* (*bot*) date.

dáta *m* date; **as dáta**. • *adj* out of date. • *adv* **de réir dátaí** chronologically.

dath *m* colour; dye. • *adj* **ar dhath na luaidhe** leaden.

dathaigh *vt* to dye; to colour.

dátheangach *adj* bilingual.

dathúil *adj* beautiful; colourful.

de *prep* from; of.

Dé *prep* on.

dea- *adj* good; **dea-chainteach** witty; **dea-mhéineach** benevolent; **i ndea-am** timeous. • *f* **dea-mhéin** benevolence, goodwill.

dea: mar dhea *adj* ostensible.

deacair *adj* difficult.

deachtaigh *vt* to dictate.

deachúlach *adj* decimal.

deacracht *f* difficulty.

déadchíor *m* dentures.

dea-ghníomh *m* benefaction.

déagóir *m* teenager.

dealaigh *vt* to separate; (*math*) to subtract; **dealaigh ó** to dissociate.

dealbh *f* statue.

dealbhóir *m* sculptor.

dealbhóireacht *f* sculpture.

dealrach *adj* gleaming.

dealraitheach *adj* radiant.

deamhan *m* demon; devil.

déan *vt* to commit; to do; to make; to manufacture.

déan achomharc *vi* to appeal.

déan aibhéil *vt* to exaggerate.

déan aithris (ar) *vt* to imitate.

déan amas *vt* to putt.

déan anailís ar *vt* to analyse.

déan aontíos le *vi* to cohabit.

déan ar *vt* to make for.

déan athmhuintearas idir *vt* to reconcile.

déan bagairt *vt* to bluster.

déan bolg le gréin *vi* to sunbathe.

déan brabús ar *vt* to profit.

déan bréag *vi* to lie.

déan cabaireacht *vi* to chatter.

déan calaois ar *vt* to defraud.

déan casacht *vi* to cough.

déan clagarnach *vi* to clatter.

déan clamhsán *vi* to grumble.

déan clampar *vi* to wrangle.

déan cleamhnas idir *vt* to betroth.

déan craos *vt* to gorge.

déan cuir síos ar *vt* to depict.

déan cúiteamh i *vt* to atone.

déan cuntas *vt* to count.

déan dreas comhrá le duine *vi* to chat (with someone).

déan éagsúil *vt* to diversify.

déan earráid *vi* to err, make a mistake.

déan faillí i rud *vt* to neglect.

déan féasta *vt* to have a feast.

déan fiodrince *vi* to pirouette.

déan fonóid faoi *vt* to jeer; to sneer at.

déan gáire *vi* to laugh.

déan gar do *vt* to oblige.

déan garaíocht do *vt* to accommodate.

déan gnúsacht *vi* to grunt.

déan gortghlanadh *vt* to weed.

déan idirdhealú idir *vt* to distinguish.

déan idirghabháil *vi* to intervene. • *vt* to mediate.

déan idirghuí *vi* to intercede.

déan iomrascáil (le) *vi* to wrestle.

déan iontas de *vi* to marvel.

déan lámhchleasaíocht *vt* to juggle.

déan liosta de *vt* to list.

déan luíochán roimh dhuine *vt* to waylay.

déan macalla *vi* to echo.

déan machnamh ar *vt* to reflect, meditate on; to deliberate.

déan magadh *vi* to jest. • *vt* **déan magadh faoi** to mock.

déan mangaireacht *vt* to peddle.

déan marcaíocht *vi* to ride.

déan méarnáil (ar lorg ruda) *vi* to grope.

déan mionghadaíocht *vt* to pilfer.

déan miongháire *vi* to smile.

déan mionscrúdú ar *vt* to analyse.

déan moill *vi* to pause.

déan mórtas (as) *vi* to boast, brag.

déan neamhiontas de *vt* to ignore; **déan neamhshuim de** to disregard.

déan nós dlíthiúil *vt* to legalise.

déan olagón *vi* to wail.

déan ollghairdeas do *vt* to acclaim; **déan ollghairdeas faoi (rud)** to rejoice.

déan plámás le *vt* to flatter.

déan rím *vi* to rhyme.

déan rud go fáilí *vi* to sneak.

déan scíth *vi* to relax.

déan séitéireacht ar *vt* to cheat.

déan siamsa do *vt* to amuse.

déan suirí (le) *vt* to court.

déan tafann *vi* to bark.

déan tormáil *vi f* to rumble.

déan uisce faoi thalamh *vi* to conspire.

déanaí *f* lateness; **le déanaí.** • *adv* lately.

déanamh:duine a chur ó rud a dhéanamh *vt* to dissuade.

déanta *adj* done, made; accomplished.

dearadh *m* design.

dearbh *adj* sure; certain; actual.

dearbhaigh *vt* to affirm; to assert; to assure; to protest.

dearbhán *m* voucher.

dearbhú *m* assertion; assurance.

dearcadh *m* attitude; view, viewpoint.

dearcán *m* acorn.

Déardaoin *f* Thursday.

dearfa *adj* attested; certain; definite. • *adv* **go dearfa** categorically.

dearfach *adj* affirmative; positive.

dearfacht *f* certainty, certitude.

dearg *adj* red. • *vt* to kindle.

dearg- *adj* utter.

dearg-ghráin *f* abhorrence, detestation.

dearmad *m* forgetfulness. • *adj* **a bhfuil dearmad déanta air (rud)** forgotten. • *vi vt* **déan dearmad** to forget.

dearmadach *adj* absent-minded, forgetful.

dearnaíl *vt* to darn.

dearóil *adj* forlorn.

deartháir (-ár) *m* brother.

dearthóir *m* designer.

deas *adj* (*hand*) right; nice; pretty.

deasbhord *m* starboard.

deasc *f* desk.

deascadh *npl* dregs.

deascán *m* deposit.

deasghnách *adj* ceremonial.

deasghnáth *m* ceremony; formality.

deaslámhach *adj* right-handed; deft.

deaslámhacht *f* dexterity.

deatach *m* smoke.

deatúil *adj* smoky.

débhliantúil *adj* biennial.

déchéileach *m* bigamist.

déchosach *m* biped.

deic *f* deck.

deich *adj m* ten. • *m* **deich mbliana** decade.

deichniú *adj m* tenth.

deichniúr *m* ten (persons).

deifir *f* haste, hurry. • *vt vi* **déan deifir** to hurry.

deifreach *adj* hasty.

deifrigh vt to hasten.

deighil vt to separate, part, divide.

deighilt f separation, division.

déileáil f dealings.

deilgneach adj prickly, thorny.

deimhin: go deimhin adv indeed.

deimhnigh vt to affirm; to certify; to check.

deimhniú m assurance; certification.

déine f intensity; rigour.

déirc f alms; dole. • vi **déirce a iarraidh** to beg.

deireadh m end; upshot; (mar) stern. • adv **ar deireadh** last.

Deireadh Fómhair m October.

deireanach adj final; last; latter; recent.

deirfiúr f sister; **deirfiúr chleamhnais** sister-in-law.

déirí m dairy.

deiridh adj hind; ultimate. • m rear.

deis f opportunity.

deis labhartha f eloquence.

deisbhéalach adj articulate; witty.

deisceart m south.

deiseal m (side) right.

deisigh vt to fix; to mend, repair.

deisiú m repair.

deismíneach adj prim.

déistin f distaste. • adj **déistineach** abominable; distasteful.

den=de an.

deo: go deo adv ever; forever; (in neg. sentence) never.

deoch (dí) f drink; **deoch leighis** dose.

deoir f tear.

deolchaire f gratuity.

deonach adj voluntary.

deonaigh vt vi to grant; consent. • vi **deonaigh (chun rud a dhéanamh)** to deign.

deontas m grant.

deontóir fola m blood donor.

deoraí m (pers) exile; **ní raibh duine ná deoraí ann** there was no one at all there.

deoraíocht f exile; **ar deoraíocht** in exile.

déroinn vt to bisect.

déshúiligh m binoculars, field-glasses.

déthaobhach adj bilateral.

dhá two.

dia (dé) m deity; god.

diabhal m devil. • adj **diabhlaí** satanic.

diabhlaíocht f mischief.

diaga adj divine.

diaidh: i ndiaidh prep past. • adv after (+ gen); **ina dhiaidh sin** then.

diail f dial.

diailigh vt to dial.

dialann f diary.

diallait f saddle.

diamant m diamond.

diamhair adj dark, obscure, mysterious; abstruse; occult.

diamhasla m blasphemy.

dian adj arduous; intense; stern.

dianscaoileadh m decomposition.

diarsaigh vt to glean.

díbir vt to banish.

díbirt f banishment.

díbrigh vt to dispel.

dícháiligh vt to disqualify.

dícháilíocht f disqualification.

dícheall m best endeavour.

dícheallach adj diligent.

díchéillí adj unwise.

díchomórtais adj matchless.

díchorda m (mus) discord.

díchreid vt to disbelieve.

díchuimhne f oblivion.

dide f nipple.

dídean m shelter.

difear m difference; discrepancy.

dífhostaithe adj unemployed.

difrigh vi to differ.

difríocht f difference, discrepancy; disparity.

difriúil adj different.

dígeann m acme.

dígeanta adj persistent.

dígeantacht f obstinacy.

digit f digit.

digiteach adj digital.

díl (báistí) m downfall.

díláithrigh vt to displace.

dílárú m devolution.

díle f deluge.

díleáigh vt to digest.

dílis adj faithful, loyal.

dílleachta m orphan.

dílseacht f allegiance; fidelity; loyalty.

dílseánach m proprietor; loyal follower.

díluacháil vt to devalue.

díluaíocht f demerit.

díluchtaigh vt to unload.

dímheas m contempt.

dímheasúil adj contemptuous.

ding vt to cram; to ding. • f wedge; dent.

dingthe adj stuffed, dented; squat.

dinimiciúil adj dynamic.

dinimít f dynamite.

díniteach adj dignified.

dinnéar m dinner; **am dinnéir** dinner time.

díobhadh m abolition.

díobhaigh vt to abolish.

díobhálach adj harmful; injurious.

díog f ditch; dyke.

díogha m the worst; **rogha an dá dhíogha** a choice between two evils.

díograis f fervour, enthusiasm, relish, zeal.

díograiseach adj fervent; keen, zealous.

díol vt to pay; to sell; **díol ar lacáiste** to discount.

díoltas m reprisal; revenge, vengeance.

díoltóir leabhar m bookseller.

díomá f chagrin.

díomách adj dejected.

díomailteach adj wasteful; extravagant.

díomhaoin adj futile; idle; redundant; single (unattached); vain.

díomhaointeas m futility; idleness.

díomuan adj transient.

díon vt to protect; to make watertight; to immunise.

díon (dín) m roof.

diongbháilte adj worthy; firm, constant, resolute.

diopsamáine f dipsomania.

díosal m diesel.

díosc vi to creak.

diosca m (comput) disc; disk; **diosca crua** hard disk; **diosca flapach** floppy disk.

díoscán m gnashing. • vt **díoscán a bhaint as na fiacla** to gnash one's teeth.

dioscathiomáint f (comput) disk drive.

dioscó m disco.

díospóireacht f debate; discussion.

díothaigh vt to annihilate; to eliminate.

díothú m annihilation.

díphacáil *vt* to unpack.

dírbheathaisnéis *f* autobiography.

díreach *adj* candid; direct; outspoken; straight; upright; lineal. • *adv* **go díreach** candidly, directly; just.

dírigh *vi vt* to straighten; to direct. • *vt* **dírigh ar** to aim; to channel; **dírigh do mhéar ar** to point (at).

discréid *f* discretion.

díséad *m* (*mus*) duet.

díshealbhaigh *vt* to evict.

díshealbhú *m* eviction.

dísle (*npl* **díslí**) *m* die.

dispeansáid *f* dispensation.

díth *f* want. • *vt* **tá (rud) de dhíth orm** I want (something).

díthreabhach *m* hermit.

diúilicín *m* mussel.

diúltach *adj* negative.

diúltaigh *vt* to deny; to refuse; **diúltaigh do** to dismiss; **diúltaigh do (eiriceacht)** to abjure.

diúltú *m* refusal; **diúltú do (mhian)** abnegation.

diúracán treoraithe *m* guided missile.

dlaoi *f* lock of hair.

dleacht *f* duty (*customs*).

dlí *m* law.

dlíodóir *m* lawyer.

dlisteanach *adj* legitimate.

dliteanas *m* lawful claim; (*law*) liability.

dlíthiúil *adj* judicial. • *vt* **déan (nós) dlíthiúil** to legalise.

dlús *m* density.

dlúth *adj* compact; dense; intimate.

dlúthchaidreamh *m* intimacy.

dlúthdhiosca *m* compact disc.

dlúthpháirtíocht *f* solidarity.

do¹ *pn* (*sing*) your(s).

do² *prep* for.

dó¹ *m* two. • *adv* **faoi dhó** twice.

dó² *m* burn; combustion; **dó coiriúil** arson.

do-aimsithe *adj* elusive.

dobharchú *m* otter.

dobhardhroim *m* (*geog*) watershed.

dobhriathar *m* adverb.

dobhriste *adj* unbreakable.

dobrón *m* grief. • *vt* **déan dobrón** to grieve.

dobrónach *adj* disconsolate.

dócha *adj* probable. • *adv* **is dócha** probably.

dochar *m* damage; debit; disservice; harm. • *vt* **déan dochar do (rud)** to damage; to harm; to hurt. • *adj* **gan dochar** harmless.

dóchas *m* hope.

dóchasach *adj* hopeful.

dochreidte *adj* incredible.

docht *adj* rigid; strict.

dochtúir *m* doctor.

dócmhainneach *adj* insolvent.

dócmhainneacht *f* insolvency.

dó-dhéag *adj m* twelve.

dodhéanta *adj* impossible. • *f* **dodhéantacht** impossibility.

do-earráide *adj* infallible.

dofheicthe *adj* invisible.

dofhuascailte *adj* inextricable.

doghafa *adj* impregnable.

dogmach *adj* dogmatic.

doicheall *m* resentment.

doicheallach *adj* forbidding; inhospitable.

doiciméad *m* document.

dóigh *f* way; manner; condition; mannerism. • *adv* **ar dhóigh eile** differently; **ar dhóigh éigin** somehow.

dóigh *vt* burn.

dóighiúil *adj* handsome; bonny.

doiléir *adj* dim; dusky; vague.

doiléirigh *vt* to blur.

doiligh *adj* difficult.

doilíos (-ís) *m* remorse.

doimhneacht *f* depth.

doimhnigh *vt* to deepen.

doineann *f* storm, stormy weather.

doinne *f* brownness.

doirseoir *m* janitor, porter, door-keeper.

doirt *vt* to pour; to shed; to spill.

doirteadh fola *m* bloodshed.

doirteal *m* sink.

do-ite *adj* inedible.

dóiteán *m* blaze.

dólásach *adj* disconsolate.

doleigheasta *adj* incurable.

doléite *adj* illegible.

doleithscéil *adj* inexcusable.

dollar *m* dollar.

domhain *adj* deep, profound; abstruse.

do-mhaite *adj* unpardonable.

domhan *m* world.

domhanda *adj* global.

domhanfhad *m* longitude.

domhanleithead *m* latitude.

do-mhillte *adj* foolproof.

domhínithe *adj* inexplicable.

Domhnach *m* Sunday; **Dé Domhnaigh** on Sunday.

domhothaithe *adj* imperceptible.

domlas *m* bile.

domplagán *m* dumpling.

dona *adj* bad; unfortunate. • *f* **donacht** badness; misfortune.

donn *adj* brown.

dóp *m* dope (*drug*).

doras *m* door; **doras tosaigh** front door.

dorcha *adj* dark.

dorchadas *m* darkness.

dorchaigh *vt* to darken.

dorchla *m* corridor.

dordán *m* (*sound*) drone.

dorn *m* fist; hilt.

dornáil *vi* to box.

dornálaí *m* boxer.

dornán *m* bunch; handful.

dorú *m* fishing line.

dos *m* bunch.

dosaen *m* dozen.

do-scartha *adj* inseparable.

doscriosta *adj* indelible.

dosháraithe *adj* incomparable.

doshásta *adj* implacable.

dosheachanta *adj* unavoidable.

dothrasnaithne *adj* impassable.

dothreáite *adj* impenetrable.

dothuigthe *adj* unintelligible, incomprehensible; impalpable.

draein (draenach) *f* drain.

dráibhéir *m* drover.

draíocht *f* enchantment; magic; druidism. • *vt* **draíocht a chur ar** to captivate.

draíochta *adj* magic.

draíodóir *m* wizard.

dram *m* dram.

dráma *m* drama

drámadóir *m* dramatist.

drantaigh *vi* to growl.

draoi *m* druid.

dreach *m* aspect.

dreancaid *f* flea.

dreap *vt vi* to climb.

dreapadóir *m* climber.

dreideáil *vi f* to dredge.

dreige *f* meteor.

dréimire *m* ladder.

dreoilín *m* wren; **Lá an Dreoilín** St Stephen's Day.

dríodar *m* deposit; dregs.

driog *vt* to distil.

driogaire *m* distiller.

drioglann *f* distillery.

driosúr *m* dresser.

dris *f* bramble.

drithligh *vi* to gleam; to glisten, glitter.

droch- *adj* wicked.

drochaigeantacht *f* malevolence.

drochmheas *m* disrespect.

drochordú *m* disrepair.

drogallach *adj* reluctant.

droichead *m* bridge; **droichead crochta** suspension bridge.

droim *m* back (*of person*); ridge.

dromchla *m* surface.

dromlach *m* spine; ridge.

drong *f* gang, faction.

dronnach *adj* convex.

drualus *m* mistletoe.

drúcht *m* dew.

druga *m* drug

drugadóir *m* druggist.

druid *vt* to close; to shut; **druid de phlab** to slam.

druid le *vi* *vt* to approach.

druidte *adj* shut.

druileáil *vt* to drill.

drúisiúil *adj* carnal; lecherous.

druma *m* drum; **drumadóir** drummer.

duáilce *f* vice.

duairc *adj* dismal.

duais *f* award; prize; reward.

duaithníocht *f* camouflage.

dualgas *m* duty.

duán *m* kidney.

duanaire *m* anthology.

duarcán *m* pessimist.

dúbailt *f* double.

dúbailte *adj* double; (**cóta**) double-breasted.

dubh *adj* black.

dubhach *adj* rueful.

dubhaigh *vt* to blacken; to sadden.

dúblaigh *vt* to double.

dúch *m* ink.

dúchas *m* heritage; title; heredity.

dúchasach *adj* endemic; innate; native. • *m* native.

dúcheist *f* puzzle.

duga *m* dock.

duibhe *f* blackness.

duibheagán *m* abyss.

dúil *f* element.

dúil *f* liking; expectation; craving; **tá dúil ag ann** I like it. • *adj* **gan dúil** unexpected.

duille *m* leaf.

duilleach *adj* leafy.

duilliúr *m* foliage.

duine *m* person. **an duine is ansa (le)** favourite. • *pn* **gach duine** everyone.

duine aitheantais *m* acquaintance.

duine aonair *m* individual.

duine ar bith *m* anyone.

duine ardnósach *m* snob.

duine éigin *pn* somebody.

duine róchúisiúil *m* prude.

duine uasal *m* gentleman.

dúisigh *vt* *vi* to rouse.

dul *m* going; **dul chun cinn** headway; progress. • *vt* **dul i gceann ruda** to go about a thing. • *adv* **dul le fána** downhill.

dul san iomaíocht (le) *vi* to compete (with).

dúlagrán *m* depressant.

dúmhál *m* blackmail.

dún¹ *m* fort; **Dún Éideann** Edinburgh.

dún² *vt* to shut.

dundalán *m* blockhead.

dúnmharaigh *vt* to murder.

dúnmharfóir *m* murderer; **dúnmharú** murder.

dunsa *m* dunce.

dúnta *adj* shut.

dúr *adj* dour, grim, surly; moody.

durnán *m* hobnail.

dúrúnta *adj* dour.

dúshlán *m* challenge; defiance.

• *adj* **dúshlánach** defiant. • *vt* **dúshlán a thabhairt ar dhuine (rud a dhéanamh)** to challenge someone (to do something).

dusta *m* dust.

dustáil *vt* to dust.

duthain *adj* fleeting.

dúthomhas *m* enigma.

dúthracht *f* devotion; assiduity.

dúthrachtach *adj* assiduous.

E

é *pn* (*object*) he; him; it; **é féin** himself; itself.

eabhar *m* ivory.

éacht *m* achievement; exploit; feat.

eachtra *f* adventure; episode.

eachtrúil *adj* adventurous, eventful.

eacnamaí *m* economist.

eacnamaíocht *f* economics; economy.

éacúiméineach *adj* ecumenical.

éad *m* envy; jealousy.

éadach *m* cloth, fabric; **éadach soithí** dishcloth.

éadaí *npl* clothes.

éadaingean *adj* insecure.

éadálach *adj* lucrative.

éadan *m* forehead. • *prep* in **éadan** (+ *gen*) against. • *adv f* in **éadan na mala** uphill.

éadmhar *adj* jealous.

éadóchas *m* despair.

éadóchasach *adj* desperate.

éadoilteanach *adj* involuntary.

eadránaí *m* arbitrator.

eadránaigh *vt* to arbitrate; to separate combatants.

éadroime *f* lightness.

éadrom *adj* light.

éadromaigh *vt* to lighten.

éadromán *m* balloon; balloon-shaped person.

éag *vi* to die; to expire; to perish. • *adj* **in éag** extinct.

éaganta *adj* light-headed, giddy, senseless.

éagaoin *f* moan.

eagarthóir *m* editor.

eagla *f* fear. • *conj* **ar eagla (go)** in case, lest. • *adj* **gan eagla** fearless. • *vi* **tá eagla orm (roimh)** I am afraid (of).

eaglach *adj* afraid, fearful.

eaglais *f* church.

eaglaiseach *m* clergyman.

éagmais *f* absence.

éagnach *m* moan, groan.

éagaoin *f* moan. • *vi* **bheith ag éagaoin** to moan.

éagóir *f* wrong.

éagoitinne *f* originality.

éagothroime *f* inequality.

eagraí *m* organiser.

eagraigh *vt* to organise.

eagrán *m* edition.

éagsúil *adj* dissimilar, unlike; varied, diverse; distinct; various. • *vt* **déan éagsúil** to diversify.

éagsúlacht *f* diversity; variety.

éagumas *m* impotence.

éagumasach *adj* impotent.

eala *f* swan.

éalaigh *vi* to elope; to escape; to flit. • *vt* **éalaigh ó** to elude.

ealaín *f* art; **ealaín an tí** domestic arts.

ealaíontóir *m* artist.

éalaitheach *m* fugitive.

eallach *m sing* cattle.

éalú *m* escape.

éan *m* bird, fowl.

Eanáir *m* January.

éaneolaíocht *f* ornithology.

eangach *adj* jagged.

eangaigh *vt* to indent.

51

eanglach *m* numbness (from cold).

éarlais *f* deposit (as part payment).

earnáil *f* category; sector; division, class.

earra *m* commodity. • *mpl* **earraí** goods.

earrach: an t-earrach *m* (*season*) spring.

earraí gloine *f* glassware.

earraí grósaera *npl* groceries.

earraí iompórtálacha *npl* (*goods*) imports.

earraí tomhaltais *npl* consumer goods.

earráid *f* error; indiscretion; lapse. • *vi* **déan earráid** to err.

eas *m* waterfall.

easaontaigh *vt* to disunite; **easaontaigh (le)** to disagree (with).

easaontas *m* disagreement; discord; disunity.

éasca *adj* expeditious.

éascaigh *vt* to facilitate.

easláinte *f* ailment; ill-health.

easlán *adj* infirm. • *m* invalid.

easna *f* rib.

easnamh *m* deficit; lack.

easnamhach *adj* inadequate.

easpa *f* abscess; absence; deficiency, want; loss.

easpag *m* bishop.

eastát *m* estate.

easumhal *adj* disobedient.

easumhlaíocht *f* disobedience.

easurramach *adj* irreverent.

eibhear *m* granite.

éiceolaíocht *f* ecology.

éifeacht *f* force, significance; effect.

éifeachtach *adj* cogent; effective; efficient.

éifeachtacht *f* efficacy.

éigeandáil *f* emergency.

éigiallta *adj* irrational; senseless.

éigin: am éigin *adv* sometime; **ar dhóigh éigin** somehow; **tá rud éigin cearr** something's amiss.

éiginnte *adj* unsure.

Éigipt: An Éigipt *f* Egypt.

éigneasta *adj* insincere.

éignigh *vt* to rape.

éigniú *m* rape.

éigríonna *adj* unwise, imprudent; improvident.

eile *adj* alternative; other, else; more. • *adv* **ar chuma eile** otherwise; **ar dhóigh eile** differently.

éileamh *m* claim; demand.

eileatram *m* hearse.

eilifint *f* elephant.

éiligh *vt* to claim; to demand.

eilit *f* doe.

éilitheoir *m* claimant.

eimpíreach *adj* empirical.

éineacht: in éineacht le *prep* with.

Éire (na hÉireann) *m* Ireland; **in Éirinn** in Ireland.

eireaball *m* tail.

Éireannach *adj* Irish. • *m* Irish person.

éirí *m* (*vn of* **éirigh**); rise, rising; **éirí amach** (*pol*) rising; ascent; **éirí na gréine** sunrise.

eiriceacht *f* heresy.

éirigh *vi* to arise; to rise; to get, become; **éirigh amach** to rebel.

éirigh argóntach *vi* to quibble.

éirigh as *vi vt* to cease; to desist; to resign; **d'éirigh leis** it succeeded.

éirim *f* aptitude; intelligence; talent; journey; scope; range.

éirimiúil *adj* brainy; gifted.

eisceachtúil *adj* exceptional.

eisdíritheoir *m* extrovert.
eisiach *adj* exclusive.
eisilteach *m* effluent.
eisimirceach *m* emigrant.
éist (le) *vi* to listen (to). • *excl* hush!
éisteacht *f* hearing.
éisteoir *m* listener.
eite: an eite chlé *f* (*pol*) the left.
eithne *f* kernel.
eiticiúil *adj* ethical.
eitil *vi vt* to fly.
eitilt *f* flight. • *adj* **ar eitilt** airborne.
eitleán *m* aeroplane.
eitleog *f* kite.
eitneach *adj* ethnic.

eitre *f* groove; furrow.
eochair *f* key; keystone.
eochairchlár *m* keyboard.
eochraí *f* roe (*fish*).
eolach *adj* acquainted; knowing, knowledgeable; **eolach (ar)** aware; **go heolach** knowledgeable. • *adv* knowingly.
eolaí *m* scientist; expert; connoisseur; guide.
eolaíoch *adj* scientific.
eolaíocht *f* science.
eolas *m* cognisance; information; knowledge.
Eoraip: An Eoraip *f* Europe.
Eorpach *adj* European.

F

fá: fá dtaobh de *prep* concerning.

fabhal(scéal) *m* fable.

fabhar *m* favour, influence.

fabhrach *adj* auspicious.

fách: bí i bhfách le *vt* to approve of.

facs *m* fax.

fad *m* distance; duration; length. • *conj* while. • *m* **fad láimhe** reach; **fad saoil** longevity. • *adv* **ar fad** altogether; outright; quite; utterly; **ar a fhad** lengthways, lengthwise; **i bhfad (ó)** far (from)

fada *adj* far; long.

fadaigh *vt* to elongate; to lengthen.

fadálach *adj* slow, tardy; tedious.

fadchainteach *adj* long-winded.

fadfhulangach *adj* long-suffering.

fadhb *f* problem.

fadhbach *adj* problematic.

fadtonn *f* long-wave.

fadtonnach *adj* long-wave.

fadtréimhseach *adj* long-term.

fág *vi* *vt* to depart; to leave; to forego; to quit.

fág ar lár *vt* to omit; **fág as** to except.

fágáil *f* departure; leaving.

faic *f* nothing; **faic na fríde** nothing whatsoever.

faicheall *m* caution.

faichilleach *adj* careful; cautious.

fáidh *m* seer.

faigh *vt* to acquire; to fetch; to get; to receive.

faigh amach *vt* to ascertain, find out.

faigh an ceann is fearr ar *vt* to best, outwit.

faigh ar ais *vt* to reclaim; to recover.

faigh ar cíos *vt* to rent.

faigh bás *vi* to die.

faigh blas ar *vt* to relish; to savour.

faighin *f* vagina.

fáil *f* getting; finding; acquisition. • *vt* **an bua a fháil** to carry the day. • *adj* **ar fáil** available.

faill *f* unguarded state; chance; **fuair mé faill air** I caught him off-guard/ I got a chance to speak to him.

faillí *f* default. • *vt* **déan faillí i rud** to neglect.

fáilte *f* welcome.

fáiltigh *vt* to welcome.

fáiltiú *m* reception.

fáinleog *f* swallow (*bird*).

fáinne *m* halo; ring; **an fáinne ó thuaidh** aurora borealis. • *f* **fáinne cluaise** earring.

faire *f* (*relig*) wake; vigil.

faireog *f* gland.

fairsing *adj* abundant; ample; commodious, roomy; extensive; spacious.

fairsingeacht *f* abundance; room, space.

fairsingiú *m* extension; expansion.

fáisc *vt* to clasp; to squash; to wring.

faisean *m* fashion.

faiseanta *adj* fashionable; stylish.

faisisteachas *m* fascism.

fáistineacht *f* divination, fortune telling.

fáithim *f* hem.

fáithmheas *m* (*med*) diagnosis. • *vt* to diagnose.

faithne *m* wart.

fál *m* hedge.

fala *f* grudge.

fallás *m* fallacy.

falróid: bheith ag falróid *vi* to loiter; to wander.

falsa *adj* idle; lazy.

falsacht *f* laziness.

falsaigh *vt* to fiddle (accounts); to forge.

falsaitheoir *m* forger.

falsóir *m* idler.

faltanas *m* spite.

fan *vi* to remain; to stay; to wait. • *vt* to rest; **fan go fóill** wait awhile; **fan le** to await. • *vi vt* **fan leis an am ceart** to bide one's time.

fan i bhfolach *vi* to lurk.

fána *f* slope.

fánach *adj* casual; futile; occasional; random. • *adv* **go fánach**, casually, etc.

fanaí *m* wanderer.

fanaiceach *m* fanatic.

fann *adj* faint; feeble.

fannléas *m* glimmer.

fantasaíocht *f* fantasy.

faobhar *m* edge.

faobhraigh *vt* to sharpen.

faoi *prep* about; below; under; underneath.

faoi choinne *prep* for.

faoi dhó *adv* twice.

faoileán *m* seagull. • *m* **faoileán scadán** herring gull.

faoin gcéad *adv* per cent.

faoiseamh *m* relief; reprieve.

faon *adj* prostrate.

faor: ar faor *adv* edgewise.

fara *m* perch (for bird).

faradh *m* ferry.

farasbarr *m* surplus.

farraige *f* sea.

fás *m* growth. • *vt vi* to grow.

fásach *m* desert; wilderness.

fáschoill *f* plantation.

fásra *m* vegetation.

fásta *adj* adult.

fáth *m* cause. • *adv* **cén fáth** (*indirect*) why.

fathach *m* giant.

fáthscéal *m* allegory, parable.

faurchroíoch *adj* callous.

feabhas *m* excellence; improvement. • *adj* **ar fheabhas** ideal; splendid.

Feabhra: Mí Feabhra *m* February.

feabhsaigh *vt vi* to improve, get better.

féach *vi* to look, see, observe. • *vt* **féach ar** to observe.

féach le rud a dhéanamh *vt* to try.

féachadóir *m* bystander.

feachtas *m* campaign.

fead *f* whistle (*sound*).

féad *vb aux* can, may; **féadaim é a dhéanamh** I can do it.

feadh *adv* along. • *prep* **ar feadh** for (*past*). • *adv* **ar feadh bomaite** awhile.

feadóg *f* whistle (*instrument*); **feadóg mhór** flute.

feall *m* betrayal.

feallmharaigh *vt* to assassinate.

feallmharfóir *m* assassin.

fealltóir *m* traitor.

fealsamh *m* philosopher.

fealsúnacht *f* philosophy.

feamainn *f* seaweed.

feann *vt* to fleece.

fear *vt* to excrete.

fear *m* man.

féar *m* grass; hay.

féarach *m* pasture.

fearannas *m* domain.

fearas *m* management; arrangement; fixture, outfit; appliance.

fear bréige *f* dummy; scarecrow.

fear céile *m* husband.

fear dána *m* minstrel.

fear déirce *m* beggar.

fear feasa *m* fortuneteller.

fearg *f* anger; indignation; outrage.
• *vt* **fearg a tharraingt ort** to incur wrath.

feargach *adj* angry; indignant.

feargacht *f* manhood.

fear gnó *m* businessman.

fear grinn *m* clown; comedian.

fear gunna *m* gunman.

fear magaidh *m* jester.

féarmhar *adj* grassy.

fear muinteartha *m* kinsman.

fearnóg *f* alder.

fear poist *m* postman.

fearr: is fearr *adj* best. • *vt* **is fearr (liom)** to prefer.

fearsaid *f* axle.

fear teorann *m* borderer.

fearthainn *f* rain. • *vi* **bheith ag cur fearthainne** to rain.

feartlaoi *f* epitaph.

fear tuaithe *m* countryman.

fearúil *adj* male; manful; virile.

fearúlacht *f* virility, manliness.

feasachán *m* bulletin (*broadcast*).

féasóg *f* beard.

féasta *m* feast. • *vt* **déan féasta** to junket.

feic *vt* to see; to witness.

feiceálach *adj* conspicuous; prominent.

feidhm *f* function; use, application;

feidhm-eochair function key. • *adj* **as feidhm** obsolete; **gan feidhm** useless.

feidhmeannach *m* executive.

feidhmiú *m* operation.

feidhmiúcháin *npl* (*comput*) applications.

féidir: is féidir go *adv* it is possible that. • *vb aux* **is féidir liom** I can; **is féidir liom é a dhéanamh** I can do it. • *adv* **b'fhéidir** perhaps.

féile *f* feast, festival.

féileacán *m* butterfly; **féileacán oíche** moth.

féilire *m* calendar.

feiliúnach *adj* apt.

féiltiúil *adj* festive.

féin *suffix* -self. • *pn* own; **é féin** himself (*object*); itself; **í féin** herself (*object*); itself; **sé féin** himself; **sibh féin** yourselves; **sí féin** herself; **tú féin** yourself. • *pn pl* **iad féin** themselves. • *adv* **mar sin féin** nevertheless. • *conj* **mé féin** yet. • *pn* myself.

feiniméan *m* phenomenon.

féiniúlacht *f* identity (particular).

féinmharú *m* suicide.

féinmhuiníneach *adj* self-confident.

féinspéis *f* ego(t)ism.

feirm *f* farm.

feirmeoir *m* farmer.

feis *f* festival, carnival; sexual intercourse.

feisire parlaiminte *m* member of parliament.

feisteas *m* attire.

feistigh *vt* to arrange; to adjust; to equip; to moor.

feistithe *adj* equipped; well-dressed; tidy.

féith *f* vein; sinew; natural talent; **tá féith an cheoil ann** he has a talent for music; **féith scornaí** jugular.

feitheamh *m* watch, wait; anticipation. • *adj* **ar feitheamh** pending.

feithicil *f* vehicle.

feithid *f* bug; insect.

féithleann *m* (*bot*) honeysuckle.

féithuar *adj* chilly.

feochadán *m* thistle.

feoigh *vi* to wither; decay. • *vt* to sear.

feoil *f* flesh; meat.

feoiliteach *adj* carnivorous.

feoilséantóir *m* vegetarian.

feolmhar *adj* fleshy.

feothan *m* breeze, gust.

fia *m* deer; **fia rua** roe deer.

fiabhras *m* fever; **fiabhras léana** hay fever.

fiabhrasach *adj* feverish.

fiacail *f* cog; tooth.

fiach (féich) *m* debt.

fiach dubh (fiaigh) *m* raven.

fiacha *npl* debt.

fiaclach *adj* serrated.

fiaclóir *m* dentist.

fiaclóireacht *f* dentistry.

fiafheoil *f* venison.

fiafraigh *vt vi* to inquire.

fiafraigh (de) *vt* to ask, enquire.

fiail *f* weed.

fiáin *adj* wild.

fial *adj* generous, bounteous, bountiful; lavish.

fianaise *f* evidence. • *vt* **déan fianaise le** to attest.

fiar *adj* diagonal; oblique; **ar fiar** sidelong. • *adv* **ar fiarsceabha** askew.

fiarlán *m* zigzag.

fiche *adj m* twenty.

ficheall *f* chess.

fichillín *m* pawn.

fichiú *adj m* twentieth.

ficsean *m* fiction.

fidil *f* fiddle.

fidléir *m* fiddler.

fige *f* fig.

figh *vt* to intertwine; to weave.

figiúr *m* figure (*number*).

file *m* poet.

filiméala *f* nightingale.

filíocht *f* poetry.

fill *vi* to recur; to return. • *vt* to fold; to wrap.

filléadaigh *vt* to fillet.

filleadh *m* pleat; return.

fillte *adj* folded. • *m* **ticéad fillte** return ticket.

filltín *m* crease.

fimíneach *m* hypocrite.

fimíneacht *f* hypocrisy.

fíneáil *f* fine. • *vt* to fine.

fíneálta *adj* delicate.

fíneáltacht *f* delicacy.

fíneog *f* mite.

fíniúin *f* vine.

finné *m* witness.

finscéal *m* legend; fictitious tale.

finscéalach *adj* legendary.

fíoch *m* feud; anger; **fíoch bunaidh** blood feud.

fíochmhaireacht *f* fierceness.

fíochmhar *adj* fierce; rabid.

fíodóir *m* weaver.

fíodrince *m* pirouette. • *vi* **déan fíodrince** to pirouette.

fíon (-a) *m* wine.

fíonchaor *f* grape.

fiondar *m* fender.

fionn *adj* blond(e); fair. • *vt* to discover; to invent.

fionnachtaí *m* inventor.

fionnachtain *f* discovery; invention.

fionnadh *m* fur. • *vi vt* **bheith ag cur an fhionnaidh** (*animal*) to moult.

fionnuar *adj* cool; refreshing, fresh.

fiontar *m* enterprise; venture.

fiontrach *adj* enterprising.

fiontraí *m* entrepreneur.

fiontraíocht *f* enterprise.

fíor *adj* actual; true.

fíor- *prefix* genuine, real.

fíoraigh *vt* to verify.

fíoraigh (ráitis etc) *vt* to justify.

fíorálainn *adj* exquisite.

fíorú (ráiteas etc) *m* justification.

fios *m* knowledge; cognisance; **tá a fhios agam (go)** I know (that).

fiosrach *adj* curious, inquisitive.

fiosraigh *vt* to enquire.

fiosrúchán *m* inquiry.

firéad *m* ferret.

fireann *adj* masculine.

fireannach *m* male.

fíric *f* fact.

fírinne *f* truth.

fírinneach *adj* candid. • *adv* **go fírinneach** candidly; really.

fís *f* (mental) vision.

fisiceach *adj* physical.

fístaifeadán *m* video recorder.

fithis *f* orbit.

fiú *adj* worth; **is fiú punt é** it is worth a pound. • *adv* even.

fiúntach *adj* worthy.

fiúntas *m* merit; worth.

fiús *m* fuse.

flainín *m* flannel.

flaithiúil *adj* generous; hospitable.

flaithiúlacht *f* generosity; hospitality.

fleá *f* (*drinking*) feast; **fleá cheoil** music festival.

fleách *adj* gusty.

fleasc *m* flask.

fleasc (bláthanna) *f* wreath.

fleisc *f* flex.

flichshneachta *m* sleet.

fliú *m* influenza.

fliuch *adj* rainy; wet. • *vt* to moisten.

flosc *m* zest; flux, torment.

flúirse *f* plenty (+ *gen*), abundance.

flúirseach *adj* abundant; copious; profuse.

fobhríste *m sing* underpants.

focal *m* word; remark.

focal fonóide *f* gibe.

fócas *m* focus.

fócasaigh *vt* to focus.

fochupán *m* saucer.

foclach *adj* wordy.

foclóir *m* dictionary.

fód *m* sod; turf.

fodar *m* fodder.

fo-éadaí *mpl* underwear.

fógair *vi vt* to announce; to advertise; to declare; to proclaim.

foghlach *adj* predatory.

foghlaí *m* intruder, plunderer; **foghlaí mara** pirate.

foghlaim *vt* to learn; to teach.

fo-ghúna *m* petticoat.

fógra *m* advertisement; announcement; notice.

fógróir *m* herald, announcer, advertiser.

foiche *f* wasp.

foighne *f* patience.

foighneach *adj* patient.

fóill: go fóill *adv* still; yet.

fóillíocht *f* leisure, spare time.

foilsigh *vi* to reveal. • *vt* to publish.

foilsiú *m* publication; revelation.

foinse *f* origin, source.

fóirdheontas *m* subsidy.

fóir do *vt* to suit.

foireann (foirne) *f* cast; crew; team.

foirfe *adj* perfect.

foirfeacht *f* perfection.

foirgneamh *m* building; edifice.

foirgthe le *vt* infested with.

foirmigh *vt* to form.

foirmiúil *adj* formal.

foirmle *f* formula.

foirtile *f* fortitude.

foisceacht *f* closeness.

folaigh *adj* latent.

folaimhe *f* hollowness.

folaitheach *adj* clandestine.

folamh *adj* blank; empty; unoccupied.

folcadán *m* bath.

folcadh *m* bath (action).

follán *adj* fit; healthy.

follasach *adj* apparent; evident; explicit; flagrant; categorical.

folmhaigh *vt* to discharge.

folmhú *m* discharge.

folt *m* hair.

foluain: ar foluain *adj* floating; hovering.

folúntas *m* vacancy.

folús *m* vacuum, void.

fómhar *m* autumn.

fómhar *m* harvest.

fón *m* phone.

fonn *m* (*mus*) air, melody, tune. • *adj* **fonn troda** itching for a fight. • *adv* **le fonn** with gusto.

fonnmhar *adj* melodious.

fonóid *f* derision. • *vt* **fonóid a dhéanamh faoi dhuine** to deride.

fonsa *m* rim.

foracha *f* guillemot.

forainm *m* pronoun.

foraois *f* forest.

foraoiseacht *f* forestry.

forbair *vt* to develop.

forbairt *f* advancement; development.

forbartha *adj* developed; advanced.

forc *m* fork.

forcheilt *f* cover-up.

forchlúdach *m* wrapper.

foréigean *m* violence.

foréigneach *adj* violent.

forghabh *vt* to usurp.

forlíonadh *m* supplement; addendum.

formáid *f* format.

formhéadaigh *vt* to magnify.

formhéadú *m* (*opt*) magnification.

formhothaitheach *adj* imperceptible; stealthy.

formhuinigh *vt* to endorse.

forógra *m* declaration; manifesto.

fórsa *m* force.

fortheach *m* annexe (*building*).

fortún *m* fortune.

fós *adv* still, yet.

fosta *adv* also; too.

fostaí *m* employee.

fostaigh *vt* to employ; to hire.

fostóir *m* employer.

fothoghchán *m* by-election.

fothrach tí *m* ruin (house).

Frainc: An Fhrainc *f* France.

frainceáil *vt* to frank (stamp).

Fraincis *f* (*ling*) French.

fráma *m* frame.

Francach *adj* French;. • *m* French person.

francach *m* rat.

fraoch[1] *m* (*bot*) heather.

fraoch[2] *m* wrath.

fraochmhar *adj* heathery.

fras *adj* abundant.

frása *m* phrase.

freagair *vi* to reply. • *vt* to answer.

freagra *m* answer; reply.

freagrach *adj* liable; responsive; accountable.

freagracht *f* liability, responsibility, accountability.

freagraigh do *vi* to correspond.

fréamh *f* root.

fréamhaí *m* derivation. • *vi* **fréamhaigh ó** to derive from.

freastail ar *vi* to cater, attend, serve.

freastal *m* attendance.

freastalaí *m* attendant; waiter, waitress; **freastalaí beáir** bartender.

frídín *m* (*bot*)germ.

frioch *vt* to fry.

friochtán *m* frying pan.

frithbheart *m* resistance.

frithchaith *vt* to reflect.

frithchuimilt *f* friction.

frithghiniúint *f* birth control, contraception.

frithghiniúnach *adj m* contraceptive.

frithir *adj* sore.

frithsheipteán *m* antiseptic.

frog *m* frog.

fuacht *m* chill; cold.

fuadaigh *vt* to abduct, kidnap; to hijack.

fuadaitheoir *m* abductor, hijacker, kidnapper.

fuadar *m* ado; bustle.

fuafar *adj* ghastly; hateful; loathsome.

fuaigh *vt vi* to sew.

fuáil *f* sewing.

fuaim *f* sound.

fuaimeolaíocht *f* acoustics.

fuaimíocht *f* acoustics.

fuaimnigh *vt* to pronounce; to sound.

fuaimrian *m* soundtrack.

fualán *m* urinal.

fuar *adj* chilly; cold.

fuaraigh *vt* to cool; to chill.

fuarán *m* fount, fountain; spring (of water).

fuaránta *adj* frigid.

fuascail *vt* to emancipate; to release; to redeem; to solve.

fuascailt *f* ransom.

fuath *m* abhorrence; antipathy; hate; **fuath ban** misogyny. • *vt* **is fuath (liom)** I hate; **fuath a bheith agat ar rud** to detest something.

fuathaigh *vt* to hate.

fud: ar fud na háite *prep* over the whole area.

fuil (fola) *f* blood.

fuilaistriú *m* blood transfusion.

fuileadán *m* blood vessel.

fuilghrúpa *m* blood group.

fuílleach *m* remains.

fuilteach *adj* bloody, gory.

fuin *vt* to knead.

fuinneamh *m* energy; vigour; impetus.

fuinneog *f* window.

fuinniúil *adj* energetic; lusty.

fuinseog *f* (*bot*) ash.

fuíoll *m* waste.

fuip *f* whip.

fuipeáil *vt* to whip.

fuipín *m* puffin.

fuirseoir *m* entertainer.

fuisce *m* whisky.

fuiseog *f* lark; skylark.

fuist! *excl* hush!

fulaing *vi vt* to suffer; to undergo.

fulangacht *f* passivity.

fulangaí *m* sufferer.

furasta *adj* easy.

G

gabh *vi* to go. • *vt* to apprehend, arrest; to capture; to catch; to seize.

gabh ar luas *vt* to speed.

gabh ar stailc *vt* to strike (*work*).

gabh ar *vt* to assume.

gabh buíochas (le) *vt* to thank.

gabh do leithscéal *vi* to apologise.

gabh i dtaithí le *vt* to accustom.

gabh leithscéal *vt* to excuse.

gabha *m* blacksmith; smith.

gabháil *f* assumption; catch; conquest; capture; **gabháil ceannais** coup (d'état).

gabhal *m* crotch; juncture.

gabhar *m* goat; **An Gabhar** Capricorn.

gabhdán *m* container.

gabhlaigh *vi* to fork.

gach *adj* each; every. • *pn* **gach aon** each; **gach duine** everyone. • *m* **gach rud** everything.

gadaí *m* thief.

gadaíocht *f* larceny, theft.

gadhar faire *m* watchdog.

Gaeilge *f* (*lang*) (Irish) Gaelic.

Gael *m* Gael, Irish person.

Gaelach *adj* Gaelic; Irish.

gailearaí *m* gallery.

Gaillimh *f* Galway.

gaineach *adj* scaly.

gaineamh *m* sand; **gaineamh beo** quicksand. • *f* **gaineamhchloch** sandstone.

gainmheach *adj* sandy.

gainne *f* dearth.

gainnéad *m* gannet.

gáir *vi* to exclaim. • *f* **gáir mholta** cheer; acclamation.

gairbhe *f* coarseness, asperity.

gairbhéal *m* gravel.

gairdín *m* garden.

gáire *m* laugh; laughter. • *vi* **déan gáire** to laugh. • *adj* **sna trithí gáire** (*laughter*) hysterical.

gaireacht *f* closeness.

gaireas *m* apparatus; appliance; gadget.

gairgeach *adj* acrimonious.

gairgeacht *f* acrimony; harshness.

gairleog *f* garlic.

gairm *f* calling, vocation.

gáirsiúil *adj* bawdy; obscene; vulgar.

gáirsiúlacht *f* obscenity.

gairtéar *m* garter.

gaiste *m* trap.

gal *f* steam; vapour.

gála *m* gale.

galaigh *vi vt* to evaporate.

galánta *adj* genteel.

galántacht *f* finery.

galar *m* disease.

galf *m* golf.

Gall *m* foreigner.

gallda *adj* foreign.

gallúnach *f* soap.

galún *m* gallon.

gamhain (gamhna) *m* calf.

gan *prep* without.

gandal *m* gander.

ganntanas *m* shortage.

gaofar *adj* windy.

gaol *m* relation(ship).

gaolmhar *adj* related, akin.

gaoth¹ *f* wind; **gaoth aniar** westerly (wind).

gaoth² *m* inlet.

gar *adj* approximate; **gar (do)** close.

garach *adj* accommodating.

garaíocht *f* assistance, help.

garáiste *m* garage.

garbh *adj* coarse; rough.

garbhchríoch *f* highland. • *mpl* **na Garbhchríocha** the Highlands.

garchabhair *f* first aid.

garda *m* guard; **garda cósta** coastguard; **garda tarrthála** lifeguard.

gardaí *mpl* police.

gardáil *vt* to guard.

garg *adj* harsh.

gariníon *f* grandchild.

garmhac *m* grandchild.

garraíodóir *m* gardener.

garrán *m* grove.

gas *m* stalk; blade (of grass).

gás *m* gas.

gasta *adj* fast, quick.

gastranómach *adj* gastronomic.

gastranómachas *m* gastronomy.

gátar *m* distress.

gé *f* goose.

géag *f* arm; branch; limb.

géagán *m* limb; small branch; appendage.

geal *adj* bright; (*wine*) white. • *m* gin. • *vt* to blanch; to brighten.

gealach *f* moon.

gealgháireach *adj* cheerful.

geall *m* bet; wager.

gealltanas pósta *m* engagement.

gealt *m* lunatic; maniac.

gealtachas *m* dementia; craziness; panic.

gealtacht *f* insanity; lunacy; panic.

geanmnaí *adj* chaste.

geanmnaíocht *f* chastity.

geansaí *m* jersey, jumper.

geanúil *adj* loving.

géar *adj* acute; severe; austere; bitter; sharp.

géaraigh *vt* to intensify.

gearán *m* accusation; complaint. • *vi* **gearán a dhéanamh (faoi)** to complain.

gearánaí *m* (*law*) plaintiff.

géarchéim *f* crisis.

géarchúiseach *adj* astute; discerning; sagacious.

Gearmáin: An Ghearmáin *f* Germany.

Gearmáinis *f* (*lang*) German.

Gearmánach *m adj* German.

gearr *vt* to carve; to chop; to commute; to slash; to cut. • *vi* to cut. • *adj* brief, short. • *vt* **gearr de** to amputate.

gearradh *m* cut; slit.

gearrán *m* garron.

gearr cáin (ar) *vt* to tax.

gearr-radharcach *adj* near-sighted, shortsighted.

gearrshaolach *adj* ephemeral; momentary.

gearrthonn *f* shortwave.

geata *m* gate.

géibheann *m* captivity.

géill *vt* to cede; to obey; to submit, yield. • *vi* **géill (ar choinníollacha)** to capitulate.

géill do *vt* believe in.

géilleadh *m* surrender, submission; acceptance, credence.

geimhreadh *m* winter.

geimhriúil *adj* wintry.

géiniteach *adj* genetic.

geir *f* (cooking) fat.

géire f keenness; sharpness; severity; austerity.

géire intinne acumen.

geolaí m geologist.

geolaíoch adj geological.

geolaíocht f geology.

geolbhaigh npl gills; chops.

giall m hostage; jaw; jowl.

giar m gear (car).

gile f brightness.

gin f foetus; birth; child.

gineadóir m generator.

ginealach m genealogy; lineage.

ginealaigh adj genealogical.

ginealeolaí m genealogist.

ginearálta adj general; generic.

ginmhilleadh m abortion.

giobal m rag.

giodam m frivolity; restlessness; giddiness.

giodamach adj frivolous; restless.

giodróg f minx; flighty girl.

gíog f chirp; squeak; cheep. • vi **gíog a ligint asat** to chirp; to cheep; to squeak.

giolcach f reed.

giorraigh vt to abbreviate; to shorten; to abridge.

giorraisc adj abrupt, curt, short.

giorria m hare.

giorrú m abridgement; abbreviation.

giorta m (harness) girth.

giosta m yeast.

giota m bit, piece.

giotán m (comput) bit.

giotár m guitar.

girseach f girl, youngster.

giúis f fir.

giúistís f magistrate.

giúróir m juror.

glac vt to receive; to take; **glac le** to accept; to acknowledge; **glac seilbh ar** to appropriate.

glacadh m acceptance; assumption, supposition; reception.

glaineacht f cleanliness; purity.

glaise f greenness.

glam f howl; bark.

glan adj clean; chaste. • vt to clean; to clear.

glan le grafóg vt to hoe.

glan- prefix pure, clean.

glanadh m cleaning.

glaoch m call. • vt **glaoch a chur ar dhuine** to buzz someone.

glaoigh vt to call; to summon; **glaoigh ar** (telephone) to ring.

glas¹ adj green.

glas² m lock.

glasadóir m locksmith.

Glaschú m Glasgow.

glasghnéitheach adj livid.

glasíoc m instalment (payment).

glasóg f wagtail.

glasra m vegetable.

gleann m glen, vale, valley.

gleanntán m dale; dell.

gléas¹ vi to dress. • vt to clothe, dress.

gléas² m artifice; device; (mus) key; musical instrument; **gléas ceoil** musical instrument; **gléas freagartha** answering machine.

gléasadh m dressing.

gleo m noise.

gleoiseach f linnet.

gleoite adj pretty, neat, charming, delightful.

glic adj clever; sly; wily.

gliceas m craft, cunning.

gliomach m lobster.

gliondar m joy.

gliondrach *adj* blithe, joyful.

gliscín *m* lisp.

gliú *m* glue.

gloine *f* glass.

glóire *f* glory.

glór *m* tone; voice.

glórach *adj* loud; noisy.

glóraí *f* loudness.

glóthach *f* jelly.

glothar *m* gurgle.

gluais *vt* to move; to proceed.

gluaiseacht *f* motion, movement.

gluaisteán *m* car.

gluaisteánaí *m* motorist.

glúin *f* knee.

gnách *adj* accustomed; habitual; customary, usual, ordinary.

gnás *m* custom.

gnáth- *prefix* common, customary, everyday; general; habitual; normal, ordinary, usual. • *adv* **de ghnáth** generally, normally.

gnáthaigh *vt* to frequent.

gnáthchúrsa *m* routine.

gnáthleagan cainte *m* colloquialism.

gnáthsheilbh *f* obsession.

gné *f* kind; appearence; species.

gné mhínormálta (de rud) *m* abnormality.

gnéas *m* sex.

gníomh *m* act; (*legal*) deed; **dea-ghníomh** benefaction.

gníomhach *adj* active.

gníomhaigh *vi* to act.

gníomhaíocht *f* activity.

gníomhaire *m* agent.

gníomh uafáis *m* atrocity.

gnó *m* business; affair; **d'aon ghnó** on purpose.

gnólacht *f* business.

gnóthach *adj* busy.

gnóthaigh *vt* to gain.

gnúis *f* countenance; face.

gnúsacht *f* grunt. • *vi* **déan gnúsacht** to grunt.

go *prep* till, until; to.

go (gur *in past***)** *conj* that.

go raibh maith agat thank you.

gob *m* beak. • *vt* to peck.

gob amach *vi* to jut.

goid *f* theft. • *vt* to steal.

goile *m* appetite; stomach.

goill ar *vi* to rankle. • *vt* to distress.

goilliúnach *adj* hurtful.

goirín *m* pimple.

goirme *f* blueness.

gonc *m* rebuff.

gontacht *f* brevity.

gor *vt vi* to incubate.

gorb *m* glutton.

gorm *adj* blue.

gorta *m* famine; starvation.

gortach *adj* hungry, meagre; skimpy.

gortaigh *vt* to hurt; to injure.

gorthach *adj* ardent.

gortú *m* injury.

gotha *m* gesture; pose; appearance.

grá *m* darling; love; **grá geal** sweetheart.

grabaire *m* imp.

grabháil *vt* to emboss.

grabhróg *f* crumb. • *fpl* **grabhróga aráin** breadcrumbs.

grád *m* grade.

grádán *m* gradient.

graeipe *f* graip.

grafóg *f* hoe. • *vt* **glan le grafóg** to hoe.

graificí *npl* graphics.

gráigh *vt* to adore.

gráin *f* aversion, loathing. • *vt* **tá gráin agam ar** to abhor.

gráinne *m* grain.

gráinneach *adj* granular.

gráinneog *f* hedgehog.

gráinniúil *adj* abominable.

gram *m* gram.

gramaisc *f* mob, rabble.

grámhar *adj* amorous.

gránna *adj* despicable; horrid; ugly.

gránnacht *f* ugliness.

graosta *adj* lewd.

graostacht *f* lewdness.

grásta *m* grace.

grástúil *adj* gracious.

gráta *m* grate.

greabhóg *f* tern.

greadadh *m* beating; trouncing; percussion.

greadóg *f* smack.

Gréagach *adj m* Greek.

greamachán *m* adhesive.

greamaigh *vt* to stick. • *vt vi* to adhere. • *vi* **greamaigh do** to adhere.

greamaigh rud de rud eile *vt* to attach.

greamaithe *adj* attached.

greamú *m* binding.

grean *m* grit, coarse sand.

greann *m* humour.

greannmhar *adj* amusing; comic, comical, droll, funny.

gréasaí *m* shoemaker.

Gréig: An Ghréig *f* Greece.

Gréigis *f* (*ling*) Greek.

greille *f* grid; grill.

greim *m* clutch; grasp; stitch. • *vi* **greim a choinneáil (ar)** to cling. • *vt* **greim a fháil ar** to clutch.

grian *f* sun.

grianach *adj* sunny.

grianchloch *f* (*min*) quartz.

grianda *adj* solar.

griandóite *adj* bronzed.

grianghraf *m* photograph.

grideall *f* griddle.

grinn *adj* discerning, perceptive, discerning.

grinneall *m* bottom (of sea, loch).

grinneas *m* clearness, accuracy; acumen.

grinnléigh *vt* to peruse.

grinnsúileach *adj* observant.

griog *vt* to tantalise; to tease, annoy.

gríos[1] *m* hot embers.

gríos[2] *m* rash.

gríosach *f* hot ashes; embers.

gríosaigh *vt* to urge.

gríosc *vt* to grill; to broil.

gríscín *m* chop.

grósa *m* gross (*144*).

grósaeir *m* grocer.

gruagach *adj* hairy. • *m* goblin.

gruaig *f* hair.

gruaim *f* depression; melancholy; dullness; gloom.

gruama *adj* black-humoured, morose; dismal; dull, gloomy; glum; melancholy; (*prospects*) bleak.

grúdaigh *vt* to brew (*beer*).

grúdaire *m* brewer.

grúdaireacht *f* brew; brewing.

grúdlann *f* brewery.

gruig *f* frown. • *vi* to scowl.

grúm *m* bridegroom.

grúpa *m* group.

guagach *adj* fickle, unstable; vacillating; unsteady; capricious.

guailleáil *vt* to jostle.

guailleáin *npl* braces.

guairí *npl* whiskers (of cat).

guairille *m* guerrilla.

guairneán *m* eddy.

gual *m* coal.

gualach *m* charcoal.

gualainn *f* shoulder.
guigh *vi vt* pray; to entreat.
guma coganta *m* chewing gum, bubblegum.
gúna *m* dress, gown.
gunna *m* gun.
gus *m* force; vigour; spirit, gumption.

guta *m* vowel.
guth *m* voice. • *adj* **d'aon ghuth** unanimous.
guthach *adj* vocal.
guthán *m* telephone; **guthán póca** mobile phone.

H

hagaois *f* haggis.
haiste *m* hatch.
halla *m* hall.
hata *m* hat.
hearóin *f* heroin.

héileacaptar *m* helicopter.
hidrileictreach *adj* hydroelectric.
híleantóir *m* Highlander.
histéireach *adj* hysterical.
homaighnéasach *adj m* homosexual.

I

í *pn* she; her; (*fem*) it; í féin herself (*object*); itself. *See* féin.

i *prep* in, into; i leith (+ *gen*) toward(s); i measc amid(st) (+ *gen*); among(st).

iacsaireacht *f* fishing.

iad *pn pl* they; iad féin themselves; iad(san) them; iad seo these; iad sin those.

iall *f* lace; dog lead; iall bróige shoelace.

iallach *m* constraint; compulsion. • *vt* iallach a chur ar dhuine rud a dhéanamh to compel.

iarainn *adj* (made of) iron.

iarann *m* iron.

iargúlta *adj* isolated; remote.

iarla *m* earl.

iarmhairt *f* consequence.

iarmhéid *m* (*fin*) balance.

iarnáil *vt* to iron.

iarnóin *f* afternoon.

iarnród *m* railroad, railway.

iarr *vt* to ask, request; to call for; to solicit; iarr ar to request.

iarr ar ais *vt* to reclaim.

iarracht *f* effort, attempt.

iarraidh *f* effort, attempt. • *adj* ar iarraidh missing; gan iarraidh unwanted.

iarratas *m* application; request.

iarrthóir *m* applicant; candidate.

iarsma *m* relic.

iarthar *m* west.

iartharach *adj* westerner.

iarthuaisceart *m* northwest.

iasacht *f* loan; ar iasacht on loan, borrowed.

iasachtaí *m* borrower.

iasachtóir *m* lender.

iasc *m* fish. • *vi vt* to fish. • *m* iasc sliogánach mollusc.

iascach *adj* abounding in fish.

iascaire *m* fisher(man); iascaire coirneach *m* osprey; iascaire slaite *m* angler.

iascaireacht *f* fishing; iascaireacht slaite angling.

iatacht *f* constipation.

íde *f* ill usage; íde béil verbal abuse.

idéal *m* ideal.

ídigh *vt* to consume, use up, wear out.

idir *adv, prep* between.

idir an dá linn *adv* meantime.

idirdhealú *m* discrimination; distinction. • *vt* déan idirdhealú idir to distinguish between, distinguish.

idirghabháil *f* intervention; mediation. • *vi vt* déan idirghabháil to intervene; to mediate.

idirghabhálaí *m* mediator.

idirlíon (-lín) *m* (*comput*) web, internet.

idirnáisiúnta *adj* international.

ifreann *m* hell.

Ìle Islay.

iltíreach *adj* cosmopolitan.

im *m* butter.

imdhíonacht *f* immunity.

imeacht *m* event; going, departure. • *adv* ar imeacht le sruth adrift. • *vi* imeacht de rúchladh to career; imeacht thar sáile to go abroad.

imeagla *f* dread. • *vt* **imeagla a bheith ar dhuine roimh rud** to dread (something).

imeall *m* edge; outskirts.

imeallchríoch *f* frontier.

imigh *vi* to depart; to disappear; to go, depart, to leave; **imigh ar fud na háite** to roam; **imigh gan treo** drift; **imigh i saithe** to swarm.

imigh thart *vi* to elapse.

imir *vt* to play (game).

imirceach *adj* expatriate.

imleacán *m* navel.

imlíne *f* circumference.

imní *f* anxiety, care, worry.

imníoch *adj* anxious.

impigh (ar) *vt* to beg, implore; to petition. • *vi* to petition.

impireacht *f* empire.

impleacht *f* implication.

imreoir *m* player.

imrothlaigh *vt* to revolve.

imshaol *m* (*ecol*) environment.

imshruthú *m* (*anat*) circulation.

imtharraingt *f* (*physics*) gravity.

ináirithe *adj* calculable.

ináitrithe *adj* inhabitable.

inathraithe *adj* adaptable, changeable; convertible.

inbhainte amach *adj* attainable.

inbhear *m* estuary; **Inbhir Nis** Inverness.

inbhéartaigh *vt* to invert.

incháilithe *adj* eligible.

incheartaithe *adj* adjustable.

inchinn *f* brain.

inchloiste *adj* audible.

inchreidte *adj* believable, credible; plausible.

indíleáite *adj* digestible.

indíolta *adj* marketable; saleable.

infheicthe *adj* visible.

infheictheacht *f* visibility.

infheistigh *vt* to invest.

infhillte *adj* capable of being folded; collapsible.

ingearach *adj* perpendicular; vertical; upright.

inghlactha *adj* acceptable; admissible.

inghlacthacht *f* acceptability.

inimirce *f* immigration.

inimirceach *m* immigrant.

iníoctha *adj* payable; due.

iniompartha *adj* portable.

iníon *f* daughter.

Iníon *f* Miss.

inis *vt* to tell, relate.

inite *adj* eatable, edible.

iniúch *vt* to audit.

iniúchadh *m* audit.

iniúchóir *m* auditor.

inlasta *adj* inflammable.

inleighis *adj* curable.

inléite *adj* legible.

inléiteacht *f* legibility.

inmhaite *adj* justifiable.

inmharthana *adj* viable.

inmhe: in inmhe *vi* to be able.

inmheánach *adj* inner; internal.

inmholta *adj* admirable, commendable.

inné *adv* yesterday.

innéacs *m* index.

innéacsaigh *vt vi* to index.

inneall *m* engine; motor.

innealra *m* machinery.

innealtóir *m* engineer.

inneoin *f* anvil.

inní *mpl* bowels.

innill *vt* to engineer.

inniu *adv* today.

inphósta *adj* marriageable.

inroinnte *adj* divisible.

insamhlaithe *adj* imaginable.

inse *m* hinge.

insligh *vt* to insulate.

insroichte *adj* accessible.

insteall *vt* to inject.

instealladh *m* injection, jab.

instinn *f* instinct.

instinneach *adj* instinctive.

institiúid *f* institute; institution.

intinn *f* mind.

intíre *adj* inland.

intleacht *f* intellect; intelligence.

intleachtach *adj* ingenious; intellectual. • *m* intellectual

intomhaiste *adj* measurable.

intuaslagtha *adj* soluble.

intuigthe *adj* implicit; understandable.

íobair *vt* to sacrifice.

íobairt *f* sacrifice.

íobartach *m* victim.

íoc *vi vt* to contribute; to pay.

íochtar *m* bottom.

íochtarach *adj* inferior.

íocshláinte *f* balm, balsam; elixir.

íocshláinteach *adj* medicinal.

Iodálach *adj* Italian.

Iodáil: An Iodáil *f* Italy.

íogair *adj* sensitive.

íol *m* idol.

iolar *m* eagle.

iolra *m* plural.

iolracht *f* plurality.

iolraigh *vt* to multiply.

iomadúil *adj* multiple.

iomáint *f* hurling; shinty.

iomaíocht *f* rivalry; emulation.

iomaíochta *adj* rival.

iomaitheoir *m* competitor; rival; competition.

iomann *m* hymn.

iomarca *f* too much, too many.

iomarcach *adj* redundant; excess.

iomas *m* intuition.

íomhá *f* effigy; image.

iomlaisc *m* flounder.

iomlán *adj* absolute; all; complete, entire; utter; total; whole; intact; outright. • *m* sum; total. • *adv* **ar an iomlán** overall; **go hiomlán** altogether.

iomlatach *adj* playful; mischievous.

iompaigh *vi vt* to convert; to overturn. • *vt* (*mar*) **iompaigh (an bád) béal faoi** to capsize.

iompair *vi* to behave. • *vt* to bear; to carry.

iompar *m* (*transport*) conveyance; behaviour; deportment.

iompórtáil *vt* to import.

iompú *m* conversion; turning.

iomrall aimsire *m* anachronism.

iomrascáil *f* wrestling. • *vi* **déan iomrascáil (le)** to wrestle.

ionaclaigh *vt* inoculate.

ionad *m* place, venue.

ionadach *adj* substitute; vicarious.

ionadaí *m* representative.

ionadh *m* astonishment; wonder.

ionanálaigh *vt* inhale.

ionann *adj* identical; **is ionann X agus Y** X is identical to Y.

ionannas *m* sameness; equality.

ioncam *m* income.

ionchúisigh *vt* to prosecute.

iondúil *adj* customary, usual.

ionfabhtaigh *vt* infect.

ionfabhtú *m* infection.

ionga *f* (finger)nail.

ionnladh *m* ablution.

ionracas *m* honesty; integrity.

ionraic *adj* frank, honest.

ionsaí *m* (*phys*) aggression; assault, attack.

ionsaigh *vt* to assail, attack.

ionsaitheach *adj* aggressive.

ionsaitheoir *m* assailant.

iontach *adj* amazing, extraordinary, fantastic, marvellous, surprising. • *adv* very.

iontaise *f* fossil.

iontaofa *adj* reliable.

iontas *m* amazement; fascination; marvel, wonder; surprise. • *vi* **déan iontas de** to marvel.

ionúin *adj* beloved, dear.

iora *m* squirrel.

íoróin *f* irony.

íorónta *adj* ironic.

ioscaid *f* hollow at back of knee.

íoslach *m* basement.

Ioslamachas *m* Islam.

iothlainn *f* granary.

iris *f* magazine, journal.

iriseoir *m* journalist.

iriseoireacht *f* journalism.

is[1] *conj* and.

is[2] *vi* to be (*see grammar notes*).

is ar éigean gur rug sé air *adv* he hardly caught it.

is eol dom *vi* I know.

is liomsa é *vi* it belongs to me.

íseal *adj* low; **le brollach íseal** low-cut.

Ísiltír: An Ísiltír *f* Netherlands.

ísle: is ísle *adj* lowest.

ísligh *vt* to demote; to humble; to lower. • *vi* **ísligh tú féin** to demean.

ispín *m* sausage.

isteach *adj* inward. • *adv* in; inwards; inside. • *prep* **isteach i** into.

istigh *adj* inner. • *adv* indoor; within.

ith *vt vi* to eat; to consume.

ithir *f* soil.

iubhaile *f* jubilee.

lúil *m* July.

iúr *m* yew.

J K

jab *m* job.
jacaí *m* jockey.
juncaed *m* junket.

karaté *m* karate
kebab *m* kebab

L

lá *m* day; **Lá an Luain** doomsday; **Lá Bealtaine** Mayday. • *adv* **gach lá** daily.

lábánach *adj* muddy.

labhair *vi vt* to talk; to speak, to utter.

labhras *m* laurel.

lacáiste *m* discount; rebate.

lách *adj* affable, amiable, genial.

lacha *f* duck.

ladar *m* ladle; **do ladar a chur isteach i rud** to interfere in something.

laethúil *adj* daily.

laftán *m* shelf (of rock).

lag *adj* dim; frail; weak.

lagaigh *vt* to dilute; to weaken.

laghdaigh *vt vi* to diminish; to reduce; to lighten; to lessen; to abate; to decrease; to dwindle.

laghdú *m* decrease; abridgment.

lagmheasartha *adj* mediocre.

Laidin *f* Latin.

láidir *adj* able-bodied; strong; emphatic.

láidreacht *f* strength.

laige *f* weakness, frailty.

láimhsigh *vt* to handle; to manipulate.

laindéar *m* lantern.

láinseáil *vt* to launch.

láir (lárach) *f* mare.

láithreach *adj* immediate.

láithreach bonn *adv* directly; immediately.

láithreacht *f* presence.

láithreán campála *m* campsite.

lamairne *m* jetty.

lámh *f* hand; handle. • *vi* **an lámh in uachtar a fháil ar (dheacracht** *f***)** to cope.

lámh láidir force; violence.

lámhainn *f* glove.

lámhfhite *m* handwoven.

lámhleabhar *m* manual.

lamhnán *m* bladder.

lámhscríbhinn *f* manuscript.

lampa *m* lamp.

lán *adj* full; replete; utter; **a lán** many; much. • *m* **lán mara** high tide.

lánaimseartha *adj* full-time.

lánchosc *m* embargo.

lánfhásta *adj* full-grown.

lann *f* scale (of fish); blade (of weapon).

lansa *m* lancet.

lansaigh *vt* to lance.

lánstad *m* full stop.

lánúin *f* couple; lovers.

lao *m* calf.

laoch *m* hero.

laofheoil *f* veal.

lapa *m* paw.

lár *m* centre; middle.

lár- *adj* mid.

lardrús *m* larder.

lárionad *m* (*building*) centre.

lárnach *adj* central.

lárnaigh *vt* to centralise.

las *vt vi* to ignite; to light.

lása *m* lace.

lasair rabhaidh *f* flare.

lasán *m* match.

lasc *f* switch.

lasta *m* cargo; freight.

láthair: as láthair *adj* absent.

le *prep* with. • *adj* **ar nós cuma liom** indifferent; **is cuma liom** I don't care. • *vt* **is mian liom** to wish. • *f* **líomhain** allegation.

le haghaidh *prep* for.

le linn *conj* while. • *prep* during.

leaba (leapa) *f* bed. • *adv* **ar an leaba** abed.

leaba ancaire *f* anchorage.

leabhar *m* book; **leabhar cuntais** accounts book; **leabhar nótaí** notebook; **leabhar urnaí** prayerbook.

leabharlann *f* library.

leabharlannaí *m* librarian.

leabharliosta *m* bibliography.

leabhlaigh *vt* to libel.

leabhrach *adj* bookish.

leabhragán *m* bookcase.

leac *f* flagstone; ledge; sill; **leac dorais** doorstep; **leac uaighe** gravestone.

leacht[1] *m* liquid.

leacht[2] *m* gravestone; monument.

léacht *f* lecture.

leachtach *adj* liquid.

leachtaigh *vi vt* to liquefy; to liquidate.

leadóg *f* tennis.

leadránach *adj* boring.

leag *vt* to lay; (*mus*) to flatten; **leag síos** to deposit, put down.

leag amach *vt* to design.

leag (lámh, etc) ar *vt* to touch.

leagan *m* version.

leagan cainte *m* expression.

leáigh *vt vi* to melt; to thaw.

leaisteach *adj* elastic.

leamh *adj* bland; insipid; inane.

leamhan *m* moth.

leamhán *m* elm.

lean *vi* to ensue; to continue. • *vt* to follow. • *vi* **lean ar** to continue. • *vt* **lean de** to carry on, continue.

léan *m* affliction; anguish; grief.

leanbaí *adj* childish; infantile.

leanbaíocht *f* childhood; dotage.

leanbh *m* babe, baby; child.

leanbh tréigthe *m* foundling.

leann *m* ale.

leannán *m* lover, sweetheart.

leantach *adj* consecutive.

leanúnach *adj* continual; continuous.

leáphointe *m* melting point.

lear: thar lear *adv* abroad, overseas.

learóg *f* larch.

léarscáil *f* map.

leas *m* benefit; well-being; interest.

léas[1] *m* lease.

léas[2] *vt* to thrash; to flog.

léasacht *f* leasehold.

leasaigh *vt* to improve; to amend; to reform; to undo; to fertilise, manure.

leasainm *m* nickname.

leasc *adj* lazy; slow. • *vt* **is leasc le** to loathe.

leasú *m* amendment; manure.

leataobh *m* lay-by. • *adv* **i leataobh** aside; sideways.

leataobhach *adj* lopsided.

leath *vi* (*eyes*) to dilate.

leath- *adv* partly; half. • *adv f* **leath bealaigh** halfway. • *f* half. • *m* **leath-thon** (*mus*) semitone.

leathan *adj* broad; wide; **leathanaigeanta** broad-minded.

leathanach *m* page; **leathanach baile** (*comput*) home page.

leathar *m* leather.

leathbhróg *f* one of two shoes.

leathbhuidéal *m* half-bottle.

leathchamán *m* semiquaver.

leathchúpla *m* twin.

leathfhocal *m* byword; catchword.

leathfhocal *m* innuendo.

leathnaigh *vt* to expand.

leathóg bhallach *f* plaice.

leathoscailt: ar leathoscailt *adj* ajar.

leathrann *m* couplet.

leathsféar *m* hemisphere.

leatrom *m* discrimination. • *vt* **leatrom a dhéanamh ar (dhuine)** to discriminate against.

leatromach *adj* unfair.

leibhéal *m* level. • *f* **leibhéal na farraige** sea level.

leibide *f* sloven.

leibideach *adj* careless; slovenly.

leiceann *m* cheek.

leictreach *adj* electric.

leictreachas *m* electricity.

leictreon *m* electron.

leictreonach *adj* electronic.

leictriú *m* electrification.

leid *f* clue; hint.

léig *f* disuse; decay **dul i léig** to decay, decline, die out.

léigear *m* siege.

léigh *vt vi* to read.

leigheas *m* medicine; remedy; cure. • *vt* to cure; to heal. • *vi* to heal.

leighis *adj* medical.

léim *f* bound, jump; to leap. • *vi* to bound. • *vt* to jump; to skip; to leap.

léine *f* shirt.

leipreachán *m* leprechaun.

léir: go léir *adv* entirely.

léirigh *vt* to illustrate; to depict.

léiriú *m* demonstration; representation; illustration.

léirmheastóir *m* critic.

léirmheastóireacht *f* criticism (of arts, etc).

léirthuiscint *f* appreciation.

leis *f* haunch.

leis seo *adv* hereby.

leite *f* porridge.

leith: ar leith *adj* unique.

leithead *m* breadth; width.

leithéid: a leithéid de *adj* such.

léitheoir *m* reader.

leithinis *f* peninsula.

leithleach *adj* peculiar; distinct; selfish.

leithleachas *m* self-interest.

leithliseach *adj* isolated; absolute.

leithlisigh *vt* to isolate.

leithreas *m* lavatory, toilet.

leithscéal *m* apology; excuse. • *vi* **gabh do leithscéal** to apologise. • *vt* **gabh leithscéal** to excuse.

leitís *f* lettuce.

leon *m* lion; **leon baineann** *m* lioness.

leor: go leor *adj* sufficient. • *adv* enough; galore; plenty.

liamhán *m* lever.

liamhás *m* ham.

liath *adj* grey; grey-haired.

liathbhuí *adj* sallow.

liathróid *f* ball; **liathróid láimhe** handball.

lig *vt* to let.

lig amach *vt* to emit; **lig amach ar bannaí** to bail.

lig ar *vt* to affect (let on); pretend.

lig ar cíos *vt* to let, lease; to rent.

lig (do rud) titim *vt* to drop (something).

lig do thaca le *vi* to lean.

lig fead *vi* to whistle.

ligh *vt* to lick.

lig isteach *vi* (*shoes*) to leak. • *vt* to admit.

lig srann *vi* to snore.

lig sraoth *vi* to sneeze.

lig tríd *vi* (*tank*, etc) to leak.

limistéar *m* area.

líne *f* file, line; row, rank. • *adv* **ar aon líne** abreast

líneach *adj* linear.

lingeán *m* spring.

línigh *vt* to line.

línitheoir *m* draughtsman.

linn *f* pond, pool. • *m* **linn snámha** swimming pool.

lintéar *m* gully, drain.

liobarnach *adj* hanging loose; tattered; unwieldy.

liobrálach *adj* liberal.

líofa *adj* fluent; voluble.

líofacht *f* alacrity; fluency.

liomóg *m* nip, pinch.

líomóid *f* lemon.

líon *m* linen; net; web; **líon damháin alla** web; cobweb; **líon domhanda** (*comput*) World Wide Web.

líon *vt* to fill.

líonmhar *adj* numerous.

lionsa *m* lens.

liopa *m* flap; lip.

liopach *adj* labial.

liosta *m* list; inventory; **liosta dubh** blacklist. • *vt* **déan liosta de** to list.

liostacht *f* monotony, tediousness.

liostáil *vi vt* to enlist.

liotúirge *m* liturgy.

lipéad *m* label.

lir *f* lyre.

líreacán *m* lollipop.

liric *f* lyric.

lítear *m* litre.

liteartha *adj* literate.

litearthacht *f* literacy.

litir (litreach) *f* letter.

litreacha *fpl* mail, letters.

litrigh *vt* to spell.

litríocht *f* literature.

litriúil *adj* literal.

liú *m* whoop. • *vi* **lig liú** to whoop.

liúdramán *m* lanky person; drone.

liúntas *m* allowance; dole.

lobh *vi* to decay; to decompose.

lobhadh *m* decay; rot; caries.

lobhar *m* leper.

loca *m* (*animal*) fold, pen.

loch *m* lake.

lochán *m* puddle.

Lochlannach *m* Viking, Scandinavian.

locht *m* blame; defect; fault. • *vt* **an locht a chur ar** to blame; **locht a fháil ar** to censure. • *adj* **gan locht** blameless; faultless.

lochta *m* loft.

lochtach *adj* defective, faulty.

lochtaigh *vt* to fault, blame; to denigrate.

lódaigh *vt* to load.

lodair *vi* to cover with mud; to grovel.

lodartha *adj* base, vulgar; flabby.

lofa *adj* putrid; rotten.

log *m* cavity; hollow. • *vt* **log a chur i** to dent.

log ann *vi* (*comput*) to log on; **log as** to log off.

loghairt *f* lizard.

loic *vi* to flinch; to fail; to shirk; **loic sé orm** he let me down.

loicéad *m* locket.

loighciúil *adj* logical.

loighic f logic.

loigín m dimple.

loingeán m cartilage; gristle.

loinnir f lustre.

lóis f lotion.

loiscneach adj burning, scorching.

lóiste m lodge.

lóistéir m lodger.

lóistín m accommodation.

loit vt to hurt; to damage; to impair; to mar.

lom adj bare; gaunt. • vt to denude; to shear.

lom- adj mere.

lomadh m shearing.

lomán m log.

lomnocht adj naked.

lomra m fleece.

lón m lunch, luncheon.

lon dubh m blackbird.

lónadóireacht f catering.

long f ship; **long bhriste** wreck; **long chogaidh** warship.

longbhriseadh[1] m shipwreck.

longbhriseadh[2] vi to fall from grace.

longlann f dockyard.

lonnaíocht f settlement (of land village, etc).

lonrach adj brilliant; luminous.

lonraigh vi to glint; to glow; to shine.

lorg m dent; trace; vestige. • vt to look for.

lú: is lú adj least.

luach m value; worth.

luachair (luachra) f rush. • pl luachra rushes.

luacharachán m elf.

luachmhar adj precious; valuable.

luaidhe f lead. • adj ar dhath na luaidhe leaden.

luaigh vt to cite; to mention; to quote.

luainigh vi to swing; to fluctuate.

luaith f ashes.

luaithreadán m ashtray.

luamh m yacht.

Luan: An Luan m Monday; **Dé Luain** on Monday; **Luan an tSléibhe** Doomsday.

luas m speed. • vt gabh ar luas to speed.

luas- adj express.

luasaire m accelerator.

luasc vt to rock.

luascán m swing.

luasghéaraigh vt to accelerate.

luastraein f (rail) express.

luath adj early.

luathú m acceleration.

lúb f bend; coil; loop. • vi vt to bend; to curve. • f lúb ar lár loophole.

lúbra m maze.

lúbthacht f curvature.

luch f (comput) mouse.

lúcháir f delight; glee.

luchóg f mouse; **luch fhéir** field-mouse.

lucht[1] m content, load; capacity; **lucht báid** cargo.

lucht[2] npl (category of) people. • f **lucht coimhdeachta** train, retinue. • m **lucht éisteachta** audience.

luchtaigh vt (elec) to charge.

lúfar adj agile; athletic.

luí m lying down; **luí na gréine** sunset.

luibh f herb.

luibheolaí m botanist.

luibheolaíocht f botany.

lúibín f ditty; bracket.

lúide prep minus.

luigh *vi* to lie. • *vt* **luigh (ar)** to rest;
  luigh siar to recline.
luigh isteach le *vi* to snuggle.
luíochán *m* ambush. • *vt* **déan luío-
  chán roimh dhuine** to waylay.
luisne *f* blush; glow.

Lúnasa *m* August.
lus *m* plant; herb; **lus an chromchinn**
  daffodil; **lus súgach** asparagus.
lútáil *vi* to cringe.
lúthchleasaíocht *f* athletics.

M

má *conj* if (*pres/past*).

mac *m* son.

macalla *m* echo. • *vi* déan macalla to echo.

macánta *adj* decent; sincere.

macasamhail *f* like; counterpart; copy; duplicate.

machnaigh *vi* to meditate. • *vt* machnaigh ar to deliberate.

machnamh *m* contemplation; meditation.

mac imrisc *m* pupil (eye).

macnasach *adj* luxurious; sensual, sensuous.

mac tíre *f* wolf.

madadh (=madra) *m* dog; madra caorach sheepdog; madra treoraithe guide dog.

magadh *m* joke. • *vt* déan magadh faoi to mock, jest.

magairle *m* testicle.

maghar *m* small fish; fishing fly.

maicín *m* brawl.

maide *m* stick; maide croise crutch; maide rámha oar.

maidhm *vt* to burst; to detonate; to defeat. • *f* maidhm thalún landslide.

maidin *f* morning.

maígh *vt* to claim; to state.

maighdean *f* virgin; maighdean mhara mermaid.

maighnéad *m* magnet.

maighreán *m* grilse.

mailís *f* malice.

mailíseach *adj* malicious; nasty.

mailléad *m* mallet.

máineach *m* (*med*) maniac.

mainistir (mainistreach) *f* abbey; monastery.

máinlia *m* surgeon.

mainséar *m* manger.

mair *vi* to live; to survive.

máirseáil *f* march. • *vi* to march.

Máirt *f* Tuesday; Dé Máirt on Tuesday.

mairteoil *f* beef.

mairtíreach *m* martyr.

maisigh *vt* to illustrate; to decorate; to adorn; to grace.

maisitheoir *m* illustrator.

maisiú *m* illumination, decoration.

maisiúchán *m* decoration.

maisiúil *adj* fancy.

máisiún *m* freemason.

maistín *m* hooligan.

máistir *m* master; máistir scoile schoolmaster.

máistreacht *f* mastery.

máistreás *f* mistress; máistreás scoile schoolmistress.

máistriúil *adj* masterly.

maith *adj* good; well; considerable; gan mhaith dud. • *adv* go maith quite; well. • *vt* to forgive; is maith le I like; ní maith liom (é) I dislike (it); go raibh maith agat thank you. • *vi* is maith an tuar é it augurs well.

maitheas (-a) *f* goodness.

máithreachas *m* maternity.

máithriúil *adj* motherly.

maitín *m* matins.

mala *f* brae, brow; mala chnoic hill-

83

side. • *adv* in éadan na mala up-
hill.

mála *m* bag; sack; **mála láimhe** hand-
bag; **mála scoile** satchel; **mála
taistil** kitbag; **mála trealaimh**
(*milit*) kitbag.

malartaigh *vt* to exchange.

mall *adj* late; slow.

mallacht *f* curse.

mallaibh: ar na mallaibh *adv* re-
cently.

mallaigh *vt* to curse.

mallaithe *adj* accursed.

mallmhuir *f* neap-time.

malltriallach *adj* deliberate, slow.

mám *f* handful.

mam, mamaí *f* mum, mummy

mamach *m* mammal.

mámh *m* trump card.

mana *m* motto.

manach *m* monk.

mangaire *m* haggler, hustler, dealer.

maoil[1] *f* hillock, knoll.

maoil[2]: **ag cur thar maoil (le)** *vi* to
abound (in, with) , overflow..

maoile *f* baldness.

maoileann *m* brow (of a hill).

maoin *f* property; wealth.

maoithneach *adj* sentimental.

maol *adj* bald; blunt; (*mus*) flat. • *m*
flat.

maolaigh *vi* to relent. • *vt* to allay,
alleviate, assuage; to relieve; to
blunt; to flatten.

maolchnoc *m* knoll.

maolgháire *m* chuckle.

maolú *m* alleviation; absorption;
maolú fuaime absorption (of sound).

maor *m* steward, warden; (*milit*) ma-
jor; **maor druma** drum major;
maor géim gamekeeper.

maorga *adj* grand; dignified; sedate.

maorlathas *m* bureaucracy.

maoth *adj* tender, soft.

maothaigh *vi vt* to soak; to saturate.

mar *conj* as, because.

mara *adj* marine; (*plants*) maritime.

marachuan *m* marijuana.

maraí *m* mariner.

maraigh *vt* to kill.

marbh *adj* dead.

marbhán *m* corpse.

marbhánta *adj* dull; inert.

marbhántacht *f* dullness; lethargy.

marbhsháinn *f* (*chess*) mate.

marcach *m* horseman; rider.

marcshlua *m* cavalry.

marfach *adj* deadly, fatal, lethal.

marfóir *m* killer.

margadh *m* deal; market.

margáil a dhéanamh faoi rud *vi* to
haggle.

marmar *m* marble.

maróg *f* paunch; pudding.

Márta *m* March.

marthanóir *m* survivor.

más *m* mace.

mása *npl* buttocks.

masc *m* mask; **masc a bhaint de** *vt*
to unmask.

masla *m* (verbal) abuse, insult, slur.

maslaigh *vt* to abuse, to call names,
insult; to affront.

masmas *m* nausea.

mata *m* mat.

máta *m* (ship)mate.

matal *m* mantelpiece.

matamaitic *f* mathematics.

matán *m* muscle.

máthair (-ar) *f* mother; **máthair al-
trama** foster-mother; **máthair
chéile** mother-in-law.

máthartha *adj* maternal.

mé *pn* I; me; **mé féin** myself. *See*
féin. • *vi* **tá mé i mo chodladh** I
am asleep.

meabhair *f* wit. • *adj* **as do mheab-
hair** insane.

meabhlú *m* deception; betrayal; se-
duction.

meacan dearg *m* carrot.

meáchan *m* weight.

méadaigh *vt* to dilate; to enhance; to
enlarge; to increase, augment; to
grow. • *vi* to augment; to grow.

méadail *f* paunch, stomach.

méadar *m* meter; metre.

meadhrán *m* vertigo.

meadhránach *adj* dizzy; giddy.

méadú *m* increase.

meáigh *vt* to weigh.

meaisín *m* machine.

meaitseáil *vt* to match.

méalach *adj* lamentable.

mealbhacán *m* melon.

meall[1] *m* mound.

meall[2] *vt* to coax; to deceive; to at-
tract; to charm; to **disappoint**; to
entice; to fool; to lure; to seduce;
to woo.

meallacacht *f* charm.

mealladh *m* lure.

mealltach *adj* illusory.

mealltóir *m* impostor; beguiler.

mealltóireacht *f* (act of) coaxing,
beguiling.

meán *m* average, mean; **meán-** *m*
medium; **meán lae** noon; **meán
oíche** midnight.

meánaicmeach *adj* bourgeois.

meánaoiseach *adj* medieval.

meánaosta *adj* middle-aged.

meánchiorcal *m* equator.

meancóg *f* mistake.

meanfach *f* yawn.

meannán *m* kid (goat).

meánscoil *f* secondary school.

meántonnach *m* medium wave.

mear *adj* quick.

méar *f* finger.

mearaí *m* craziness.

mearbhall *m* (of person) confusion.
• *vt* **mearbhall a chur (ar)** to con-
fuse.

mearbhia *m* fast food.

meargánta *adj* reckless.

méaróg *f* pebble.

mearspléachadh *vi* quick look;
**mearspléachadh a thabhairt ar
leabhar** *vi* (*book*) to browse.

mearú súl *m* mirage; hallucination.

meas[1] *m* admiration; esteem, re-
spect; stature. • *vt* **tá meas mór
agam ar** I admire.

meas[2] *vt* to appraise; to assess; to
estimate.

measa: is measa *adj* worst.

measartha *adj* moderate, middling;
abstemious.

measarthacht *f* moderation; abste-
miousness.

measc *m* jumble, confusion; mash.
• *vt* to blend; to mix. • *prep* **i measc**
amid(st) (+ *gen*); among(st).

meascán *m* assortment; mixture.

measúil *adj* respectable.

measúnacht *m* assessment.

measúnaigh *vt* to appreciate; to as-
sess.

measúnóir *m* assessor.

measúnú *m* assessment.

meata *adj* pale, sickly; cowardly;
degenerate.

meatach *adj* decadent; perishable.

meath *m* decay, decline. • *vi* to dwindle; to degenerate; to fade; to perish. • *adv* **bheith ag meath** (of person) downhill.

meathú *m* recession.

meicneoir *m* mechanic.

meicníocht *f* mechanism.

méid *f* amount; dimension; magnitude; size. • *m* **méid** quantity. • *conj* **sa mhéid go** inasmuch as.

meidhir *f* gaiety, merriment.

meidhreach *adj* frisky; jolly; jovial.

meidhréis *f* jollity.

meidhreog *f* frisky, flighty girl.

meigilit *f* megalith.

meil *vt* to grind.

méileach: bheith ag méileach *m* bleat.

meirbh *adj* languid; (*meteor*) sultry.

meirg *f* rust.

Meiriceá *m* America.

Meiriceánach *adj m* American.

méirínteacht: ag méirínteacht *vn* fiddling.

meirleach *m* thief, bandit, outlaw, felon.

meisce *f* drunkenness. • *adj* **ar meisce** drunk.

méith *adj* (*fruit*) mellow; (*land*) fertile.

meitheal *f* working party; contingent.

Meitheamh *m* June.

meon *m* mind; temper, temperament.

mí *f* month; **mí na meala** honeymoon. • *m* **Mí Mheán Fómhair** September; **Mí na Nollag** December.

mí-ádh *m* misfortune; adversity.

mí-aibí *adj* unripe.

mian *f* desire; wish. • *vt* **is mian liom** to wish.

mianach[1] *m* aptitude; mettle.

mianach[2] *m* mine; ore.

mianra *m* mineral.

mianrach *adj* mineral.

mias *f* basin; dish.

míbhuíoch *adj* ungrateful.

míbhuntáiste *m* disadvantage.

míchaoithiúlacht *f* inconvenience.

mícheart *adj* incorrect; wrong.

míchinniúint *f* doom.

míchlú *m* disfavour.

míchompardach *adj* uncomfortable.

míchompord *m* discomfort.

míchothrom *adj* uneven.

míchruinn *adj* inaccurate.

míchumas *m* disability; inability.

míchúramach *adj* careless.

micrea- *m prefix* (*comput*) micro-.

mídhaonna *adj* inhuman.

mídhíleá *m* indigestion; (*med*) dyspepsia.

mídhílis *adj* disloyal.

mídhleathach *adj* illegal.

mí-eagar *m* disorder.

mífhoighne *f* impatience.

mífhóirsteanach *adj* unsuitable.

mífhonnmhar *adj* disinclined.

mígheanasach *adj* indecent.

míghnaíúil *adj* ill-favoured; ungenerous; unpopular.

míghnaoi *f* dislike.

míghníomh *m* misdeed.

mí-iompar *m* misbehaviour.

mí-ionraic *adj* dishonest.

mil (meala) *f* honey.

mílaois *f* millennium.

míle *adj* thousand. • *m* thousand; mile.

míleata *adj* martial; military.

milis *adj* sweet.

milisbhriathrach *adj* mellifluous.

mílitheach *adj* pale; pallid; sickly looking.

mill *vt* to deface; to spoil; to destroy; to devastate; to blight.

milleán *m* blame.

milliún *m* million.

millteach *adj* baleful; baneful.

millteanach *adj* awful.

millteanas *m* destruction; devastation.

míloighciúil *adj* illogical.

milseán *m* sweet, candy.

milseog *f* confection; dessert, pudding, sweet.

mím *f* mime.

mímhacántacht *f* dishonesty.

mímhorálta *adj* immoral.

mímhoráltacht *f* immorality.

min *f* meal; powdered matter; **min choirce** oatmeal.

mín *adj* dainty; smooth.

mínáireach *adj* immodest.

mineach *adj* mealy.

minic *adj* frequent. • *adv* **go minic** often.

minicíocht *f* frequency.

mínigh *vt* to account for; to explain; to interpret.

míniú *m* explanation.

mínormálta *adj* abnormal.

miodóg *f* dagger, dirk.

míofar *adj* hideous.

mí-oiriúnach *adj* improper.

míol *m* louse; **míol críon** woodlouse.

míoleolaíocht *f* zoology.

míol mór *m* whale.

míolra *m* vermin.

míoltóg *f* midge.

mion *adj* small, minute; detailed; **go mion** in detail.

mion- *adj* minor.

mionaoiseach *m* (*law*) minor.

mionghadaíocht *f* pilfering.

miongháire *m* smile.

mionn *m* oath.

mionnaigh *vt* to swear.

mionsamhail *f* miniature; small scale model.

mionscrúdaigh *vt* to scrutinize closely; to dissect.

miontuarastal *m* pittance.

mí-ord *m* disorder.

míorúilt *f* miracle.

míosúil *adj* monthly.

miosúr *m* measure; dose.

miotal *m* metal.

miotalach *adj* metallic; wiry.

miotas *m* myth.

miotaseolaíocht *f* mythology.

mírathúil *adj* unsuccessful.

míréasúnta *adj* absurd, preposterous; unreasonable.

mire: ar mire *adj* crazy.

mise *pn* me; **is mise (le meas)** your(s) sincerely.

míshásamh *m* dissatisfaction.

míshásta *adj* dissatisfied; discontented.

míshásúil *adj* unsatisfactory.

míshlachtmhar *adj* untidy, badly arranged; unsightly.

míshláintiúil *adj* unhealthy; insanitary.

míshocracht *f* unrest.

míshuaimhneas *m* discomfort.

misinéir *m* missionary.

misneach *m* courage.

misnigh *vt* to encourage, hearten.

misniúil *adj* courageous.

mistiúil *adj* mystical.

místuama *adj* imprudent.

míthaitneamh *m* dislike.

míthaitneamhach *adj* unpleasant.

míthuiscint *f* misunderstanding, misapprehension.

mí-úsáid *f* abuse.

mo *pn* my. • *poss pn* mine.

mó: den chuid f is mó *adv* mainly.

modh *m* method.

modh oibre *m* approach.

modhúil *adj* modest.

modhúlacht *f* modesty.

móid *f* vow.

móide *prep* plus.

móidigh *vi vt* to vow.

moill *f* delay; pause. • *vi* **déan moill** to pause. • *adv* **gan mhoill** soon, forthwith, shortly. • *vt* **moill a chur ar** to detain.

moille *f* slowness.

moilligh *vi* to linger. • *vt* delay.

móin (móna) *f* peat, turf (fuel).

móinéar *m* meadow.

moing *f* mane.

móinteán *m* moor.

mol *vt* to commend, to praise; to recommend; to suggest.

moladh *m* praise, recommendation; proposal. • *vt* **duine a mholadh** to humour.

moll *m* heap.

mómhar *adj* graceful.

monabhar *m* murmur.

monarc *m* monarch.

monarcha (-n) *f* factory.

monatóir *m* (*comput*) monitor.

moncaí *m* monkey.

monoplacht *f* monopoly.

mór *adj* big; large; great; grand; considerable.

morálta *adj* moral.

mórán *pn* many.

mórchuid f an mhórchuid *pn* most.

mórchúiseach *adj* pompous.

mórchumhachta *adj* high-powered.

mórdhíol *m* wholesale.

mórga *adj* majestic.

mórgacht *f* greatness; majesty.

mórleabhar cuntas *m* ledger.

mór-roinn *f* continent.

mórtas *m* boast; bragging. • *vi* **déan mórtas (as)** to boast, brag (about).

mórtasach *adj* boastful.

mórthír *f* mainland.

mothaigh *vt* to experience; to feel; to hear. • *vi* to hear.

mothallach *adj* bushy, shaggy.

mothar *m* jungle.

mothú(chán) *m* emotion; feeling; sensation.

muc *f* pig.

múch *vt* to extinguish; to smother.

múchtóir (tine) *m* extinguisher.

muga *m* mug.

muid *pn* we; us.

muid féin *pn pl* ourselves.

muileann *m* mill.

muilleoir *m* miller.

múin *vi vt* to teach; to educate.

muinchille *f* sleeve.

múineadh *m* manners.

muineál *m* neck.

muinín *f* trust. • *vt* **tá muinín agam aisti** I trust (her).

múinte *adj* mannerly, polite.

múinteoir *m* teacher; **múinteoir scoile** schoolteacher.

muintir *f* community; followers; people; kin, kindred.

muir *f* sea.

muirí *adj* nautical.

muirneach *adj* darling.

muirnigh *vt* to caress, fondle; to cherish.

muirnín *m* darling.

muirniú *m* caress.

muisriún *m* mushroom.

mullach *m* summit; top.

mún *m* urine. • *vt vi* to urinate, piss.

mungail *vt* to mumble.

múnla *m* mould.

múnlaigh *vt* to fashion, model, shape.

mura *conj* if (*neg*).

mura(r) *conj* unless.

murascaill *f* gulf.

murlán *m* handle; knob.

músaem *m* museum.

múscail *vi* to wake; to awake. • *vt* to arouse; to waken; to awake.

múscailt *f* awakening.

múscailte *adj* awake.

mustrach *adj* pompous.

N

na *art (fem gen)* the.

ná *adv* than.

nach (nár *in past*) *conj* (*neg*) that. • *rel pn* (*neg*) who.

nádúr *m* nature.

nádúrtha *adj* natural.

náid *f* nil, nought.

naimhdeach *adj* hostile; malevolent.

naimhdeas *m* hostility.

naíolann *f* crèche, nursery.

naíonán *m* infant.

náire *f* disgrace; shame.

náireach *adj* deplorable, disgraceful; ignominious; shameful.

náirigh *vt* to disgrace, shame.

náirithe *adj* ashamed.

náisiún *m* nation.

náisiúnachas *m* nationalism.

náisiúnaí *m* nationalist.

náisiúnta *adj* national.

náisiúntacht *f* nationality.

namhaid (-ad) *f* enemy.

naofa *adj* holy, sacred.

naoi *adj m* nine; naoi (gcinn) déag nineteen.

naomh *m* saint.

naomhaigh *vt* to sanctify.

naoscach *f* snipe.

naoú *adj m* ninth.

naprún *m* apron.

nár *conj* (*neg*) that. • *rel pn* (*neg*) who.

nasc *m* tie; connection. • *vt* to connect.

nath *m* adage.

nathair (-rach) *f* serpent; snake; viper; nathair nimhe adder.

neach *m* being; neach neamhshaolta alien (outer space).

neacht *f* niece.

nead *f* nest. • *m* nead (iolair) eyrie.

néal *m* cloud.

néal (támh) *m* trance; néal codlata nap, snooze.

néaltraithe *adj* demented.

neamh *f* heaven.

neamhábhartha *adj* immaterial.

neamhaí *adj* heavenly.

neamhaird *f* inattention; heedlessness, carelessness.

neamhairdiúil *adj* heedless.

neamháitrithe *adj* uninhabited.

neamharmtha *adj* unarmed.

neamhathraitheach *adj* invariable.

neamhbhailí *adj* invalid.

neamhbhásmhaireacht *f* immortality.

neamhbhásmhar *adj* immortal.

neamhchairdiúil *adj* unfriendly.

neamhcheolmhar *adj* unmusical.

neamhchinnte *adj* precarious; undecided.

neamhchiontach *adj* innocent.

neamhchlaon *adj* impartial.

neamhchlaonta *adj* disinterested.

neamhchodladh *m* insomnia.

neamh-chomhoiriúnach *adj* incompatible.

neamhchorraithe *adj* undisturbed.

neamhchríochnaithe *adj* unfinished.

neamhchríonna *adj* unwise, imprudent; impolitic.

neamhchúiseach *adj* casual.

neamhchumasach *adj* unable.

neamhchúramach *adj* inadvertent; negligent.

neamhdhíreach *adj* indirect.

neamhdhlisteanach *adj* illegitimate.

neamhdhóchúil *adj* improbable.

neamhdhóchúlacht *f* improbability.

neamhfhiúntach *adj* unworthy.

neamhfhoirmiúil *adj* casual; informal; colloquial.

neamhfhoirmiúlacht *f* informality.

neamhfholach *adj* (*med*) anaemic.

neamhghlan *adj* impure.

neamhghnách *adj* abnormal; uncommon; unusual.

neamhiomlán *adj* incomplete.

neamhionann *adj* unequal.

neamhionannas *m* disparity.

neamhláithrí *m* absentee.

neamhliteartha *adj* illiterate.

neamhní *m* nothing. • *adj* **ar neamhní** void.

neamhómós *m* disrespect.

neamhphearsanta *adj* impersonal.

neamhphraiticiúil *adj* impracticable.

neamhriachtanach *adj* unnecessary.

neamhrialta *adj* irregular.

neamhspleách *adj* independent; freelance.

neamhspleáchas *m* independence.

neamhthábhachtach *adj* unimportant.

neamhthorthúil *adj* infertile; unproductive.

neamhthrócaireach *adj* relentless.

neamhthruacánta *adj* ruthless.

neamhthuillte *adj* undeserved.

neamhurchóideach *adj* (*med*) benign.

neantóg *f* nettle.

néaróg *f* nerve.

neart *m* strength. • *f* **neart tola** willpower.

neodrach *adj* neutral.

ní[1] *m* thing.

ní[2] *neg vb part* **níl a fhios agam** I don't know; **ní fhaca mé** I didn't see.

Ní *f* female version of **Ó** surname.

nia *m* nephew.

nialas *m* zero.

nigh *vt* to wash.

nimh *f* poison; venom.

nimhíoc *f* antidote.

nimhneach *adj* sore.

níochán *m* washing.

níos *adv intensifier:* • *adv* **níos faide** farther; **níos fearr** better; **níos lú** less; **níos measa** worse; **níos sóisearaí** (*rank*) junior.

niteoir soithí *m* dishwasher.

nó *conj* either; or.

nócha *adj m* ninety.

nocht *adj* bare. • *vi* to appear. • *vt* to denude; to expose.

nochtadh *m* exposure.

nódaigh *vt* to graft, transplant.

nódú *m* graft, transplant.

nóiméad *m* instant; moment; minute.

nóinín *m* daisy.

nóinléiriú *m* matinee.

Nollaig (-ag) *f* Christmas.

nós *m* custom; habit. • *adj* **ar nós cuma liom** indifferent.

nósúil *adj* fastidious.

nóta *m* note; **nóta bainc** banknote; **nóta maise** grace-note.

nua *adj* new; **nua-aimseartha** modern. • *adv* **as an nua** afresh; anew.

nuachóirigh *vt* to modernise.

nuáil *f* innovation.

nuair (a) *conj* since; when.

nuálaí *m* innovator.

nuálaigh *vt* to innovate.

núicléach *m* nuclear.

núíosach *m* tyro.

O

ó *conj* since. • *prep* from; since. • *vt* tá punt vaim I need a pound [vaim=ó + mé].

obair *f* work. • *vi* to labour.

óbó *m* (*mus*) oboe.

obráid *f* (*med*) operation.

ócáid *f* occasion.

ochslaíoch *m* (*gram*) ablative.

ocht *m* eight. • *adj m* ocht déag eighteen.

ócht *f* virginity.

ochtagán *m* octagon.

ochtáibh *f* octave.

ochtapas *m* octopus.

ochtar *m* eight people, eightsome.

ochtó *adj m* eighty.

ochtú *m* eighth.

ocrach *adj* hungry.

ocras *m* hunger; tá ocras orm I am hungry.

óg *adj* young.

óganach *m* adolescent, youth.

ógh *f* virgin.

oibleagáideach *adj* obligatory; accommodating.

oibrí *m* labourer; worker.

oibrigh *vi* to work.

oíche *f* night; Oíche Chinn Bhliana New Year's Eve, Hogmanay; Oíche Nollag Christmas Eve; Oíche Shamhna Hallowe'en. • *adj, adv* thar oíche overnight.

óid *f* ode.

oide *m* tutor (guardian).

oideachais *adj* educational.

oideachas *m* education.

oideas *m* prescription; recipe.

oidhre *m* heir.

oidhreacht *f* heritage; legacy.

oidhreachtúil *adj* hereditary.

oifig *f* office; oifig an phoist post office.

oifigeach *m* officer.

óige *f* youth (state).

óigeanta *adj* juvenile; youthful.

óigeantacht *f* adolescence.

oigheann *m* oven; oigheann micreathoinne microwave.

oighear *m* ice.

oighearshruth *m* glacier.

oighearshruthú *m* glaciation.

oileán *m* island; An tOileán Sciathanach Skye; An tOileán Úr America.

oileánach *adj* insular. • *m* islander.

oilithreach *m* pilgrim.

oiniún *m* onion.

oirfide *m* entertainment.

oirirc *adj* eminent; illustrious; sublime.

oirirceas *m* distinction, merit.

oiriúnach *adj* pertinent; oiriúnach (do) applicable; compatible.

oiriúnacht *f* adaptability.

oirnigh *vt* to ordain.

oirthear *m* east.

oirthearach *adj* oriental.

oirthuaisceart *m* northeast.

oisín *m* fawn.

oisre *m* oyster.

oitir(-reach) *f* sandbank.

ól *vt vi* to drink. • *vt* to consume, imbibe.

ola *f* oil.

olacheantar *m* oilfield.
olann (olla) *f* wool.
olc *adj* bad; evil. • *m* evil; wrong.
olcas *f* badness.
oll- *adj* massive.
ollamh *m* professor.
Ollanach *adj* Dutch; *n* Hollander.
ollástacht *f* magnificence.
olldord *m* double bass.
ollmhaitheas *m* luxury.
ollmhargadh *m* supermarket.
ollmhór *adj* enormous; giant, immense, vast.
ollphuball *m* marquee.
ollscartaire *m* bulldozer.
ollscoil *f* university.
olltoghchán *m* general election.
ólta *adj* drunk.
óltóir *m* drinker.
olúil *adj* oily.
ómós *m* homage.
onnmhaire *f* export.
onnmhairigh *vt* to export.
onnmhairiú *m* exportation.
onóir *f* honour.
onóraigh *vt* to honour.
ór *m* gold.
óráid *f* address, oration, speech.
óráidí *m* orator.
óraigh *vt* to gild.
oráiste *adj* orange.
ord *m* order, sequence.
ordaigh *vt* to command, order.
órdhonn *adj* auburn.

ordóg *m* thumb.
ordú *m* command, order; **ordú poist** postal order.
órga *adj* golden.
orgán *m* organ.
orgánach *adj* organic.
orgásam *m* orgasm.
orlach *f* inch. • *adv* **faoi orlach do** within an inch of.
orlaigh *vt* to hammer.
os *prep* above, over; **os cionn** above; over; beyond, more than. • *adv* **os cionn gach uile ní** above all.
ós (= ós is): ós rud é go/nach *conj* seeing that, since.
os ard *adv* aloud.
oscail *vt* to open; to unwrap; **oscail amach** to unfold; **oscail na súile do (dhuine)** to disillusion.
os comhair *prep* opposite.
oscailt *f* aperture; opening.
oscailte *adj* open.
oscailteacht *f* candour; openness.
osnádúrtha *m* supernatural.
osrais *f* ostrich.
óstach *m* host.
Ostair: An Ostair *f* Austria.
óstán *m* hotel, inn.
óstóir *m* innkeeper.
otair *adj* gross, vulgar; obese.
othar *m* patient.
otharcharr *m* ambulance.
otharlann *f* hospital.
othras *m* sickness; ulcer.

P

pá *m* pay.
paca *m* packet.
pacáil *vt* to pack.
pagánach *adj* pagan; heathen. • *m* pagan; heathen.
paidir *f* prayer.
paidrín *m* rosary.
páipéar *m* paper; **páipéar súite** blotting paper.
páirc *f* field; park; **páirc imeartha** pitch (*sport*).
pairilis *f* paralysis.
pairiliseach *adj* paralytic(al).
páirtí *m* party; associate; sympathiser; partner.
paisean *m* passion.
paiseanta *adj* passionate.
paiste *m* patch.
páiste *m* child, youngster.
páistiúil *adj* childish.
paitín *m* clog.
pálás *m* palace.
pána *m* pane.
pancóg *f* pancake.
pantrach *f* pantry.
Pápa *m* Pope.
pápach *adj* papal.
paradacsa *m* paradox.
paradacsúil *m* paradoxical.
paragraf *m* paragraph.
paranóiach *adj* paranoid.
pardún *m* pardon; **pardún ginearálta** amnesty.
parlaimint *f* parliament.
paróiste *m* parish.
parthas *m* paradise.
pas *m* passport.

pasáil *vt* to pass (*sport*).
pasáiste *m* passage.
pasta *m* pasta.
patrún *m* benefactor.
pátrún *m* pattern.
patuaire *f* apathy.
péac *vt* *vi* to germinate; (*bot*) to shoot.
peaca *m* sin. • *vt* to trespass.
peacaigh *vi* to sin.
peann *m* pen.
péarla *m* pearl.
pearóid *f* parrot.
pearsanaigh *vt* to impersonate.
pearsanta *adj* personal.
péas *m* police.
peata *m* pet.
péine *m* (*bot*) pine.
péint *f* paint.
péinteáil *vt* to paint.
péintéireacht *f* painting (*art*).
péire *m* pair; brace.
péirse *f* perch (*fish*).
peirsil *f* parsley.
péist *f* monster; worm; **péist talún** earthworm.
peitreal *m* petrol.
péitse *m* pageboy.
péitseog *f* peach.
piachán *m* hoarseness.
piachánach *adj* hoarse.
pian *f* ache; pain. • *adj* **gan phian** painless; **i bpian an ghrá** lovesick.
pianmhar *adj* painful.
pianó *m* piano.
pianódóir *m* pianist.
piasún *m* pheasant.

píb f (mus) pipe; **píb mhór** bagpipe; **píb uilleann** uilleann pipes.

picilí fpl pickles.

pictiúr m painting, picture.

pictiúrlann f cinema.

pictiúrtha adj picturesque.

piléar m bullet.

pilibín m peewit.

piliúr m pillow.

pingin f penny.

pinsean m pension.

pinsinéir m pensioner.

píobán m hosepipe; windpipe.

piobar m pepper.

pioc vt to pick.

Piocht m Pict.

píóg f pie.

piollaire m pill.

piolón m pylon.

píolóta m pilot.

pionós m penalty; punishment; **pionós báis** capital punishment.

píopa f pipe. • m **píopa sceite** overflow.

piorra m pear.

píosa m bit, piece.

piostal m pistol.

pirimid f pyramid.

pis f pea.

piseog f superstition.

piteogach adj effeminate.

plá f plague; pest.

plab m bang. • vt to bang.

plainéad m planet.

plaisteach adj plastic.

plámás m flattery. • vt **déan plámás le** to flatter.

planc m plank.

planda m plant.

plandáil f plantation.

plandlann f nursery.

plástar m plaster.

pláta m dish, plate.

pléadáil vi vt plead.

plean m plan; **plean aistir** itinerary.

pleanáil vt to plan.

pléasc f bang; blast. • vi vt to burst; to explode; to bang; to blast.

pléigh vt to debate; to discuss.

pléisiúr m pleasure.

pléisiúrtha adj agreeable; pleasant.

plocóid f (elec) plug.

plód m crowd; drove.

plódaigh vi vt to crowd.

plódú tráchta m traffic jam.

plota m plot.

plucamas: an plucamas m mumps.

pluma m plum.

plúr m flour.

pobal m community, people.

poblacht f republic.

póca m pocket.

póg f kiss. • vt to kiss.

poiblí adj public.

poiblíocht f publicity.

póilíní mpl police.

póirse m porch.

póit f hangover; excessive drinking. • vi **póit a dhéanamh** to booze.

poitigéir m chemist, pharmacist, druggist.

póitseáil vt to poach.

póitseálaí m poacher.

polasaí m policy; **polasaí árachais** insurance policy.

poll m aperture, hole; puncture. • vt to penetrate; to pierce; **tá poll sa teach** (coded warning that someone is eavesdropping).

pollta adj leaky; holed.

polltach adj biting (wind).

pónaí m pony.

pónaire *m* bean.

ponc *m* dot.

Poncánach *m* Yankee.

poncloisc *vt* to cauterise.

poncúil *adj* punctual.

pór *m* breed.

póraigh *vt* to breed.

port[1] *m* harbour, port.

port[2] *m* jig; tune.

portach *m* bog.

Portaingéil: An Phortaingéil *f* Portugal.

portán *m* crab; **An Portán** Cancer.

pós *vt* to marry, wed.

pósadh *m* marriage; matrimony.

post[1] *m* mail.

post[2] *m* job.

pósta *adj* married.

postáil *vt* to post.

postdíol *m* mail-order.

postúil *adj* officious.

pota *m* pot; **pota gliomach** lobster pot.

potaireacht *f* pottery.

prácás *m* mess.

praghas *m* price; **praghas luaite** quotation, price.

práinn *f* urgency.

práinneach *adj* imperative, urgent.

praiseach *f* potage; mess.

praiticiúil *adj* practical.

pras *adj* quick, prompt.

prás *m* brass.

práta *m* potato.

preab *vi* to start; to bound; to bounce; to flicker.

préachán *m* crow; **préachán dubh** rook (*bird*).

preasráiteas *m* press release.

priacal *m* peril; risk.

pribhléid *f* privilege.

printéir *m* (*comput*) printer.

príobháideach *adj* private.

prioc *vt* to prick; to prod.

príomh- *adj* capital; cardinal; chief, main.

príomhaisteoir *m* star (*movies*).

príomhchathair *f* capital city.

príomhchócaire *m* chef.

príomhshamhaltas *m* archetype.

prionsa *m* prince.

príosún *m* jail. • *vt* **duine a chur i bpríosún** to cage, imprison.

príosúnach *m* captive.

prochóg *f* cranny; den; hole; hovel.

proinnteach *m* canteen.

próiseas *m* process; **próiseálaí focal** word processor.

prós *m* prose.

Protastúnach *adj m* Protestant.

puball *m* tent.

púdar *m* powder.

puilpid *f* pulpit.

puisín *m* kitten.

pulc *vt* to stuff, gorge; to throng; to cram.

punt *m* pound.

purgaigh *vt* to purge.

purgóid *f* laxative.

putóg *f* gut; pudding (*sausage*).

R

ábach *adj* bold; dashing; rampant.

abhadh *m* warning; caution.

acáil *vt* to rake.

acán *m* row, fight; scuffle; uproar.

achmasaí *m* capitalist.

acht *m* fit (of anger, etc).

achta *m* rafter.

adacach *adj* radical.

adaigh *vt vi* radiate.

adaitheoir *m* radiator.

adharc *m* scene; sight, vision; **radharc (na) súl** eyesight.

adharcach *adj* optical.

áfla *m* rumour.

afta *m* raft.

agobair *f* overtime.

aicéad *m* racket.

aidhse *f* abundance.

aidhseach *adj* profuse.

aidió *m* radio.

aiméis *f* drivel, gibberish.

áiteas *m* statement; **ráiteas bainc** bank statement.

áithe *f* quarter (*season*).

aithneach *f* (*bot*) bracken; (*bot*) fern.

ámhaí *m* rower.

ámhaille *f* delirium; fanciful imaginings. • *vn* **ag rámhaille** raving (mad).

amhar *adj* fat; plump; overweight.

andamach *adj* random.

ang *m* class; rank.

angaigh *vt* to classify; to range.

angú *m* classification.

annpháirteach *adj* participating.

ansaigh *vi* to rummage. • *vt* to forage.

raon *m* range; **raon gailf** fairway.

rás *m* race.

rásúr *m* razor.

ráta *m* rate; **ráta malairte** exchange rate.

rath *m* prosperity.

ráth sneachta *m* snowdrift.

ráthaíocht *f* guarantee.

rathúil *adj* successful.

rathúnas *m* affluence.

ré *f* epoch; duration.

réab *vt* to tear, to shatter; to disrupt.

réabadh *m* tear; shattering; violation; disruption.

reacht *m* edict.

reachtaire *m* administrator; rector.

réalta *f* star.

réaltach *adj* starry.

réaltacht *f* reality.

réaltbhuíon *f* constellation.

réalteolaí *m* astronomer.

réalteolaíoch *adj* astronomical.

réalteolaíocht *f* astronomy.

réaltóg scannán *f* filmstar.

réamach *adj* phlegmatic(al).

réamh- *adj* ante-, pre-, fore-, preliminary.

réamhaisnéis *f* forecast.

réamhaithris *vt* to foretell, predict.

réamhbheartaithe *adj* deliberate.

réamhbhlas *m* foretaste.

réamhchantóir *m* precentor.

réamhchlaonadh *m* prejudice.

réamhchúram *m* precaution.

réamhchúramach *adj* precautionary.

réamhfhéachaint *f* foresight.

réamhfhios *m* foreknowledge.

réamhfhocal *m* foreword.

réamhghabh *vt* to anticipate.

réamhíocaíocht *f* financial advance.

réamhionad *m* foreground.

réamhrá *m* preface.

réamhsmaoineamh: gan réamhsmaoineamh *adj* unpremeditated.

réamhstairiúil *adj* prehistorical.

réamhtheachtaí *m* forerunner.

réasún *m* reason.

réasúnta *adj* reasonable, amenable.

reatha *m* current.

reic *f* sale.

réidh *adj* ready.

réidhe *f* readiness.

reilig *f* graveyard, cemetery.

réiltín *m* asterisk.

réimnigh *vt* (*gram*) to conjugate.

reiptíl *f* reptile.

réir *f* will, wish; **de réir** accordingly. • *adv* **de réir a chéile** gradually; **de réir dátaí** chronologically; **faoi réir** ready; free; available; subject (to).

réiteoir *m* referee.

reithe *m* ram, tup.

réitigh *vt* to smooth, level; to disentangle.

reoán *m* icing.

reoigh *vi vt* to freeze.

reoite *adj* frosty (frozen).

reoiteoir *m* freezer.

rí *m* king.

rí (na) láimhe *f* forearm.

riachtanach *adj* necessary, vital.

riachtanas *m* necessity, need.

riail (rialach) *f* rule.

rialaigh *vi* to reign. • *vt* to govern, rule; to regulate.

rialtas *m* government; **rialtas dúchais** home rule.

riamh *adv* (*in past*) ever; (*in past*) always; never.

rian *m* dent; mark; track.

riar *vt* to administer. • *vi* **riar ar** to cater. • *vt* to minister; to serve.

riarachán *m* administration.

riaráiste *npl* arrears.

riarthach *adj* administrative.

riarthóir *m* administrator.

riascach *adj* marshy.

ribeog *f* shred.

ribín *m* ribbon.

ridire *m* knight.

ridireacht *f* knighthood; chivalry.

rige ola *m* oil rig.

righin *adj* tough.

righnigh *vi vt* to stiffen.

ríl *f* (*dance*) reel; **ríl ochtair** eightsome reel.

rím *f* rhyme. • *vi* **déan rím** to rhyme.

ríméadach *adj* jubilant.

rinn *f* point, tip, apex; promontory.

ríocht *f* kingdom.

ríogach *adj* spasmodic; impulsive.

ríomh *vt* to compute, calculate.

ríomhaire *m* computer.

ríomhaireacht *f* computer science.

ríomhchlár *m* (*comput*) program.

ríomhchláraitheoir *m* (*comput*) programmer.

ríomhchlárú *m* computer programming.

ríomhphost *m* email.

ríon *f* queen.

ríora *m* dynasty.

rí-rá *m* clamour.

rís *f* rice.

ríshliocht *m* dynasty.

rite *adj* taut; tense; steep, precipitous.

rith *vi* to run.

róba *m* robe.

robáil *vt* to rob.

robálaí *m* robber.

roc *m* wrinkle. • *vt* to wrinkle.

rocach *adj* corrugated.

rochtain *f* access.

ród *m* road.

rógaire *m* rogue.

rogha *f* alternative; best; choice; **rogha gach bia agus togha gach dí** choice of food and drink.

roghnaigh *vt* to choose.

roimh *adv* ahead; before; **roimh an díle** antediluvian; **roimhe sin** previously.

roinn *f* department; portion; **mór-roinn** continent. • *vt* to deal (*cards*); to apportion, dispense; to distribute; to share. • *vt vi* to divide.

roinnt *f* some (*separate items*); share; (*math*) division. • *adj* some. • *adv* **roinnt blianta ó shin** a few years back.

roithleán *m* wheel; pulley; fishing reel.

roll *vt* to roll.

rolla *m* roll.

rómánsach *adj* romantic.

rómánsaíocht *f* romance.

rón *m* seal.

ronnach *m* mackerel.

rópa *m* rope.

ros *m* promontory.

rós *m* rose.

rósach *adj* rosy.

róst *vt vi* roast.

rosualt *m* walrus.

roth *m* wheel; **roth fiaclach** cogwheel.

rothaíocht *f* cycling.

rothar *m* bicycle, cycle.

rothlaigh *vt* to spin.

rua *adj* red.

ruadhóigh *vt* to scorch.

ruaig *f* rout. • *vt* to dislodge; to dispel; to repel.

ruaigeadh *m* dispersal.

ruathar *m* (*milit*) charge; raid. • *vt* **ruathar a thabhairt faoi** to charge.

rud *m* object; thing; **gach rud** everything; **rud ar bith** anything. • *adv* **an rud céanna** ditto. • *vt* **bain rud de dhuine** *or* **caith rud ó dhuine** to deprive somebody of something; **rud a bheith de ghustal agat** to afford (to be able to afford); **rud a bheith i do sheilbh** to possess something. • *pn* **rud éigin** something.

rud a chómóradh *vt* to commemorate.

rud ársa *m* antique.

rufa *m* frill.

ruga *m* rug.

rúitín *m* ankle.

rún *m* intention; secret. • *vt* **tá de rún ag** to intend.

rúnaí *m* secretary.

rúnda *adj* esoteric; secret.

rúndacht *f* secrecy.

rúndiamhair *adj* mysterious. • *f* mystery.

S

sa *prep* in the (*sing*).

ábh *m* saw. • *vt* to saw.

ábháil *vt* to rescue; to save.

ábháilte *adj* safe.

ábháilteacht *f* safety.

abhaircín *m* (*bot*) primrose.

abóid *f* Sabbath.

ac *m* sack.

acraimint *f* sacrament.

agart *m* priest.

aibhir *adj* affluent, rich, wealthy.

aibhreas *m* riches.

aifír *f* sapphire.

áigh *vt* to jab; sáigh (le hadharc) to gore.

aighdeadh *m* provocation.

aighdiúir *m* soldier; campaigner.

aighead *f* arrow.

áil¹ *f* heel.

áil² *adj* luscious.

ail chnis *f* dandruff.

áile *m* brine.

aileach *f* sallow; willow.

ailéad *m* salad.

áiltéar *m* salt cellar.

ainaicme *f* caste.

ainchónaí *m* domicile.

aineolach *adj* expert.

aineolaí *m* expert.

ainmhínigh *vt* to define.

ainmhíniú *m* definition.

áinn *f* deadlock.

aint *f* avarice, cupidity, greed.

áirsint *m* sergeant.

áith *f* fill; feed; sufficiency. • *vi* do sháith a ithe to feast.

alach *adj* dirty.

alachar *m* dirt, grime, muck.

salaigh *vt* to dirty; to soil.

salann *m* salt.

salm *m* psalm.

saltair *f* psalter.

sámh *adj* serene, peaceful; tranquil.

samhail *f* model.

samhailteach *adj* imaginary.

samhalta *adj* virtual.

samhlaigh *vt* to imagine; samhlaigh rud le rud eile to associate one thing with another.

samhlaíocht *f* imagination.

samhnas *m* disgust; nausea.

samhnasach *adj* disgusting; nauseous.

samhradh *m* summer.

sampla *m* example; instance; sample.

samplach *adj* typical.

sannadh *m* (*law*) assignment.

santach *adj* avaricious; greedy.

santaigh *vt* to desire.

saobh *adj* slanted; twisted; perverse.

saofóir *m* pervert.

saoire *f* holiday; leave.

saoirse *f* freedom.

saoirseacht chloiche *f* masonry.

saoirsigh *vt* to cheapen.

saoiste *m* boss.

saoithínteacht *f* pedantry.

saoithiúlacht *f* eccentricity.

saol *m* life; saol an teaghlaigh domestic life.

saolaigh *vt* to deliver (baby).

saolta *adj* earthly; secular; worldly.

saonta *adj* naïve.

saor¹ *adj* cheap, inexpensive; free;

vacant; **saor in aisce** free (without cost); **saor ó dhleacht** duty-free; **saor-raoin** free-range. • *vt* to free; to acquit; to extricate.

saor² *m* craftsman; **saor adhmaid** carpenter; **saor cloiche** mason.

saoráidí *npl* facilities.

saoránach *m* citizen.

saorga *adj* artificial.

saorthrádáil *f* free trade.

saothar *m* work, toil; stress; exertion.

saotharlann *f* laboratory.

saothrach *adj* industrious; laborious.

saothraigh *vi vt* to graft; to cultivate; to earn.

sáraigh *vt* to violate; to infringe, contravene; to excel, outdo; to foil, frustrate; to rape; **sáraigh (dlí)** to trespass.

sárálainn *adj* gorgeous.

sárintleachtach *m* genius (person).

sárshaothar *m* masterpiece.

sásaigh *vt* to indulge; to please; to satiate, sate; to satisfy.

sásamh *m* approval; satisfaction.

Sasana *m* England.

Sasanach *adj m* English (wo)man.

sáspan *m* saucepan, pan.

sásta *adj* content; satisfied.

sásúil *adj* adequate; satisfactory.

satailít *f* satellite.

Satharn *m* Saturday; **Dé Sathairn** on Saturday.

scabhta *m* (*milit*) scout.

scadán *m* herring; **faoileán scadán** herring gull; **scadán leasaithe** kipper.

scag *vt* to filter.

scagaire *m* filter.

scaif *f* scarf.

scailleagánta *adj* lanky.

scaip *vt* to dispel; to dissipate; to scatter.

scaipeadh *adj* scattering. • *m* dispersal.

scaipthe *adj* scattered; disjointed.

scairbhileog *f* (*comput*) spreadsheet

scaird *vi* to flush; to squirt.

scairdeitleán *m* jet plane.

scairt *f* shout. • *vt* to call.

scairteoir *m* caller.

scála *m* scale; (*mus*) scale.

scall *vt* to scald.

scalltán *m* chick.

scamall *m* cloud.

scamallach *adj* cloudy; webbed.

scamh *vt* to peel.

scamhóg *f* lung.

scannal *m* scandal.

scannalach *adj* disgraceful; scandalous.

scannalaigh *vt* to scandalise.

scannán *m* film. • *f* **scannán faisnéise** documentary.

scanradh *m* fright.

scanraigh *vt* to appal; to frighten.

scanrúil *adj* alarming; formidable; frightful.

scaoil *adj* loose. • *vt* to disconnect, to disengage; to fire; to relax; to release; to untie; **scaoil (amach)** to unfurl; **scaoil (duine ó dhualgas)** to absolve; **scaoil (duine ó mhóid)** to absolve; **scaoil (le)** to shoot. • *vi* **scaoil (speirm f)** to ejaculate.

scaoileadh *m* discharge.

scaoilte *adj* loose.

scaoll *m* panic, fright.

scar *vi* to diverge. • *vt* to detach; to part, separate.

scaradh *m* separation, parting. • *adv* **ar scaradh gabhail** astride.

scartha (ó chéile) *adv* separated.

scata *m* drove.

scáta *m* skate.

scátáil *vi* to skate.

scáth *m* shade; shadow. • *f* **scáth fearthainne** umbrella.

scáthach *adj* shady.

scáthaigh *vt* to shade.

scáthán *m* looking glass, mirror.

scéal *m* narrative, story, tale, yarn; **scéal béaloidis** folktale; **scéal scéil** hearsay.

sceall *m* chip.

sceallóg *f* chip.

sceamh *f* yelp.

sceanra *m* cutlery.

scéim *f* scheme.

scéimh *f* beauty.

scéimhiúil *adj* beautiful.

sceimhlitheoireacht *f* terrorism.

scéiniúil *adj* lurid.

sceir *f* skerry; (*mar*) reef.

sceirdiúil *adj* bleak.

sceith *vi vt* to spawn; to overflow.

sceitimíní *npl* ecstasy; excitement. • *adj* **tá sceitimíní orm** I am ecstatic.

sceitse *m* sketch.

sciáil *vi* to ski.

sciamhach *adj* elegant.

sciamhacht *f* elegance.

sciamhaigh *vt* to deck; to embellish.

scian *f* knife, dirk.

sciata *m* skate (fish).

sciath *f* shield.

sciathán *m* wing; **sciathán leathair** (*zool*) bat.

scigaithris *f* burlesque; parody.

scigmhagadh *m* derision.

scigphictiúr *m* caricature.

scil *f* skill.

scilléad *m* pan, skillet.

scimeáil *vt* to skim.

sciob *vt* to grab; to snatch.

scióból *m* barn.

sciollach *m* scree.

sciomraigh *vt* to burnish.

sciorradh *m* slip, skid.

sciorta *m* skirt.

scíth *f* rest. • *vi* **déan scíth** to relax.

sciuird *f* dash; rush.

sciúirse *m* scourge; tall thin wiry person.

sciúr *vt* to scour; to scrub.

sclábhaí *m* slave.

sclábhaíocht *f* slavery; drudgery.

scliúchas *m* skirmish.

scoil *f* school; shoal.

scoill *vt* to scold.

scoilt *f* cleft; crack; cranny. • *vt* to crack; to split.

scoilteacha dathacha *fpl* rheumatism.

scoir *vi vt* to detach; to disconnect; to come to rest; to terminate.

scoirr *vi* to skid.

scoith *vt* to pass; to overtake.

scoláire *m* academic.

scóna *m* scone.

sconna *m* tap.

sconsa *m* fence.

scor *m* separation; termination; retirement.

scór *m* score.

scornach *f* throat.

scréach *f* shriek.

scread *f* scream.

screamhóg *f* flake.

scríbhneoir *m* writer.

scríbhneoireacht *f* writing.

scríob *vt vi* to scrape. • *vt* to grate; to chafe; to graze; to score; to scratch.

scríobach *adj* abrasive.

scríobadh *m* scratch, scrape. • *npl* scrapings.

scríobán *m* grater.

scríobh *vt* to write.

scrioptúrach *adj* biblical.

scrios *m* destruction; devastation; ruin. • *vt* to demolish; to destroy; to devastate; to erase;.to ravage; to wreck.

script *f* script.

scrolla *m* scroll.

scrúdaigh *vt* to examine; to inspect.

scrúdú *m* examination.

scrupall *m* scruple.

scrupallach *adj* scrupulous.

scuab *f* broom; brush. • *vt* to brush, sweep.

scuaine *f* queue.

sé[1] *pn m* he; **sé féin** himself.

sé[2] *adj* six. • *adj m* **sé déag** sixteen.

seabhac *m* hawk.

séabra *m* zebra.

Seacaibíteach *adj m* Jacobite.

seach: faoi seach *adj* respective.

seachadadh *m* delivery.

seachaid *vt* to deliver.

seachain *vi* to beware. • *vt* to avoid.

seachmall *m* illusion.

seachnaigh *vt* to dodge.

seachrán *m* wandering; delusion. • *adv* **ar seachrán** astray.

seachránach *adj* wandering, straying; misguided.

seachród *m* bypass.

seacht *adj* seven. • *adj m* **seacht déag** seventeen.

seachtain *f* week.

seachtar *m* seven (people).

seachtó *adj m* seventy.

seachtú *adj m* seventh.

seacláid *f* chocolate.

séadchomhartha *m* monument.

seadóg *f* grapefruit.

seafóid *f* absurdity; rubbish (idea).

seafóideach *adj* absurd.

seál *m* shawl.

séala *m* (official) seal.

sealadach *adj* temporary; provisional.

séalaigh *vt* to seal.

sealbhaigh *vt* to possess; to gain possession of; to occupy.

sealgaire *m* hunter.

Sealtainn *f* Shetland.

sealúchas *m* property.

seamair (seimre) *f* clover.

sean *adj* aged, old.

séan *vt* to deny; to disclaim; to disown; **séan creideamh** to abjure.

seanad *m* senate.

séanadh *m* denial; **séanadh (creidimh)** abnegation.

seanaimseartha *adj* out-of-date, old-fashioned.

seanaoiseach *adj* senile.

seanársa *adj* primitive.

seanathair *m* granddad, grandfather.

seanchaite *adj* worn out, obsolete, banal.

seanchas *m* lore, storytelling.

seanchríonna *adj* precocious.

seanda *adj* antique.

seandálaí *m* archaeologist.

seandéanamh: den tseandéanamh *adj* quaint.

seanfhaiseanta *adj* old-fashioned.

seanfhocal *m* proverb; saying.

seangán *m* ant.

seanmháthair *m* grandmother.

seanóir *m* elder (church).

seans *m* chance.

seansailéir *m* chancellor.

seantán *m* shanty, shack.

séarachas *m* sewer, sewerage.

searbh *adj* acerbic; acid; sour, tart; wry.

searbhasach *adj* cynical; sarcastic.

searbhónta *m* servant.

searg *vi* to wither; to shrivel; to decline.

searmanas *m* ceremony.

searrach *m* foal.

seas *vi* to stand.

seas ar *vi* to insist.

seas le *vt* to uphold.

seascair *adj* cosy, snug.

seascann *m* marsh; swamp.

seasmhach *adj* constant.

seasmhacht *f* consistency; constancy.

séasúr *m* season.

seic *m* cheque.

seiceadóir *m* executor; warden.

seiceáil *f* check; checkup. • *vt* to check.

seict *f* sect.

seicteach *m* sectarian.

séid *vi* to hoot; to blow. • *vt* to blow; to inflate.

séideán *m* gust.

SEIF *m* AIDS.

seift *f* device; resource.

seilbh *f* possession; occupancy. • *vt* **glac seilbh ar** to appropriate.

seile *f* saliva, spit.

seilf *f* shelf.

seilg *f* hunt; game. • *vt vi* to hunt. • *vi* to prey on. • *vt* to chase.

séimh *adj* mild; (*sound*) mellow.

seineafóbach *m* xenophobe.

seineafóibe *f* xenophobia.

seinn (ar) *vt* to play (instrument).

seinnteoir caiséad *m* cassette player.

séipéal *m* chapel.

seipteach *adj* septic.

seirbhe *f* acerbity; acrimony.

seirbhís *f* service.

seircín *m* jerkin.

seisear *m* six (people).

seisiún *m* session; **seisiún teagaisc** teach-in.

séitéir *m* cheat.

seo *pn* this. • *adj* **an mhí seo chugainn** next month. • *adv* **as seo amach** henceforth; **mar seo** thus. • *pn pl* **seo (iad)** these.

seobhaineach *m* chauvinist.

seodóir *m* jeweller.

seoid *f* gem; jewel.

seol[1] *m* sail; **seol cinn** jib; **seol tosaigh** foresail. • *vt vi* to sail.

seol[2] *vt* to send

seol (duine) chuig *vt* to refer.

seoladh *m* address.

seomra *m* room, chamber; **seomra bia** dining room; **seomra folctha** bathroom; **seomra leapa** bedroom; **seomra ranga** classroom; **seomra suí** sitting room, lounge.

séú *adj m* sixth.

sí[1] *adj* fairy.

sí[2] *f pn* she; her.

siad *pn pl* they.

siamsa *m* amusement; entertainment. • *vt* **déan siamsa do** to amuse.

siar *adv* backwards; westward, to the west.

sibh *pn pl* you. • *pn* **sibh féin** yourselves. *See* **féin.**

sibhialta *adj* civil.

sibhialtach *m* civilian.

sibhialtacht *f* civilisation.

síceach *adj* psychic.

sicín *m* chick, chicken.

sil *vi* to dribble; to drip; to trickle.

síl *vt vi* to suppose. • *vt* to consider.

síleáil *f* ceiling.

siléar *m* cellar.

silín *m* cherry.

silteach *adj* fluid; dripping; running.

simléar *m* chimney.

simplí *adj* homespun; plain; simple.

simpligh *vt* to simplify.

sin *pn* that. • *adv* **mar sin** so; **mar sin de** hence; **mar sin féin** nevertheless. • *conj* yet. • *adv* **ó shin** ago.

sín *vt* to stretch.

sine *f* nipple.

sine: is sine *adj* elder, oldest.

singil *adj* single.

siniciúil *adj* cynical.

síniú *m* signature.

sinn *pn* we; us. • *pn pl* **sinn féin** ourselves.

sinsear *m* ancestor, forefather.

sinsearach *adj* senior.

sinsearacht *f* ancestry.

sinseartha *adj* ancestral.

sínte *adj* stretched out; prostrate.

síntiús *m* contribution; subscription.

síobadh sneachta *m* blizzard.

sioc (seaca) *m* frost; **sioc bán** hoarfrost.

siocán *m* ice.

siocdhóite *adj* frostbitten.

síocháin *f* peace.

síochánachas *m* pacifism.

síochánaí *m* pacifist.

síochánta *adj* passive; peaceful.

sioctha *adj* icy, frozen.

síoda *m* silk.

sióg *f* fairy.

síol *m* seed.

síolaigh *vt vi* to seed.

síolraitheoir *m* breeder.

siombail *f* symbol.

siombalach *adj* symbolic.

sionnach *m* fox.

siopa *m* shop; **siopa leabhar** bookshop, bookstore.

sioráf *m* giraffe.

síoraí *adj* endless, eternal, everlasting; perennial. • *adv* **go síoraí** ceaselessly.

síoraíocht *f* eternity; **an tsíoraíocht** the hereafter.

siorc *m* shark.

síorghlas *adj* evergreen.

síoróip *f* syrup.

siorradh *m* draught (*wind*).

sios *vi* to hiss.

síos *adv* downward(s). • *prep* down.

siosúr *m* scissors.

síothlaigh *vt* to strain, filter; drain away.

síothlán *m* colander; percolator.

sip *f* zip, zipper.

sír *f* shire.

sirriam *m* sheriff.

siséal *m* chisel.

siúcra *m* sugar.

siúd *pn* that.

siúil *vi* to walk; **siúil de chois** to hike; **siúil go costrom** to plod; **siúil trí** to wade through. • *adv* **ar shiúl** away.

siúinéir *m* joiner.

siúinéireacht *f* joinery.

siúl *m* walk.

slabhra *m* chain.

slachtmhar *adj* neat.

slad *m* robbery; plunder, pillage. • *vt* to ravage.

sladaí m brigand; vandal.

sladmhargadh m bargain.

slaghdán m (med) cold.

sláinte f health.

sláinteachas m hygiene.

sláintiúil adj healthy; safe.

slán¹ m farewell. • excl **slán (go fóill)!** goodbye! au revoir!.

slán² adj safe.

slándáil f security.

slat¹ f yard (0.914m)

slat² f rod; **slat iascaigh** fishing rod; **slat tomhais** criterion.

slatbhalla m parapet.

sleá f spear.

sléacht vi to kneel.

sleamhain adj slippery.

sleamhnaigh vi to slide; to slip.

sleamhnán m slide.

sléibhteoir m mountaineer.

slí f way; **slí bheatha** livelihood; profession; career.

sliabh m mountain.

sliabhraon m range.

slinn f slate.

slíoc vt to pat; to stroke.

sliocht (sleachta) m issue, descendents; tribe; passage (in book); quotation.

slíoctha adj sleek.

slipéar m slipper.

slis f chip.

slisín m slice.

slítheánta adj sly, sneaky, devious.

slodán m pool (rain); puddle.

slog vt vi to gulp. • vt to swallow.

slogóg f gulp.

sloinne m surname.

slua m crowd, host.

sluaghairm f slogan.

smacht m control.

smachtaigh vt to control; to castigate; to chastise; to quell.

smachtú m control; chastisement.

smailc f snack.

smál m blemish; blot; mark. • adj **gan smál** immaculate.

smaoineamh m idea; thought. • vt **smaoineamh a chur i gceann duine** to imbue someone with an idea.

smaoinigh vi to think. • vt **smaoinigh ar** to contemplate, consider, reflect.

smaragaid f emerald.

smear vt to daub, smear.

sméar f berry; **sméar dhubh** bramble berry, blackberry.

smearadh m smear, daub; smattering.

sméid ar vt to beckon.

sméideadh cinn m nod.

smideadh m make-up.

smig f chin.

smólach m mavis, thrush.

smolchaite adj fusty.

smúdáil vt to smooth.

smugairle m thick spittle; snivel.

smugairle róin m jellyfish.

smuigleáil vt to smuggle.

smuigléir m smuggler.

smúr vt vi to sniff.

smúrthacht: bheith ag smúrthacht thart vi to prowl.

smut m snout.

sna prep pl in the.

snag m hiccup.

snag breac m magpie.

snagach adj inarticulate.

snaidhm f knot. • vt to knot.

snaidhmeach adj knotted, knotty.

snáithín m fibre.

snáithíneach adj fibrous.

snámh vt vi to swim. • vi to crawl; to float. • adv **ar snámh** afloat.

snámhach adj buoyant.

snámhacht f buoyancy.

snas m polish.

snasta adj glossy; cut, trimmed; well-finished.

snáth m yarn.

snáthaid f needle.

sneachta m snow.

sníomh vt to spin (thread).

snoigh vt to carve.

snoíodóireacht f carving.

sobal m foam, froth, lather.

sobhriste adj fragile.

socadán m busybody.

socair adj calm; impassive. • adj **go socair** leisurely.

sochaí f society.

sochar m benefit.

sochma adj easy-going; calm.

sóchmhainneach adj solvent.

sochraid f funeral.

sócmhainn f asset.

socraigh vt to decide; to arrange; to set; to settle; to sort; **socraigh ar** to determine.

socraíocht f settlement.

socrú m arrangement.

sócúlacht f ease.

sodar: bheith ag sodar vi to trot.

sofaisticiúil adj sophisticated.

soghabhála adj receptive.

soghonta adj vulnerable.

soiléir adj apparent, clear, obvious.

soiléireacht f clarity.

soiléirigh vt to clarify.

soiléiriú m clarification.

soilire m celery.

soilseach adj lucid.

soilsigh vt to illuminate; to enlighten.

soilsiú m illumination.

soirbhíoch adj optimistic.

soirbhíochas m optimism.

soiscéal m gospel.

sóisearach adj junior.

sóisialachas m socialism.

soitheach m container; dish.

soithí m crockery.

sól m sole (fish).

soláimhsithe adj manageable.

soláistí npl refreshments.

solamar m abundance of good things.

solas m light; **solas an lae** daylight.

sólás m solace, consolation. • vt **sólás a thabhairt (do)** to console.

sólásach adj consolatory.

soláthair vt to provide.

soléirithe adj demonstrable.

sollúnta adj solemn.

solúbtha adj adaptable; flexible.

solúbthacht f adaptability; flexibility.

somheasta adj calculable.

son: ar son Dé m for God's sake.

sona adj happy.

sonas m happiness.

sonóg f mascot.

sonra m detail.

sonrach adj particular; impressive.

sonraíoch adj remarkable.

sonrasc m (comm) invoice.

sonrúil adj definable.

sorcas m circus.

sorn m cooker, furnace; **sorn gáis** gas cooker.

sornóg f stove.

sórt m sort.

sos f pause; rest; (mus) rest. • m **sos cogaidh** armistice; **sos lámhaigh** ceasefire.

sotaire m brat.

sotal *m* arrogance; impertinence, impudence.

sotalach *adj* arrogant; impertinent.

sothuigthe *adj* intelligible.

spadánta *adj* listless.

spailpín *m* migratory labourer; vagabond.

Spáinn: An Spáinn *f* Spain.

spáinnéar *m* spaniel.

Spáinnis *f* Spanish;.

spaisteoir *m* rambler.

spaisteoireacht *f* stroll.

spáráil *vt* to spare.

sparán *m* purse; sporran.

spás *m* space.

spásaire *m* astronaut.

spásas *m* (*law*) reprieve.

spéaclaí *npl* spectacles.

speal *f* scythe. • *vt* to scythe.

spéir *f* sky.

speisialta *adj* special.

spiagaí *adj* flashy, showy, gaudy.

spiaire *m* spy.

spiara *m* partition (wall).

spideog *f* bhronndearg *f* robin (redbreast).

spíonán *m* gooseberry.

spiorad *m* spirit.

splanc *f* flash; spark.

spleách *adj* dependent.

spléachadh *m* glimpse; peep.

spleáchas *m* dependence.

spleodar *m* cheerfulness; exuberance.

spleodrach *adj* exuberant.

spoch *vt* to castrate.

spochadh *m* castration.

spoch (as) *vt* to tease; to boast.

spor *m* spur.

spórt *m* fun; sport.

spraoi *m* fun; spree; sport.

spré *f* dowry.

spreag *vt* to excite.

sprioc *f* landmark; target.

sprionlóir *m* miser.

spuaic *f* blister.

spúnóg *f* spoon.

srac *vt* to dismember.

srac (ó) *vt* to wrest; **srac (rud) ó (dhuine)** to wrench.

sracfhéachaint *f* glance.

sráid *f* street.

sráidbhaile *m* hamlet, village.

sraith *f* sequence; series; (*sport*) league.

sraoilleán *m* streamer.

sraon *vt* to deflect.

srath *m* strath, valley.

sreabhán *m* fluid.

sreabhlach *m* shrimp.

sreang *f* cord; string; wire; **sreang bogha** bowstring.

sreangach *adj* stringed.

srian *m* rein. • *vt* to curb.

sroich *vt* to attain; to reach.

sról *m* satin.

srón *f* nose; (*mar*) prow.

srónach *adj* nasal.

srónaíl: bí ag srónaíl *vi* to pry.

srónbheannach *m* rhinoceros.

sruth *m* current; stream.

sruthaigh *vi* to flow.

sruthán *m* brook, burn, stream, rivulet.

sruthlaigh *vt* to flush (toilet); to rinse.

sruthlán *m* runnel.

stábla *m* stable.

stad *m* stop, pause; standstill. • *vt vi* to halt. • *vi* to cease. • *vt* to stop. • *adj* **gan stad** ceaseless, nonstop. • *adv* ceaselessly. • *vt* **stad (de)** to cease.

stad tacsaithe *m* cabstand.

staid *f* state.

staidéar *m* study.

staighre *m* stairs; **staighre beo** escalator; **staighre éalaithe** fire escape. • *adv* **thíos staighre** downstairs; **thuas staighre** upstairs.

stail *f* stallion.

stailc *f* strike; **stailc ocrais** hunger strike.

stair *f* history.

stairiúil *adj* historic, historical.

stáisiún *m* station; **stáisiún cumhachta** power station.

Stáit Aontaithe (Mheiriceá) (SAM) *npl* United States (of America).

stálaithe *adj* stale.

stampa *m* embossing stamp.

stán *vi* to stare; to gape.

stangadh *m* jolt.

staonadh *m* abstinence.

staon (ó rud) *vi* to abstain, refrain (from something).

staraí *m* historian.

stát *m* state, country.

steallaire *m* syringe.

stéig *f* intestine; steak.

stiall *vt* to cut in strips; to lacerate.

stialladh *m* laceration.

stil *f* still.

stíl *f* style; **stíl bheatha** lifestyle.

stipeach *adj* astringent.

stiúgtha (leis an ocras) *adj* famished.

stiúir *f* rudder. • *vt* to manage; to steer.

stiúrthóir *m* director.

stoca *m* sock; stocking.

stócach *m* boy, young man.

stocaí *npl* hose (socks).

stoidiaca *m* zodiac.

stoirm *f* storm, tempest; **stoirm ghaoithe** hurricane.

stoirmeach *adj* stormy.

stól *m* stool.

stopadán *m* bung.

stopadh *m* cessation.

stopallán *m* plug.

stór *m* hoard, store; warehouse; treasure.

stóráil *vt* to store.

stráice tuirlingthe *m* landing strip.

strainc *f* grimace.

strainséir *m* stranger.

straois *f* grin.

streachail *vi* to struggle.

streachailt *f* struggle.

striapach *f* prostitute.

stríoc *f* parting (in hair).

stríocach *adj* streaky.

stróic *vt* to rend; to tear.

stroighin *f* cement.

stroighnigh *vt* to cement.

strus *m* (mental) strain, stress.

stua *m* arch.

stuaic *f* peak.

stuama *adj* sober; demure.

stuif *m* stuff.

sú *m* juice; soup.

sú craobh *f* raspberry.

sú leachta *m* absorption.

sú talún *f* strawberry.

suáilce *f* virtue.

suáilceach *adj* virtuous.

suaimhneach *adj* calm; quiet; restful; content.

suaimhneas *m* calmness; peace; tranquility.

suaimhnigh *vt* to quieten; to mollify.

suainíocht *f* dozing. • *vn* **ag suanaíocht** dozing.

suairc *adj* convivial; pleasant; cheerful.

suaith *vt* to mix; to knead; to shuffle (*cards*).

suaitheadh *m* mix; shake; upset.

suaitheantas *m* badge.

Sualainn: An tSualainn *f* Sweden.

suantraí *f* lullaby.

suarach *adj* despicable; mean; sordid, squalid; trivial.

suas *adj* upward. • *adv* up; **suas staighre** upstairs.

suasóg *f* yuppie.

suathaireacht *f* massage.

subh *m* jam.

substaint *f* substance.

súch *adj* fruity.

súgach *adj* tipsy.

suigh *vi* to sit; **suigh ar** to perch.

súigh *vt vi* to suck. • *vt* to absorb.

súgradh: *m* playing. • *vn* **ag súgradh (le)** playing (with).

súil *f* eye. • *vi* **do shúil a chaitheamh thar (rud)** to browse; **tá súil agam (go)** to hope.

suim *f* amount; sum; interest.

suimín *m* sip.

suimiú *m* (*math*) addition.

suimiúil *adj* interesting.

suíochán *m* pew; seat.

suipéar *m* supper.

súiteach *adj* absorbent.

suiteáil *vt* to instal.

sula *conj* before (+ *indir*).

súlach *m* gravy.

súmaire *m* leech.

súmhar *adj* juicy.

suntasach *adj* memorable; prominent.

sursaing *f* girdle, corset.

suth *m* embryo.

svaeid *m* swede, turnip.

T

tábhacht *f* importance. • *adj* **gan tábhacht** unimportant.

tábhachtach *adj* major; important; significant; **an-tábhachtach** momentous.

tabhair *vi vt* to contribute. • *vt* to give; to bring; to devote.

tabhair aire do rud *vt* to attend to.

tabhair amach do *vt* to nag.

tabhair an chíoch do *vt* to suckle.

tabhair ar (dhuine) (rud a dhéanamh) *vt* to force; to cause someone (to do something).

tabhair ar iasacht do (rud) *vt* to lend (something).

tabhair breith ar *vt* to judge.

tabhair broideadh do *vi* to jog.

tabhair bualadh bos (do) *vt vi* to applaud.

tabhair catsúil ar *vt* to ogle.

tabhair chun críche (obair, beart) *vt* to accomplish; to finalise.

tabhair chun suntais *vt* to highlight.

tabhair cuairt ar *vt* to visit.

tabhair cuireadh (do) *vt* to invite.

tabhair dídean (do) *vt* to house.

tabhair drochfhéachaint (ar) *vi* to glower.

tabhair drochíde do (dhuine, ainmhí) *vt* to abuse (a person, an animal).

tabhair dúshlán do *vt* to defy; **tabhair dúshlán duine (rud a dhéanamh)** to dare.

tabhair faoi *vt* to try.

tabhair faoi deara *vt* to apprehend; to detect; to note; to notice.

tabhair iarraidh *vt* to attempt.

tabhair íde béil do *vt* to abuse.

tabhair le fios *vt* to disclose; to imply; to indicate.

tabhair leat *vt* to bring; to take.

tabhair mionchuntas ar *vt* to detail.

tabhair pardún do *vt* to pardon.

tabhair rabhadh (do) *vt* to caution; forewarn, warn.

tabhair rabhadh do *vt* to warn.

tabhair rud ar iasacht do *vt* to lend.

tabhair seanmóir *vi* to preach.

tabhair spléachadh ar *vt* to peep.

tabhairt suas (corónach) *m* abdication.

tabhall *m* tablet.

tábla *m* table.

taca *n* support.

tacaigh (le) *vt* to back; to bolster; to prop.

tacas *m* easel.

tacht *vt* to choke.

tacóid *f* tack; tacket; **tacóid ordóige** drawing-pin.

tacsaí *m* cab.

tadhall *m* (*phys*) contact.

Tadhg: Tadhg an dá thaobh *m* two-faced person; **Tadhg an mhargaidh** the man on the street.

tae *m* tea.

taechupán *m* teacup.

tafann *m* bark (of a dog). • *vi* **déan tafann** to bark.

tagair (do) *vt* to refer.

tagairt *f* reference; allusion.

taibhse *f* ghost, phantom, apparition.

taibhsiúil *adj* ghostly.

taibléad *m* tablet.

taidhleoireacht *f* diplomacy.

taifead *m* record. • *vt* to record.

taighd *vt* to research.

taighdeoir *m* researcher.

táille *f* charge; fare; fee; rate.

taipéis *f* tapestry.

táiplis *f* draughts; **táiplis mhór** backgammon.

táir *adj* vile; mean; base.

tairbheach *adj* advantageous; beneficial; salutary.

tairg *vi* to bid.

táirg *vt* to produce; to yield.

táirgeoir *m* producer.

tairiscint *f* offer; bid.

tairne *m* nail.

tairngir *vt* to prophesy.

tais *adj* damp; humid; moist.

taisc *vt* to deposit (in bank); to reserve; to treasure.

taisce *f* cache; deposit. • *vt* **cuir i dtaisce** to hoard; **cur i dtaisce** to deposit.

taiscéal *vt* to explore.

taiscumar *m* reservoir.

taisme *f* accident; crash. • *adj* **de thaisme** by chance; fortuitous.

taispeáin *vt* to display; to manifest; to show; to point.

taispeánadh *m* manifestation.

taispeántach *adj* demonstrative.

taispeántas *m* display.

taisrigh *vt* dampen.

taisteal *m* travel.

taistil *vt vi* to travel.

taithí *f* experience. • *adj* **gan taithí** inexperienced. • *vt* **gabh i dtaithí le** to accustom.

taithigh *vt* to frequent; to experience; to practise; to haunt.

taitin le *vt* to please.

taitneamh *m* enjoyment.

talamh *m* earth, ground; land; **talamh coille** woodland. • *adv* **ar talamh** (*mar*) aground. • *adj* **faoi thalamh** underground.

talamhiata *adj* landlocked.

tallann *f* talent.

talmhaíoch *adj* agricultural.

talmhaíocht *f* agriculture.

tamall[1] *m* while, spell, period of time

tamall[2] *m* short loan.

támhach *adj* comatose; sluggish; torpid.

támhnéal *m* coma; trance.

tanaí *adj* flimsy; shallow; thin.

tanaigh *vt* to thin; to attenuate; to dilute.

tanáiste *m* deputy prime minister; second in command.

tánaisteach *adj* secondary.

tancaer *m* tanker.

taobh *m* facet; side. • *prep* **ar an taobh thall (de)** beyond. • *adv* **le taobh** (+ *gen*) alongside; **taobh amuigh** outside.

taobh an fhoscaidh *m* lee, lee-side.

taobh istigh *m* inside.

taobh le *prep* beside.

taobh na gaoithe *f* windward.

taobh na láimhe clé *f* left-hand side.

taobh thiar de *prep* behind.

taobh thiar de long *adv* (*mar*) astern.

taobhaí *m* adherent.

taobhroinn *f* aisle.

taoide *f* tide.

taoiseach *m* chief; chieftain; leader.

taom *vt* to decant; to drain.

taom croí *m* heart attack.

taom histéire *npl* hysterics.

taomach *adj* erratic.

taos *m* dough.

taosrán *m* pastry.

tapaidh *adj* fast; rapid.

tapúlacht *f* rapidity.

tar *vi* to come; **tar amach as** to emerge; **tar anuas** to come down. • *vi vt* to descend.

tar aniar aduaidh ar *vt* to surprise.

tar ar *vt* to come across *or* upon, to discover.

tar ar chomhréiteach *vt* to negotiate.

tar i dtír (ar) *vt* to exploit.

tar le *vt* to make do with.

tar ó *vi* to originate.

tarbh *m* bull.

tarbhghadhar *m* bulldog.

tarcaisne *f* sarcasm; scorn.

tarcaisneach *adj* scornful; insulting.

tarchuradóir *m* transmitter.

tarlaigh *vi* to happen.

tarlú *m* happening.

tarmachan *m* ptarmigan.

tarraiceán *m* drawer.

tarraing *vt* to drag; to haul; to pull; to draw; to attract.

tarraingt *f* (charm) appeal; attraction; drawing.

tarraingteach *adj* attractive.

tarrtháil *f* salvage. • *vt* to save.

tart *m* thirst. • *vt* **tá tart orm** I am thirsty.

tasc *m* task.

tátal *m* deduction.

tathag *m* substance.

táthaigh *vi vt* coalesce.

te *adj* hot; warm.

té *m* person; **an té** whoever.

teach *m* house; **teach banaltracha** nursing home; **teach cúirte** courthouse; **teach lóistín** boarding house; **teach mór** mansion; **teach na ngealt** asylum; **teach solais** lighthouse; **teach stórais** storehouse; **teach striapachais** brothel; **teach tábhairne** pub.

teachín *m* cottage.

teacht *m* appearance, arrival, coming. • *adj* **le teacht** coming; future.

teacht isteach *m* income.

téacht *vi vt* to curdle; to coagulate; to freeze; to set.

teachtaire *m* messenger.

teachtaireacht *f* errand, message.

téad *f* rope.

téagartha *adj* burly; sturdy.

teagasc *m* teaching; doctrine. • *vt* to edify. • *vt vi* to teach.

teaghlach *m* family; household.

teagmháil *f* (message) contact; communication.

teagmhasach *adj* contingent.

teallach *m* fireside.

téamh domhanda *m* global warming.

teampall *m* temple.

teanchair *f* forceps; tongs.

teanga *f* language, tongue.

teangeolaí *m* linguist.

teann *vt* to strain.

teann (duine) le do chroí *vt* to embrace. • *vi* **teann isteach (le chéile)** to huddle.

teannas *m* strain.

teanntán *m* clamp.

tearc *adj* few; scarce.

téarma *m* term.

tearmann *m* refuge, sanctuary.

tearmannaigh *vt* to harbour.

téarnamhach *adj* convalescent.

teas *m* heat; warmth; heating.

teasaí *adj* fiery; impetuous.

teasc *f* discus; disk.

teasc *vt* to amputate; to sever.

teascadh *m* amputation.

teastas *m* certificate; **teastas beireatais** birth certificate.

teicneolaíocht *f* technology; **teicneolaíocht an eolais** information technology.

teideal *m* title.

teidhe *m* fad.

téigh[1] *vi* to go; **téigh amach** to exit.

téigh[2] *vt* to heat; to warm.

téigh ar (bord) *vt* to board.

téigh ar cosa in airde *vi* to gallop.

téigh ar do ghlúine *vi* to kneel.

téigh ar fheachtas *vi* to campaign.

téigh ar foluain *vi* (*aviat*) to glide.

téigh ar imirce *vi* to emigrate; to migrate.

téigh as radharc *vi* to vanish.

téigh chun spairne (le) *vi* grapple.

téigh chun tosaigh *vi* to advance.

téigh creathán trí *vi* to shudder.

téigh go tóin poill *vi* to sink; (*mar*) to founder.

téigh i bhfeidhm ar *vt* to influence; to affect; to effect.

téigh i dtír *vi* to disembark.

téigh i gcomhairle le *vt* to consult.

téigh i mbannaí ar *vt* to bail.

téigh i measc *vi* to mingle.

téigh in olcas *vi* to worsen.

téigh in urra ar *vt* to indemnify.

téigh isteach i *vt* to enter.

téigh le thine *vt* to catch fire.

téigh síos *vi vt* to descend.

téigh thar *vt* to exceed; to overtake.

téigh thart *vi* to circulate.

teilg *vt* to cast.

teilifís *f* television; **teilifís chábla** cable television.

teilifíseán *m* television (set).

teip *f* failure. • *vt* **teip orm** I failed.

téipthaifeadán *m* cassette player.

teirce *f* rarity.

teiripe *f* therapy.

teisteán *m* decanter.

teistiméireacht *f* reference (for job); testimony; certificate.

teith *vi* to flee.

téitheoir *m* heater.

telefón *m* telephone.

teocht *f* temperature.

teoiric *f* theory.

teorainn *f* border; limit. • *adj* **gan teorainn** bottomless.

teoranta (teo) *adj* limited (Ltd).

thall *adv* yonder.

thall ansin *adv* over here.

thar *prep* over; past. • *adv* **thar gach rud** above all.

thart *adv* around, round; **thart ar** about.

theas *adj* southerly, southern.

thiar *adv* behind; west.

thíos *adv* beneath; underneath; below; (*in writing*) hereafter; below; **thíos staighre** downstairs. • *prep* **thíos faoi** beneath.

thoir *adj* easterly.

thuas *adv* above; up; **thuas staighre** upstairs.

thuasluaite *adj* aforementioned. • *adv* above mentioned.

tí: ar tí (rud a dhéanamh) *prep* about to (do something). • *conj* **go dtí** until. • *prep* till, until; to. • *adv* **go dtí seo** hitherto.

tiarna *m* lord.

tiarna talún *m* landlord.

tiarnas *m* dominion.

ticéad *m* ticket.

ticeáil *f* ticking.

timpeall *m* round; roundabout; circuit. • *adv* about; around, round. • *prep* around (+ *gen*).

timpeallacht *f* environment.

timpeallaigh *vt* to circle; to surround.

timpiste *f* accident.

timpisteach *adj* accidental.

tincéir *m* tinker.

tine *f* fire; **arm tine** firearm; **tine chnámha** bonfire; **tine gháis** gas fire; **tine ghealáin** phosphorescence.

tinedhíonach *adj* fireproof.

tinn *adj* ailing, ill, sick.

tinneas *m* ache; (*med*) complaint; illness, sickness; **tinneas cinn** headache.

tinteán *m* hearth.

tintreach *f* lightning.

tíogar *m* tiger.

tíolacas *m* conveyance.

tíolacthóir *m* conveyancer.

tiomáin *vt* to drive.

tiomáint *f* drive; propulsion.

tiománaí *m/f* chauffeur (-euse), driver.

tiomna *m* testament.

tiomnacht *f* bequest.

tiomnaigh *vt* to bequeath; to dedicate; to devote; to depute.

tiomsaigh *vt* to accumulate, gather, collect.

tionchar *m* influence.

tionlacaí *m* (*mus*) accompanist.

tionlacan *m* (*mus*) accompaniment.

tionóil *vt* to convene.

tionól *m* assembly.

tionónta *m* tenant.

tionscal *m* (*abstract*) industry.

tionsclaíoch *adj* industrial.

tiontaigh *vt* to convert; to turn. • *vi* to turn.

tíos *m* domestic economy.

tír *f* country. • *vt* **cuir i dtír** to land. • *adv* **i dtír** ashore.

tírdhreach *m* landscape.

tíreolaíocht *f* geography.

tirim *adj* arid; dried; dry.

tit *vi* to fall; to sag; to tumble; to collapse; **tit go talamh** to collapse; **tit i laige** to faint. • *vt* **tit amach le** to fall out with.

tit in éadóchas *vi* to despair.

titeann (luach) *vi* to depreciate.

titim *f* collapse; fall.

tiubh *adj* dense; thick.

tiúin *vt* to tune.

tiús *m* density.

tnúth *m* aspiration; envy; desire; longing; **ag tnúth le** hoping for. • *vi* **bheith ag tnúth (le)** to long (for), to yearn.

tnúthán *m* yearning.

tobac *m* tobacco.

tobán *m* tub.

tobann *adj* impetuous; rash; sudden; abrupt. • *adv* **go tobann** suddenly.

tobar *m* well.

tochail *vt* to dig; to excavate.

tochailt *f* excavation.

tochas *m* itch.

tochasach *adj* itchy.

tocht *m* mattress.

todhchaí *f* future.

todóg *f* cigar.

tofa *adj* choice.

tóg *vt* to build, construct; to heave; to capture; to contract; to erect; to lift; to raise.

tóg croí *vt* to elate.

tóg meán ar *vt* to average.

tógáil *f* lifting; breeding; upbringing; construction; erection; capture; absorption. • *m* **tógáil intinne** absorption.

tógálaí *m* builder.

togh *vt* to elect; to select.

togha *m* choice.

toghair *vi vt* to conjure.

toghchán *m* election.

toghchánaíocht *f* electioneering.

toghlach *m* (*parliament*, etc) constituency.

tógtha *adj* lifted; **an-tógtha** agog.

toghthóir *m* elector.

toghthóirí *npl* electorate.

toil *f* will; **toil shaor** free will.

toiliú *m* acquiescence.

toilleadh *m* capacity.

toilteanach *adj* acquiescent; willing. • *adv* **go toilteanach** readily.

tóin *f* backside, behind.

tóir *f* chase, pursuit.

tóireadóir spáis *m* space probe.

toirmeasc *vt* to ban.

toirmisc *vt* debar.

toirneach *f* thunder.

toirniúil *adj* thunderous.

tóirse *m* torch.

toirt *f* mass; bulk. • *adj* **ar an toirt** instantly, immediately.

toirtín *m* tart.

toirtís *f* tortoise.

toirtiúil *adj* bulky.

toisc *f* factor. • *conj* **toisc (go)** because.

toise *m* dimension.

toitín *m* cigarette.

tolg *m* couch.

tolg *vt* to contract (disease).

tomhais *vt* to fathom; to measure; **tomhais doimhneacht** to plumb (+ *gen*). • *vt vi* to guess.

tomhaltachas *m* consumerism.

tomhaltóir *m* consumer.

tomhas *m* measure; measurement; riddle.

tomhsaire *m* gauge.

ton *m* tone.

tonn *f* wave.

tor *m* bush.

torach *adj* bushy.

toradh *m* consequence; fruit; produce; result.

tóraí *m* bandit, outlaw; (*pol*) Tory.

tóraigh *vt* to pursue.

torathar *m* freak.

torbán *m* tadpole.

torc *m* boar.

tormán *m* din, noise (generally from objects).

tormas *m* grumbling; sulking; **fuair sé tormas ar a chuid** he grumbled at his food.

torrthach *adj* pregnant.

torthúil *adj* fertile, prolific.

torthúlacht *f* fertility.

tosach *m* beginning, start; bow (of ship). • *adv* **i dtosach báire** (time) first.

tosaigh *adj* preliminary; initial. • *vt vi* to begin; to start. • *vt* **tosaigh ar** to embark.

tosca *mpl* circumstances.

toscaire *m* delegate.

toscaireacht *f* delegation.

tostach *adj* quiet; reticent; taciturn; tacit.

tóstal *m* pageant.

trá *f* beach; ebb.

trácht *m* traffic.

trácht *m* comment. • *vt* **trácht (ar)** to comment.

tráchtáil *f* commerce.

tráchtála *adj* commercial.

tráchtas *m* dissertation.

trádáil *m* trade.

traein (traenach) *f* train.

traenáil *vt* to coach, train.

tráidire *m* tray.

traidisiún *m* tradition.

tráigh *vi* to ebb; to subside.

tranglam *m* confusion; disorder.

traoch *vt* to exhaust.

traochadh *m* exhaustion.

trasna *adv* across; athwart (+ *gen*). • *prep* (+ *gen*) across.

trasnaigh *vt* to cross; to heckle.

trastomhas *m* diameter.

tráth ceisteanna *m* quiz.

tráthnóna *m* evening.

tráthúil *adj* felicitous; opportune; seasonable; timely; appropriate.

treabh *vt* to plough.

tréad *m* flock; herd.

trealamh *m* equipment, kit.

trealmhaigh *vt* to furnish.

tréan *adj* strong; vehement.

tréanas *m* abstinence.

trédhearcach *adj* transparent.

treibh *f* tribe.

tréidlia *m* vet.

tréig *vt* to abandon, desert, forsake; to jilt.

tréigthe *adj* derelict; forsaken.

tréimhse *f* period; **tréimhse iompair** gestation.

treisigh *vt* to reinforce, strengthen.

tréith *f* quality.

tréithe *npl* accomplishments.

tréitheach *adj* characteristic.

treo *m* direction; **treo-aimsí** direc-tion-finder. • *prep* **i dtreo** (+ *gen*) toward(s). • *adv* **i dtreo na talún** landward.

treoir (treorach) *f* direction, guidance.

treoraí *m* guide.

treoraigh *vt* to lead, guide.

trí[1] *prep* by (via); through.

trí[2] *adj m* three; **trí déag** thirteen.

triail (trialach) *f* test; trial.

trilseán *m* plait.

trioblóid *f* trouble.

tríocha *adj m* thirty.

triomach *m* drought.

triomadóir gruaige *m* hairdryer.

triomaigh *vt* to dry.

trithí: sna trithí gáire *adj* laughing uproarously.

tríú *adj* third.

triúr *adj m* three (persons).

triús *npl* trews.

trócaire *f* clemency, mercy.

trócaireach *adj* clement; merciful.

trodach *adj* quarrelsome.

trodaí *m* combatant.

troid *f* fight; quarrel. • *vi* to quarrel. • *vt vi* to fight.

troid i gcoinne *vt* (+ *gen*) to combat.

troigh *f* foot (measurement).

troime *f* heaviness.

troitheán *m* pedal.

trom *adj* heavy.

trom *m* elder tree.

tromchróíoch *adj* disconsolate.

tromchúiseach *adj* grave.

trosc *m* cod.

troscán *m* furniture.

trua *f* compassion, pity.

truacánta *adj* pitiful.

truaill *vt* to taint.

truailligh *vt* to debase; to pollute.

truaillíocht f depravity.

truaillithe adj corrupt; contaminated.

truaillmheasc vt to adulterate.

truaillmheascadh m adulteration.

truamhéalach adj deplorable, wretched, pathetic.

trucáil f cart.

trup m din, noise (often footsteps).

truslóg f hop.

tú pn sing you.

tua f axe, hatchet.

tuairgnín m pestle.

tuairisc f account, report.

tuairisceoir m reporter.

tuairiscigh vt to report.

tuairisciú m coverage.

tuairt f (car) bump, collision.

tuairteáil vi to collide.

tuaisceart m north.

tuaisceartach adj north, northern.

tuaithe adj rural.

tuama m tomb.

tuamúil adj sepulchral.

tuar m omen; premonition; sign. • vi to augur. • vt to forecast; to foresee; to foreshadow.

tuarúil adj ominous.

tuaslaig vt to dissolve.

tuata m layman.

tuathal adv counter-clockwise.

tubaiste f disaster, calamity, catastrophe.

tubaisteach adj calamitous.

tuí m straw; thatch.

tuig vi vt to understand, comprehend; to apprehend, infer. • vt **tuig as** to deduce.

tuile f flood; torrent.

tuill vt to deserve; **tá sé tuillte aige** he deserves it.

tuilleadh m more.

tuilleamaí: bheith i dtuilleamaí vi depend.

tuilsolas m floodlight.

tuirling vi to alight; to descend. • vt to descend.

tuirlingt f descent; landing (of aeroplane).

tuirne m spinning wheel.

tuirse f tiredness, fatigue.

tuirseach adj tired.

tuirsigh vt to fatigue; to bore.

tuirsiúil adj tiresome.

túis f incense.

tuisle m stumble, trip. • vi **baineadh tuisle asam** I tripped (up).

tuisligh vi to falter.

tuismeá f horoscope.

tuismitheoir m parent.

tulach m hillock.

tum vi to dive. • vt to immerse; to dip. • vi **tum in uisce** to duck.

tumadóir m diver.

tur adj bland.

túr m tower.

turas m jaunt; journey; tour; **turas farraige** voyage. • adj **d'aon turas** intentional.

turasóir m tourist.

turgnamh m experiment.

turnamh (impireachta) m downfall (of empire).

turraing f lurch; (elec) shock.

turtar m turtle.

tús m beginning. • adv **ar dtús** first (sequence).

tusa pn you.

túslitir f initial.

tútach adj boorish.

tuthóg f fart.

U

uabhar *m* pride.

uachais *f* lair.

uacht *f* (last) will.

uachtar *m* cream; **uachtar reoite** ice cream.

uachtarach *adj* upper.

uachtarán *m* president; provost.

uafás *m* terror; horror.

uafásach *adj* abysmal; atrocious; awful; deplorable, very bad; horrible.

uaibhreach *adj* haughty; luxuriant.

uaidh sin *adv* thence.

uaigh *f* grave.

uaigneas *m* loneliness; solitude.

uaillbhreas *m* exclamation.

uaillmhian *f* ambition.

uaillmhianach *adj* ambitious.

uaim *f* alliteration.

uaimh *f* cave.

uaine *adj* green. • *f* greenness.

uaineoil *f* (*culin*) lamb.

uair *f* time; hour. • *adv* once; **an uair** whenever; **cén uair** (*direct*) when; **gach uair** hourly; **uair amháin** once.

uaireadóir *m* watch; wristwatch; **uaireadóir láimhe** wristwatch.

uaireanta *adv* sometimes.

ualach *m* load, burden.

ualaigh *vt* to burden.

uamhnach *adj* awesome.

uan *m* lamb.

uasal *adj* noble; dignified. • *m* **An tUasal** Mister; **na huaisle** gentry.

uaschamóg *f* apostrophe.

uasmhéid *f* maximum.

uatha *adj* singular.

uathoibríoch *adj* automatic.

ubh *f* egg.

úc *vt* to waulk.

úcadh *m* waulking.

ucht *m* bosom; lap.

uchtach *adj* pectoral.

uchtaigh *vt* to adopt.

uchtóg *f* bump (on road, on head).

uchtú *m* adoption.

údar *m* author; cause.

údaraigh *vt* to authorise.

údarás *m* authority.

uige *f* fabric.

uile *adj* all; entire.

uilechumhachtach *adj* almighty.

uilíoch *adj* universal.

uillinn *f* angle; elbow.

uimhir (uimhreach) *f* number; numeral; **Uimhir Aitheantais Phearsanta** PIN (number).

uimhríocht *f* arithmetic.

úinéir *m* owner, proprietor.

uirbeach *adj* urban.

uiríseal *adj* lowly.

uirlis *f* implement, tool.

uisce *m* water; **uisce beatha** whisky; **uisce coisricthe** holy water.

uiscedhíonach *adj* impervious (to water); waterproof; watertight.

uiscigh *vt* to irrigate.

uisciú *m* irrigation.

ulchabhán *m* owl.

úll *m* apple.

ullmhaigh *vt* to prepare.

úllord *m* orchard.

um *prep* about.

umha *m* bronze.

umhal *adj* dutiful; humble.

umhlaíocht *f* deference; obedience.

umhlú *m* bow (of the head).

uncail *m* uncle.

ung *vt* to anoint.

ungadh *m* ointment; unction.

unsa *m* ounce.

úr *adj* (*air, food*) fresh; (*weather*) crisp; new.

uraigh *vt* to eclipse.

úraigh *vt* to refresh.

urchar *m* shot.

urchóideach *adj* sinister; wicked; (*med*) malignant.

urchoilleadh *m* inhibition.

urlár *m* floor.

urraim *f* honour.

urramach *adj* respectful; reverend; reverent.

urróg *f* heave.

urrúnta *adj* able-bodied.

urú *m* eclipse; **urú gealaí** lunar eclipse.

úsáid *f* usage; use; usefulness. • *vt* to use; **úsáid a bhaint as** to avail oneself of.

úsáideach *adj* useful.

úsc *vi* to ooze.

úscra *m* essence.

útamáil *f* fumbling. • *vt* to lay.

úth *m* udder.

V

vác *m* quack.
vacsaínigh *vt* to vaccinate.
vaigín *m* wagon.
vardrús *m* wardrobe.
vás *m* vase.
veain *f* van.
véarsa *m* verse (*stanza*).
véarsaíocht *f* verse.
VED *m* HIV.

veidhleadóir *m* violinist.
veidhlín *m* (*mus*) violin.
veilbhit *f* velvet.
veist *f* vest.
víreas *m* virus.
vóta *m* vote. • *vt* **vótaí a iarraidh** to canvass.
vótáil *vt* to vote.

X Y Z

x-gha *m* X-ray.
x-ghathú *m* X-ray.
yes *adv* (*gram: repeat verb and* tense used in question in positive—see also no).
zú *m* zoo.

English-Irish
Béarla-Gaeilge
A

abacus n abacás m.

abandon vt tréig.

abate vt laghdaigh.

abbess n ban-ab f.

abbey n mainistir f.

abbot n ab m.

abbreviate vt giorraigh.

abbreviation n giorrú m.

abdicate vt tugaim suas (coróin); éirím as (post).

abdication n tabhairt suas (corónach) m.

abdomen n bolg m.

abdominal adj bolgach.

abduct vt fuadaigh.

abductor n fuadaitheoir m.

abed adv ar an leaba.

abet vt: **to aid and abet** cabhrú agus neartú le duine.

abhor vt tá gráin agam ar.

abhorrence n dearg-ghráin f, fuath m.

abide vt cónaigh.

ability n cumas m, ábaltacht f.

abject adj ainniseach, cloíte.

abjure vt diúltaigh do (eiriceacht), séan creideamh.

ablative n (gr) ochslaíoch m.

able adj ábalta, cumasach; **to be able** bheith ábalta, in inmhe.

able-bodied adj láidir, urrúnta.

ablution n ionnladh m.

abnegation n diúltú do (mhian) m, séanadh (creidimh) m.

abnormal adj neamhghnách, mínormálta.

abnormality n gné m mhínormálta (de rud), ainriocht m.

aboard adv ar bord.

abode n áit f chónaithe.

abolish vt díobhaigh, cuir ar ceal.

abolition n díobhadh m, cur ar ceal m.

abominable adj gráinniúil, déistineach.

abomination n adhfhuafaireacht f.

aboriginal adj bunúsach.

aborigines npl bunstoc m; bundúchasaigh npl.

abortion n ginmhilleadh m.

abortive adj anabaí.

abound vi tá a lán, ag cur thar maoil (**in, with**) le.

about adv timpeall, thart ar. • prep faoi, um; **to go about a thing** dul i gceann ruda; **about to (do something)** ar tí (rud a dhéanamh).

above prep os cionn. • adv thuas; **above all** os cionn gach uile ní, thar gach rud; **above mentioned** thuasluaite.

abrasive adj scríobach.

abreast adv ar aon líne f.

abridge vt giorraigh.

abridgment n giorrú m, laghdú m, coimre f.

abroad adv thar lear; **to go abroad** imeacht thar sáile.

abrogate *vt* aisghair.

abrogation *n* aisghairm *m*.

abrupt *adj* tobann, giorraisc.

abscess *n* easpa *f*.

abscond *vi* teith (ón dlí).

absence *n* easpa *f*, éagmais *f*.

absent *adj* as láthair.

absentee *n* neamhláithrí *m*; **absentee landlord** tiarna neamhchónaitheach *m*.

absent-minded *adj* dearmadach.

absolute *adj* absalóideach, leithliseach, iomlán.

absolution *n* aspalóid *f*.

absolutism *n* absalóideachas *m*.

absolve *vt* scaoil (duine ó mhóid, ó dhualgas).

absorb *vt* súigh.

absorbent *adj* súiteach.

absorption *n* sú *m* (leachta, teasa), tógáil *f* (intinne), maolú *m* (fuaime).

abstain *vi* staon ó rud, ó rud a dhéanamh.

abstemious *adj* measartha, barraineach.

abstemiousness *n* measarthacht *f*.

abstinence *n* tréanas *m*, staonadh *m*.

abstract *n* coimriú *m*.

abstracted *adj* seachránach.

abstraction *n* tógáil *f*.

abstractly *adv* go neamhairdiúil.

abstruse *adj* diamhair, dothuigthe, domhain.

absurd *adj* míréasúnta, seafóideach, áiféiseach.

absurdity *n* seafóid *f*, áiféis *f*.

abundance *n* fairsingeacht *f*, raidhse *f*, flúirse *f*.

abundant *adj* flúirseach, fras, fairsing.

abuse *vt* bain mí-úsáid *f* as (cumhacht *f*), tabhair drochíde *f* do

(dhuine, ainmhí), tabhair íde *f* béil do, maslaigh. • *n* mí-úsáid *f*; (*verbal*) masla *m*.

abysmal *adj* uafásach.

abyss *n* duibheagán *m*.

academic *adj* acadúil. • *n* scoláire *m*.

academician *n* acadamhaí *m*, ball d'acadamh *m*.

academy *n* acadamh *m*.

accelerate *vt* luasghéaraigh.

accelerator *n* luasaire *m*.

acceleration *n* luathú *m*.

accent *n* blas *m*.

accept *vt* glac le.

acceptable *adj* inghlactha.

acceptability *n* inghlacthacht *f*.

acceptance *n* glacadh *m*.

access *n* bealach *m* isteach, rochtain *f*.

accessible *adj* insroichte.

accident *n* timpiste *f*, taisme *f*.

accidental *adj* timpisteach, de thaisme.

acclaim *vt* déan ollghairdeas do.

acclamation *n* gáir *f* mholta.

accommodate *vt* déan garaíocht *f* do.

accommodating *adj* garach, oibleagáideach.

accommodation *n* lóistín *m*.

accompaniment *n* (*mus*) tionlacan *m*.

accompanist *n* (*mus*) tionlacaí *m*.

accomplice *n* comhchoirí *m*, cuiditheoir *m*.

accomplish *vt* cuir i gcrích, críochnaigh, tabhair chun críche (obair *f*, beart).

accomplished *adj* curtha i gcrích, déanta, críochnaithe.

accomplishment *n* críochnú *m*, cur i gcrích *m*; **accomplishments** *pl* tréithe *mpl*, buanna *mpl*.

accord *n* aontú *m*, aontoil *f*.

accordion *n* (*mus*) cairdín *m*.

accost *vt* agaill; cuir forrán ar.

account *n* cuntas *m*, tuairisc *f*; **to account for** *vt* mínigh.

accountability *n* freagracht *f*.

accountable *adj* freagrach.

accountancy *n* cuntasóireacht *f*.

accountant *n* cuntasóir *m*.

accounts book *n* leabhar *m* cuntais.

accumulate *vt* carn, tiomsaigh, bailigh.

accumulation *n* carnadh *m*, cruachadh *m*, bailiú *m*.

accuracy *n* cruinneas *m*.

accurate *adj* cruinn, beacht.

accursed *adj* mallaithe.

accusation *n* gearán *m*, cúiseamh *m*.

accusative *n* (*gr*) cuspóireach *m*.

accuse *vt* cuir i leith duine; cúisigh.

accused *n* cúisí *m*.

accuser *n* cúiseoir *m*.

accustom *vt* gabh i dtaithí *f* le.

accustomed *adj* coitianta, gnách.

ace *n* aon *m*; **within an ace of** faoi aon do, faoi orlach do.

acerbic *adj* searbh.

acerbity *n* seirbhe *f*.

ache *n* pian *f*, tinneas *m*.

achieve *vt* bain amach.

achievement *n* éacht *m*.

acid *adj* searbh. • *n* aigéad *m*.

acidity *n* aigéadacht *f*.

acknowledge *vt* admhaigh; glac le.

acknowledgment *n* admháil *f*.

acme *n* dígeann *m*.

acne *n* aicne *f*.

acorn *n* dearcán *m*.

acoustics *n* fuaimeolaíocht *f*, fuaimíocht *f*.

acquaintance *n* duine *m* aitheantais.

acquainted *adj* eolach.

acquiescence *n* toiliú *m*.

acquiescent *adj* toilteanach.

acquire *vt* faigh.

acquisition *n* fáil *f*.

acquit *vt* saor.

acre *n* acra *m*.

acrimonious *adj* gairgeach.

acrimony *n* gairgeacht *f*, seirbhe *f*.

across *adv* anonn, anall. • *prep* trasna (+ *gen*).

act *vi* gníomhaigh; (*theat*) bheith ag aisteoireacht. • *n* gníomh *m*.

action *n* aicsean *m*.

active *adj* gníomhach.

activity *n* gníomhaíocht *f*.

actor *n* aisteoir *m*.

actress *n* ban-aisteoir *m*.

actual *adj* dearbh, fíor.

actuary *n* achtúire *m*.

acumen *n* géire *f* intinne, grinneas *m*.

acute *adj* géar.

adage *n* nath *m*.

adamant *adj* dáigh.

adapt *vt* cuir rud in oiriúint (do).

adaptability *n* oiriúnacht *f*, solúbthacht *f*.

adaptable *adj* inathraithe; solúbtha.

adaptation *n* athchóiriú *m*.

add *vt* cuir le.

addendum *n* aguisín *m*, forlíonadh *m*.

adder *n* nathair *f* nimhe.

addict *n* andúileach *m*.

addiction *n* andúil *f*.

addition *n* (*math*) suimiú *m*; breis *f*.

additional *adj* breise.

address *vt* cuir seoladh ar; (*speak to*) cuir forrán ar. • *n* seoladh; (*oration*) óráid *f*.

adequate *adj* sásúil.

adhere *vi* greamaigh (do).

adherent *n* taobhaí *m*.

adhesive *n* greamachán *m*.

adjacent *adj* cóngarach (do).

adjective n aidiacht f.

adjudication n breithiúnas m.

adjust vt ceartaigh, cóirigh.

adjustable adj incheartaithe.

administer vt riar.

administration n riarachán.

administrative adj riarthach.

administrator n riarthóir m.

admirable adj inmholta.

admiration n meas m.

admire vt (**I admire**) tá meas mór agam ar.

admissible adj inghlactha.

admission n cead m isteach; (confession) admháil f.

admit vt lig isteach; (confess) admhaigh.

ado n fuadar m.

adolescence n óigeantacht f.

adolescent n ógánach m.

adopt vt uchtaigh.

adoption n uchtú m.

adore vt gráigh.

adorn vt maisigh.

adrift adv ar imeacht le sruth.

adult adj fásta. • n aosach m.

adulterate vt truaillmheasc.

adulteration n truaillmheascadh m.

adulterer n adhaltrach m.

adultery n adhaltranas m.

advance vt cuir chun cinn. • vi téigh chun tosaigh. • n (fin) réamh-íocaíocht f.

advanced adj forbartha.

advancement n forbairt f.

advantage n buntáiste m.

advantageous adj tairbheach.

adventure n eachtra f.

adventurous adj eachtrúil.

adverb n dobhriathar m.

adverse adj aimhleasach.

adversity n mí-ádh m.

advertise vt vi fógair.

advertisement n fógra m.

advice n comhairle f.

advise vt comhairligh.

adviser, advisor n comhairleoir m.

advocacy n abhcóideacht f.

advocate n abhcóide m. • vt pléideáil ar son (duine).

aerial n aeróg f.

aeronaut n aerloingseoir m.

aeroplane n eitleán m.

affable adj lách.

affair n gnó m.

affect vt téigh i bhfeidhm f ar; (let on) lig ar.

affection n cion m.

affectionate adj ceanúil.

affinity n (**I have an affinity for**) tá dáimh f agam le.

affirm vt dearbhaigh, deimhnigh.

affirmative adj dearfach.

afflict vt caith ar.

affliction n léan m.

affluence n rathúnas m.

affluent adj saibhir.

afford: to be able to afford vt rud a bheith de ghustal agat.

affront vt maslaigh.

afloat adv ar snámh.

afoot adv ar cois

aforementioned adj thuasluaite.

afraid adj eaglach; **I am afraid** tá eagla orm.

afresh adv as an nua.

Africa n An Afraic f.

African adj n Afracach m.

after prep adv i ndiaidh (+ gen).

afternoon n iarnóin f.

afterthought n athsmaoineamh m.

again adv arís.

against prep in aghaidh (+ gen).

age *n* aois *f*. • *vt vi* cuir aois ar.

aged *adj* sean, aosta.

agency *n* áisíneacht *f*.

agent *n* gníomhaire *m*.

aggravate *vt* cuir in olcas.

aggression *n* (*phys*) ionsaí *m*.

aggressive *adj* ionsaitheach.

agile *adj* lúfar.

agitate *vt* corraigh.

agitation *n* corraíl *f*.

ago *adv* ó shin.

agog *adv* an-tógtha.

agonise *vt* céasaigh.

agony *n* céasadh *m*.

agree *vi* aontaigh (le).

agreeable *adj* pléisiúrtha.

agreement *n* comhaontú *m*.

agricultural *adj* talmhaíoch.

agriculture *n* talmhaíocht *f*.

aground *adv* (*mar*) ar talamh.

ahead *adv* roimh.

aid *vt* cuidigh le. • *n* cuidiú.

AIDS *n* SEIF.

ailment *n* easláinte *f*.

ailing *adj* tinn.

aim *vt* dírigh ar. • *n* aidhm *f*; (*gun*) amas *m*.

air *n* aer *m*; (*mus*) fonn *m*. • *vt* aeráil.

airborne *adj* ar eitilt.

airline *n* aerlíne *f*.

airmail *n* aerphost *m*.

airport *n* aerfort *m*.

airwave *n* aerthonn *f*.

aisle *n* taobhroinn *f*.

ajar *adj* ar leathoscailt.

akin *adv* cosúil (le).

alacrity *n* líofacht *f*.

alarm *vt* cuir scaoll i.

alarming *adj* scanrúil.

album *n* albam *m*.

alcohol *n* alcól *m*.

alcoholic *n* alcólach *m*.

alcoholism *n* alcólacht *f*.

alder *n* fearnóg *f*.

ale *n* leann *m*.

alert *adj* airdeallach.

algebra *n* ailgéabar *m*.

alias *n* ainm *m* bréige.

alien *adj* coimhthíoch. • *n* coimhthíoch; (*outer space*) neach *m* neamhshaolta.

alienate *vt* cuir duine in aghaidh (duine eile).

alight *vi* tuirling.

alike *adj* cosúil.

alimony *n* (*law*) ailiúnas *m*.

alive *adj* beo.

all *adj* uile, iomlán

allay *vt* maolaigh.

allegation *n* líomhain *f*.

allegiance *n* dílseacht *f*.

allegory *n* fá-ithscéal *m*.

alleviate *vt* maolaigh.

alleviation *n* maolú *m*.

alliance *n* comhaontas *m*.

alliteration *n* uaim *f*.

allow *vt* ceadaigh.

allowance *n* liúntas *m*.

allusion *n* tagairt *f* (*do*).

ally *n* comhghuaillí *m*.

almanac *n* almanag *m*.

almighty *adj* uilechumhachtach.

almost *adv* beagnach.

alms *n* déirc *f*.

aloft *adv* in airde.

alone *adj* aonarach.

along *adv* feadh; (*pers*) i gcuideachta (+ *gen*).

alongside *adv* le taobh (+ *gen*).

aloud *adv* os ard.

alphabet *n* aibítir *f*.

alphabetical *adj* aibítreach.

already *adv* cheana (féin).
also *adv* fosta, chomh maith.
altar *n* altóir *m*.
alteration *n* athrú *m*.
alternative *n* rogha *f*. • *adj* eile.
although *conj* cé go.
altitude *n* airde *f*.
altogether *adv* go hiomlán, ar fad.
aluminium *n* alúmanam *m*.
always *adv* i gcónaí; (*in past*) riamh.
amalgamate *vt vi* cónaisc.
amateur *n* amaitéarach *m*.
amaze *vt* cuir iontas ar.
amazement *n* iontas *m*.
amazing *adj* iontach.
ambassador *n* ambasadóir *m*.
ambidextrous *adj* comhdheas.
ambiguity *n* athbhrí *f*.
ambiguous *adj* athbhríoch.
ambit *n* timpeall *m*.
ambition *n* uaillmhian *f*.
ambitious *adj* uaillmhianach.
ambulance *n* otharcharr *m*.
ambush *n* luíochán *m*.
ameliorate *vt* feabhsaigh.
amen *excl* áiméan.
amenable *adj* réasúnta.
amend *vt* leasaigh.
amendment *n* leasú *m*.
amenity *n* áis *f*.
America *n* Meiriceá *m*.
American *adj n* Meiriceánach *m*.
amiable *adj* lách.
amid, amidst *prep* i measc (+ *gen*).
amiss *adv*: **something's amiss** tá rud éigin cearr.
ammunition *n* armlón *m*.
amnesty *n* pardún *m* ginearálta.
among, amongst *prep* i measc (+ *gen*).
amorous *adj* grámhar.
amount *n* méid *f*, suim *f*.

amphibian *n adj* amfaibiach *m*.
ample *adj* fairsing.
amplification *n* fairsingiú; (*audio*) aimpliú *m*.
amputate *vt* teasc, gearr de.
amputation *n* teascadh *m*.
amuse *vt* déan siamsa do.
amusement *n* siamsa *m*.
amusing *adj* greannmhar.
anachronism *n* iomrall aimsire *m*.
anaemic *adj* (*med*) neamhfholach.
anaesthetic *n* ainéistéiseach *m*.
analogy *n* cosúlacht *f*.
analyse *vt* déan anailís *f* ar, déan mionscrúdú ar.
analysis *n* anailís *f*.
analyst *n* anailísí *m*.
anarchist *n* ainrialaí *m*.
anarchy *n* ainriail *f*, anlathas.
anatomical *adj* anatamaíoch.
anatomy *n* anatamaíocht *f*.
ancestor *n* sinsear *m*.
ancestral *adj* sinseartha.
ancestry *n* sinsearacht *f*.
anchor *n* ancaire *m*.
anchorage *n* leaba *f* ancaire.
ancient *adj* ársa.
and *conj* agus, is.
anew *adv* as an nua.
angel *n* aingeal *m*.
angelic *adj* ainglí.
anger *n* fearg *f*.
angina *n* aingíne *f*.
angle *n* uillinn *f*.
angler *n* iascaire *m* slaite.
angling *n* iascaireacht *f* slaite.
angry *adj* feargach.
anguish *n* crá *m*; léan *m*.
animal *n* ainmhí *m*.
animate *vt* beoigh.
animated *adj* beo.

animation n beochan f.

ankle n rúitín m.

annex n fortheach m.

annihilate vt díothaigh.

annihilation n díothú m.

anniversary n cothrom m an lae.

annotate vt cuir nótaí le.

announce vi vt fógair.

announcement n fógra m.

annoy vt buair, ciap.

annoyance n crá m, ciapadh m.

annoying adj ciapach.

annual adj bliantúil.

annually adv gach bliain

annul vt cealaigh.

anoint vt ung.

anonymous adj gan ainm.

another adj eile.

answer vt freagair. • n freagra m.

answering machine n gléas m freagartha.

ant n seangán m.

antagonist n céile m comhraic.

antediluvian adj roimh an díle.

anthem n aintiún m.

anthology n duanaire m, cnuasach m.

anthropology n antraipeolaíocht f.

anticipate vt réamhghabh.

anticipation n feitheamh m.

antidote n nimhíoc f.

antipathy n fuath m.

antiquary n ársaitheoir m.

antique n rud m ársa. • adj seanda.

antiseptic n frithsheipteán m.

antler n beann f.

anvil n inneoin f.

anxiety n imní f, buairt f.

anxious adj imníoch, buartha.

any adj pn aon, ar bith; **anymore** a thuilleadh; **anyplace** áit f ar bith; **anything** rud m ar bith.

anyone n duine m ar bith.

apartheid n cinedheighilt f.

apartment n árasán m.

apathy n patuaire f.

ape n ápa m.

aperture n poll m, oscailt f.

apex n buaic f.

apiece adv (person) an duine; (thing) an ceann.

apologise vi gabh do leithscéal.

apology n leithscéal m.

apostle n aspal m.

apostrophe n uaschamóg f.

appall vt scanraigh.

apparatus n gaireas m.

apparent adj follasach, soiléir.

apparition n taibhse f.

appeal vi déan achomharc. • n (law) achomharc m; (charm) tarraingt f.

appear vi nocht.

appearance n cuma f; (arrival) teacht m.

appease vt ceansaigh.

append vt cuir le.

appendage n géagán m.

appendix n (anat) aipindic f; (book) aguisín m.

appetite n goile m.

applaud vt vi tabhair bualadh bos (do).

apple n úll m.

apple tree n crann m úll.

appliance n gaireas m.

applicable adj oiriúnach (do).

applicant n iarrthóir m.

application n (use) feidhm f; iarratas m.

applications npl (comput) feidhmiúcháin mpl.

apply vt cuir le.

appoint vt ceap.

appointment n ceapachán m; (meeting) coinne f.

apportion vt roinn.

appraise vt meas.

appreciate vt cuir luach ar, measún-aigh. • vi (grow) ardaigh.

appreciation n léirthuiscint f.

apprehend vt (infer) tuig; tabhair faoi deara; (arrest) gabh.

approach vi vt druid le. • n modh m oibre.

appropriate vt glac seilbh f ar. • adj tráthúil; cuí.

approval n sásamh m.

approve vt ceadaigh; **to approve of** bí i bhfách le.

approximate adj gar.

apricot n aibreog f.

April n Aibreán m.

apron n naprún m.

apropos adv go feilteach.

apt adj feiliúnach, cuí.

aptitude n éirim f, mianach m.

Arab n adj Arabach m.

Arabic adj Arabach.

arable adj curaíochta.

arbitrate vt eadránaigh.

arbitrator n eadránaí m.

arch n stua m.

archaeologist n seandálaí m.

archbishop n ardeaspag m.

archetype n príomhshamhaltas m.

architect n ailtire m.

architecture n ailtireacht f.

archive n cartlann f.

ardent adj gorthach.

arduous adj dian.

area n ceantar m, limistéar m.

argue vi áitigh.

argument n argóint f.

argumentative adj conspóideach.

arid adj tirim.

arise vi éirigh.

arithmetic n uimhríocht f.

ark n áirc f.

arm n géag f. • vt armáil.

armchair n cathaoir f uilleach.

armistice n sos m cogaidh.

armour n cathéide f.

armpit n ascaill f.

army n arm m.

around prep timpeall (+ gen). • adv timpeall, thart.

arouse vt múscail.

arrange vt socraigh; cóirigh.

arrangement n socrú; (mus) cóiriú m.

array n cuir (rudaí) in eagar.

arrears npl riaráiste m.

arrest vt gabh.

arrival n teacht m.

arrive vi sroich, bain amach.

arrogance n sotal m.

arrogant adj sotalach.

arrow n saighead f.

arsenal n (mil) armlann f.

arsenic n airsinic f.

arson n dó m coiriúil.

art n ealaín f.

artery n artaire m.

artful adj cleasach, beartach.

arthritis n airtríteas m.

article n alt m, airteagal m.

articulate adj deisbhéalach.

artifice n gléas m.

artificial adj saorga.

artist n ealaíontóir m.

as conj chomh ... le; mar, cionn is (go).

ascend vt ardaigh.

ascent n éirí m.

ascertain vt faigh amach, cinntigh.

ascribe vt cuir rud síos do dhuine.

ash n luaith f; (bot) fuinseog f.

ashamed adj náirithe.

ashore adv i dtír.

ashtray n luaithreadán m.

Asia n An Áise m.

Asiatic, Asian adj n Áiseach m.

aside adv i leataobh.

ask vt (request) iarr; (enquire) fiafraigh (de).

askew adv ar fiarsceabha.

asleep adj: I am asleep tá mé i mo chodladh.

asparagus n lus súgach m.

aspect n dreach m.

aspen n (bot) crann m creathach.

asperity n gairbhe f.

aspiration n tnúth m.

aspire vi bí ag tnúth le rud.

aspirin n aspairín m.

ass n asal m.

assail vt ionsaigh.

assailant n ionsaitheoir m.

assassin n feallmharfóir m.

assassinate vt feallmharaigh.

assault n ionsaí m.

assemble vt bailigh.

assembly n tionól m.

assent n aontú m.

assert vt dearbhaigh.

assertion n dearbhú m.

assertive adj ceannasach.

assess vt measúnaigh, meas.

assessment n measúnacht m, measúnú m; tax assessment cáinmheas m.

assessor n measúnóir m.

asset n sócmhainn f.

assiduity n dúthracht f.

assiduous adj dúthrachtach.

assign vt ainmnigh.

assignation n ainmniú m; (tryst) coinne f.

assignment n (law) sannadh m.

assimilate vt comhshamhlaigh.

assist vt cuidigh le.

assistance n cuidiú m; garaíocht f.

assistant n cúntóir m.

associate vt samhlaigh rud le rud eile.

association n (people) caidreamh m; comhluadar m; (club) cumann m.

assonance n comhshondas m.

assortment n meascán m.

assuage vt maolaigh.

assume vt gabh ar.

assumption n gabháil f; (supposition) glacadh m.

assurance n dearbhú m.

assure vt dearbhaigh.

assuredly adv go cinnte.

asterisk n réiltín m.

astern adv (mar) taobh thiar de long.

asthma n asma m.

astonish vt cuir ionadh ar.

astonishment n ionadh m.

astray adv ar seachrán.

astride adv ar scaradh gabhail.

astringent adj ceangailteach, stipeach.

astrologer n astralaí m.

astrology n astralaíocht f.

astronaut n spásaire m.

astronomer n réalteolaí m.

astronomical adj réalteolaíoch.

astronomy n réalteolaíocht f.

asunder adv scartha (ó chéile).

asylum n teach m na ngealt.

at prep ag; (time) ar.

atheism n aindiachas m.

atheist n aindiachaí m.

athletic adj lúfar.

athletics n lúthchleasaíocht f.

athwart adv trasna (+gen).

Atlantic Ocean n An tAigéan m Atlantach.

atlas n atlas m.

atmosphere n atmaisféar m.

atom n adamh m.

atomic adj adamhach.

atone vt déan cúiteamh i.

atonement n cúiteamh m.

atrocious adj uafásach.

atrocity n gníomh m uafáis.

attach vt greamaigh (rud de rud eile).

attached adj greamaithe.

attack vt ionsaigh. • n ionsaí m.

attain vt sroich, bain amach.

attainable adj inbhainte amach.

attainment n baint f amach.

attempt vt tabhair iarraidh f. • n iarraidh f.

attend vt freastail (ar); **to attend to** tabhair aire do rud.

attendance n freastal m.

attendant n freastalaí m.

attentive adj aireach.

attenuate vt tanaigh.

attest vt déan fianaise f le.

attic n áiléar m.

attire n feisteas m.

attitude n dearcadh m.

attract vt tarraing, meall.

attraction n tarraingt f.

attractive adj tarraingteach.

attribute vt cuir rud i leith duine.

attrition n cuimilt f.

attune vt cuir i gcomhréir (le).

auburn adj órdhonn.

auction n ceant m.

audible adj inchloiste.

audience n lucht éisteachta m.

audiovisual adj closamhairc.

audit n iniúchadh m. • vt iniúch.

auditor n iniúchóir m.

augment vt vi méadaigh.

augur vi tuar (**it augurs well**) is maith an tuar é.

August n Lúnasa m.

aunt n aint f.

aurora borealis n an fáinne m ó thuaidh.

auspicious adj fabhrach.

austere adj géar.

austerity n géire f.

Australasia n An Astráláise f.

Australia n An Astráil f.

Austria n An Ostair f.

authentic adj barántúil.

author n údar m.

authorise vt údaraigh.

authority n údarás m.

autobiography n dírbheathaisnéis f.

automatic adj uathoibríoch.

autumn n Fómhar m.

auxiliary adj cúnta.

avail vt: **to avail oneself of** úsáid f a bhaint as.

available adj ar fáil.

avarice n saint f.

avaricious adj santach.

avenge vt bain díoltas amach.

average vt tóg meán ar. • n meán.

aversion n gráin f.

avid adj cíocrach.

avoid vt seachain.

await vt fan le.

awake vt vi múscail. • adj múscailte.

awakening n múscailt f.

award vt tabhair duais f do. • n duais f.

aware adj eolach (ar).

away adv ar shiúl.

awesome adj uamhnach.

awful adj uafásach, millteanach.

awhile adv ar feadh bomaite; (**wait awhile**) fan go fóill.

awkward adj ciotach.

awry adv cearr.

ax, axe n tua f.

axle n fearsaid f.

B

babble *n* cabaireacht *f.*

babe, baby *n* leanbh *m.*

bachelor *n* baitsiléir *m.*

back *n* cúl *m;* (*of person*) droim *m.*
• *adv* ar ais; a few years back roinnt blianta ó shin. • *vt* tacaigh le. • *vi* cúlaigh.

backbone *n* cnámh *f* droma.

backgammon *n* táiplis *f* mhór.

background *n* cúlra *m.*

backside *n* tóin *f.*

backward *adj* siar, ar gcúl; (*person*) cúthail.

backwards *adv* siar, ar gcúl.

bacon *n* bagún *m.*

bacterial *adj* baictéarach.

bad *adj* olc, dona.

badge *n* suaitheantas *m.*

badger *n* broc *m.*

badminton *n* badmantan *m.*

badness *n* olcas *m,* donacht *f.*

bad-tempered *adj* confach.

baffle *vt* cuir mearbhall ar.

bag *n* mála *m.*

baggage *n* bagáiste *m.*

bagpipe *n* píb *f* mhór.

bail *n* bannaí *mpl.* • *vt* lig amach ar bannaí; téigh i mbannaí ar.

bailiff *n* báille *m.*

bait *vt* ciap. • *n* baoite *m.*

bake *vt* bácáil.

baker *n* báicéir *m.*

bakery *n* bacús *m.*

balance *n* cothrom *m;* (*fin*) iarmhéid *m.*
• *vt* cothromaigh; (*fin*) comhardaigh.

balance sheet *n* clár *m* comhardaithe.

balcony *n* balcóin *f.*

bald *adj* maol.

baldness *n* maoile *f.*

baleful *adj* millteach.

ball *n* liathróid *f;* (*dance*) bál *m.*

ballad *n* bailéad *m.*

ballast *n* ballasta *m.*

balloon *n* éadromán *m* (*also person*).

ballot *n* ballóid *f.*

balm, balsam *n* íocshláinte *f.*

bamboo *n* bambú *m.*

bamboozle *vt* cuir dallach dubh ar.

ban *n* cosc *m.* • *vt* cosc, toirmeasc.

banal *adj* seanchaite.

banana *n* banana *m.*

band *n* banda *m;* (*mus*) buíon *f* cheoil.

bandage *n* bindealán *m.*

bandy-legged *adj* camchosach.

baneful *adj* millteach.

bang *n* pléasc *f;* plab *m.* • *vt* pléasc; plab.

banish *vt* díbir.

banishment *n* díbirt *f.*

banjo *n* bainseó *m.*

bank *n* banc *m;* (*river, etc*) bruach *m.*

bank account *n* cuntas *m* bainc.

bank card *n* cárta *m* baincéara.

banker *n* baincéir *m.*

banknote *n* nóta *m* bainc.

bank statement *n* ráiteas bainc *m.*

baptise *vt* baist.

baptism *n* baisteadh *m.*

bar *n* barra *m;* (*in pub*) beár *m.*

barbecue *n* barbaiciú *m.*

barber *n* bearbóir *m.*

bare *adj* nocht, lom.

barefoot(ed) *adj* cosnochta.

bargain n sladmhargadh m.

bark n (tree) coirt f; (dog) tafann m.
• vi déan tafann.

barn n scioból m.

barracks npl beairic fsg.

barrel n bairille m.

barren adj aimrid.

bartender n freastalaí m beáir.

base n bun m; (foundation) bonn m;
(milit) bunáit f.

basement n íoslach m.

bashful adj cúthail.

basic adj bunúsach.

basin n mias f.

basis n bunús m.

basket n ciseán m.

basketball n cispheil f.

basking shark n cearbhán m.

bat n buailteoir m; (zool) sciathán m
leathair.

bath n folcadh m, folcadán m.

bathing suit n culaith f shnámha.

bathroom n seomra m folctha.

battery n cadhnra m, ceallra m.

battle n cath m.

bawdy adj gáirsiúil.

bay n bá f.

bazaar n basár m.

be vi bí; is (see grammar notes).

beach n trá f.

bead n coirnín m.

beak n gob m.

bean n pónaire m.

bear vt iompair.

bear n béar m.

beard n féasóg f.

beast n beithíoch m.

beat vt vi buail. • n bualadh m.

beating n bualadh m, greasáil f.

beautiful adj álainn, scéimhiúil.

beauty n áilleacht f, scéimh f.

because conj mar, toisc (go).

beckon vt sméid ar.

bed n leaba f.

bedroom n seomra m leapa.

bee n beach f.

beef n mairteoil f.

beefburger n burgar m.

beer n beoir f.

beetle n ciaróg f, daol m.

before adv roimh. • conj sula (+ in-
dir).

beg vt impigh ar; iarr déirc.

beggar n fear m or bean f déirce.

begin vt vi tosaigh.

beginning n tús m.

behave vi iompair.

behaviour n iompar m.

behind prep taobh thiar de. • adv
thiar. • n tóin f.

being n neach m; (existence) bheith f.

belief n creideamh m.

believable adj inchrheidte.

believe vi vt creid.

bell n clog m, cloigín m.

bellow vi béic.

bellows npl boilg f.

belly n bolg m.

belong vi (it belongs to me) is liomsa é.

beloved adj ionúin.

below adv thíos. • prep faoi.

belt n crios m.

bench n binse m.

bend vi vt lúb. • n lúb f.

beneath adv thíos. • prep thíos faoi.

benediction n beannacht f.

benefaction n dea-ghníomh m.

benefactor n patrún m.

beneficent adj carthanach.

beneficial adj tairbheach.

benefit n sochar m, leas m.

benevolence n dea-mhéin f.

benevolent adj dea-mhéineach.

benign adj (person) caoin; (med) neamhurchóideach.

bent n cam m.

benumb vt cuir eanglach ar.

bequeath vt tiomnaigh.

bequest n tiomnacht f.

bereave vt bain de.

berry n caor f, sméar f.

beseech vt agair ar.

beside prep taobh le, in aice le.

besides adv le cois.

besiege vt (fort) cuir faoi léigear.

best adj is fearr. • n rogha f. • vt faigh an ceann is fearr ar

bestial adj brúidiúil.

bestow vt bronn (rud) ar.

bet n geall m. • vi vt cuir geall ar.

betray vt braith.

betrayal n feall m.

betroth vt déan cleamhnas idir.

better adj níos fearr.

between adv idir. • prep idir.

bewail vi caoin.

beware vi seachain.

bewitch vt cuir faoi gheasa.

beyond prep ar an taobh thall (de); (more than) os cionn.

bias n claonadh m.

bible n bíobla m.

biblical adj scioptúrach.

bibliography n leabharliosta m.

bicycle n rothar m.

bid n tairiscint f. • vi tairg.

bidding n (invitation) cuireadh m.

bide vi vt fan leis an am ceart.

biennial adj débhliantúil.

bier n cróchar m.

big adj mór.

bigamist n déchéileach m.

bigot n biogóid m.

bigotry n biogóideacht f.

bikini n bicíní m.

bilateral adj déthaobhach.

bile n domlas m.

bilingual adj dátheangach.

bill n bille m.

billion n billiún m.

bin n bosca m bruscair.

bind vt ceangail.

binding n greamú m.

binoculars npl déshúiligh mpl.

biochemist n bithcheimicí m.

biochemistry n bithcheimic f.

biography n beathaisnéis f.

biological adj bitheolaíoch.

biology n bitheolaíocht f.

biped n déchosach m.

birch n beith f.

bird n éan m.

birdsong n ceol m na n-éan, ceiliúr m éan.

birth n breith f.

birth certificate n teastas m beireatais.

birth control n (method) frithghiniúint f.

birthday n breithlá m.

birthright n ceart m oidhreachta.

biscuit n briosca m.

bisect vt déroinn.

bishop n easpag m.

bit n giota m, píosa m; (comput) giotán m; (horse) béalbhach f.

bitch n bitseach f.

bite vt bain greim as.

biting adj (wind) polltach.

bitter adj géar.

black adj dubh.

blackbird n lon dubh m.

blackboard n clár m dubh.

blacken vt dubhaigh.

black-humoured adj (morose) gruama.

blackleg n cúl m le stailc f.

blacklist n liosta m dubh.

blackmail n dúmhál m.

blackness n duibhe f.

blacksmith n gabha m.

bladder n lamhnán m.

blade n (grass) gas m (féir); (weapon) lann f.

blame n locht m, milleán m. • vt an locht a chur ar.

blameless adj gan locht.

blanch vt geal.

bland adj tur, leamh.

blank adj bán, folamh.

blanket n blaincéad m.

blasphemy n diamhasla m.

blast n pléasc f. • vt pléasc.

blaze n dóiteán m. • vi bheith ag bladhmadh.

bleach vt bánaigh.

bleak adj sceirdiúil; (prospects) gruama.

bleat n bheith ag méileach.

bleed vi cuir fuil f.

bleeper n blípire m.

blemish n smál m.

blend n cumasc m. • vt cumaisc, measc.

bless vt beannaigh.

blessed adj beannaithe.

blessing n beannacht f.

blight n mill f.

blind adj dall. • n (window) dallóg f.

blind man/woman n dall m.

blindness n daille m.

blink vi caoch (na súile).

bliss n aoibhneas m.

blissful adj aoibhneach.

blister n spuaic f, clog m. • vi clog.

blithe adj gliondrach.

blizzard n síobadh m sneachta.

bloated adj ata.

block n bloc m. • vt coisc.

blockhead n dundalán m.

blond(e) adj fionn.

blood n fuil f.

blood feud n fíoch m bunaidh.

blood group n fuilghrúpa m.

blood pressure n brú m fola.

bloodshed n doirteadh m fola.

blood transfusion n fuilaistriú m.

blood vessel n fuileadán m.

bloody adj fuilteach.

bloom n bláth m.

blot n smál m.

blotting paper n páipéar m súite.

blouse n blús m.

blow vi vt séid.

blubber n blonag f (míl mhóir).

blue adj gorm.

blueness n goirme f.

bluff n cur i gcéill f.

blunder n botún m.

blunt adj maol. • vt maolaigh.

blur vt doiléirigh.

blush n luisne f.

bluster vt déan bagairt f.

boar n torc m.

board n clár m; bord m. • vt téigh ar (bord).

boarding house n teach m lóistín.

boarding pass n cárta m bordála.

boast n mórtas m. • vi déan mórtas (as).

boaster n bladhmaire m.

boastful adj mórtasach.

boat n bád m.

body n corp m, colainn f; (band) buíon f.

bog n portach m.

bog-cotton n ceannbhán m.

boggle vi loic.

boil *vi vt* bruith.

boiled *adj* bruite.

boiler *n* coire *m*.

boisterous *adj* callánach.

bold *adj* dalba, dána.

boldness *n* dalbacht *f*, dánacht *f*.

bolster *vt* tacaigh le.

bolt *n* bolta *m*. • *vt* boltáil.

bomb *n* buama *m*. • *vt* buamáil.

bond *n* ceangal *m*.

bondage *n* braighdeanas *m*.

bone *n* cnámh *f*.

boneless *adj* gan chnámh *f*.

bonfire *n* tine *f* chnámha.

bonnet *n* boinéad *m*.

bonny *adj* dóighiúil.

bonus *n* bónas *m*.

bony *adj* cnámhach.

book *n* leabhar *m*.

bookcase *n* leabhragán *m*.

bookish *adj* leabhrach.

bookkeeper *n* cuntasóir *m*.

bookkeeping *n* cuntasaíocht *f*.

bookseller *n* díoltóir leabhar *m*.

bookshop, bookstore *n* siopa *m* leabhar.

boor *n* amhas *m*.

boorish *adj* tútach.

boot *n* buatais *f*.

booth *n* both *f*.

booty *n* creach *f*.

booze *vi* póit a dhéanamh. • *n* biotáille *f*.

border *n* críoch *f*, teorainn *f*.

borderer *n* fear *m* teorann

bore *vt* tuirsigh.

boring *adj* leadránach.

borrow *vt* rud a fháil ar iasacht *f*.

borrower *n* iasachtaí *m*.

bosom *n* ucht *m*.

boss *n* saoiste *m*.

botanise *vt* staidéar a dhéanamh ar luibheolaíocht *f*.

botanist *n* luibheolaí *m*.

botany *n* luibheolaíocht *f*.

both *pn* an bheirt *f*. • *adj* araon.

bother *vt* cráigh. • *n* crá *m*, buairt *f*.

bottle *n* buidéal *m*.

bottom *n* bun *m*, íochtar *m*; (*of sea, loch*) grinneall *m*.

bottomless *adj* gan teorainn.

bough *n* craobh *f*.

bound *n* (*jump*) léim *f*. • *vi* léim.

bounteous, bountiful *adj* fial.

bourgeois *adj* meánaicmeach.

bow *n* bogha *m*; (*ship*) tosach *m*; (*head*) umhlú *m*.

bowels *npl* inní *mpl*.

bowl *n* babhla *m*.

bowsprit *n* crann *m* cinn.

bowstring *n* sreang *f* bogha.

box *n* bosca *m*. • *vi* dornáil.

boxer *n* dornálaí *m*.

boxer shorts *npl* briste *m* gairid.

boy *n* buachaill *m*; (*young man*) stócach *m*.

boycott *n* baghcat *m*.

bra *n* cíochbheart *m*.

brace *n* (*pair*) péire *m*.

braces *npl* guailleáin *m*.

bracken *n* (*bot*) raithneach *f*.

bracket *n* lúibín *f*.

brae *n* mala *f*.

brag *vi* déan mórtas.

bragging *n* mórtas *m*.

brain *n* inchinn *f*.

brainy *adj* éirimiúil.

brake *n* coscán *m*.

bramble *n* dris *f*.

bramble-berry *n* sméar *f* dhubh.

branch *n* craobh *f*, géag *f*. • *vi* imeacht ó.

brandish *vt* beartaigh.

brandy *n* branda *m*.

brass *n* prás *m*.

brat *n* sotaire *m*.

brave *adj* cróga.

bravery *n* crógacht *f*.

brawl *n* maicín *m*. • *vi* callán a thógáil.

bray *vi* bheith ag grágáil.

breach *n* bearna *f*. • *vt* bearnaigh

bread *n* arán *m*.

breadcrumbs *npl* grabhróga *f* aráin.

breadth *n* leithead *m*.

break *vt* bris.

breakfast *n* bricfeasta *m*.

breast *n* cíoch *f*.

breath *n* anáil *f*.

breathe *vt* (*out*) anáil *f* a chur amach; (*in*) anáil *f* a tharraingt isteach.

breathless *adj* as anáil *f*.

breed *n* pór *m*. • *vt* póraigh.

breeder *n* síolraitheoir *m*.

breeding *n* tógáil *f*.

breeze *n* feothan *m*.

brevity *n* gontacht *f*.

brew *vt* (*beer*) grúdaigh. • *n* grúd-aireacht *f*.

brewer *n* grúdaire *m*.

brewery *n* grúdlann *f*.

bribe *n* breab *f*. • *vt* breab.

bribery *n* breabaireacht *f*.

brick *n* bríce *m*.

bricklayer *n* bríceadóir *m*.

bridal *adj* bainise.

bride *n* brídeach *f*.

bridegroom *n* grúm *m*.

bridesmaid *n* cailín *m* coimhdeachta.

bridge *n* droichead *m*.

brief *adj* gearr.

brigand *n* sladaí *m*.

bright *adj* geal; (*clever*) cliste.

brighten *vt* geal.

brightness *n* gile *f*.

brilliant *adj* lonrach; (*mind*) tá ardintleacht *f* aige.

brim *n* béal *m*.

brine *n* sáile *m*.

bring *vt* tabhair (leat).

brink *n* bruach *m*.

brisk *adj* briosc; beoga.

briskness *n* beogacht *f*.

bristle *n* colg *m*. • *vi* (**he bristled with anger**) d'éirigh colg feirge air.

bristly *adj* colgach.

Britain *n* An Bhreatain *f* (Mhór).

British *adj* Briotanach.

brittle *adj* briosc.

broach *vt* (**to broach a question**) an ceann a bhaint de scéal.

broad *adj* leathan.

broadcast *vt vi* craoltaigh.

broadcaster *n* craoltóir *m*.

broad-minded *adj* leathanaigeanta.

broccoli *n* brocailí *m*.

brochure *n* bróisiúr *m*.

brogue *n* bróg *f*; (*language*) blas *m*.

broken *adj* briste.

broker *n* bróicéir *m*.

brokerage *n* bróicéireacht *f*.

bronchial *adj* broncach.

bronchitis *n* broincíteas *m*.

bronze *n* umha *m*.

bronzed *adj* donn, griandóite.

brooch *n* bróiste *m*.

brood *vi* gor a dhéanamh (ar rud). • *n* ál *m*.

brook *n* sruthán *m*.

broom *n* scuab *f*.

broth *n* anraith *m*.

brothel *n* teach *m* striapachais.

brother *n* deartháir *m*.

brotherhood *n* bráithreachas *m*.

brotherly *adj* bráithriúil.

brow *n* mala *f*; (*of hill*) maoileann *m*.

brown *adj* donn.

brownness *n* doinne *f*.

browse *vi* do shúil a chaitheamh thar (rud); (*book*) mearspléachadh a thabhairt ar leabhar.

bruise *vt* brúigh. • *n* ball *m* gorm.

brush *n* scuab *f*. • *vt* scuab.

brushwood *n* caschoill *f*.

Brussels *n* An Bhruiséil *f*.

brutal *adj* brúidiúil.

brutality *n* brúidiúlacht *f*.

brute *n* brúid *f*.

bubble *n* boilgeog *f*.

bubblegum *n* guma coganta *m*.

buck *n* boc *m*.

bucket *n* buicéad *m*.

buckle *n* búcla *m*.

bud *n* bachlóg *f*.

Buddhism *n* Búdachas *m*.

budge *vi vt* bog.

budget *n* buiséad *m*; (*govt*) cáinaisnéis *f*.

buffet *n* cuntar bia *m*.

bug *n* feithid *f*.

bugle(horn) *n* buabhall *m*.

bugler *n* buabhallaí *m*.

build *vt* tóg.

builder *n* tógálaí *m*.

building *n* foirgneamh *m*.

building society *n* cumann *m* foirgníochta.

bulb *n* bolgán *m*.

bulk *n* toirt *f*.

bulky *adj* toirtiúil.

bull *n* tarbh *m*.

bulldog *n* tarbhghadhar *m*.

bulldozer *n* ollscartaire *m*.

bullet *n* piléar *m*.

bulletin *n* bileog *f* nuachta; (*broadcast*) feasachán *m*.

bulletin board *n* clár *m* fógraí.

bullock *n* bullán *m*.

bully *n* bulaí *m*.

bum *n* tóin *f*.

bump *n* (*car*) tuairt *f*; (*swelling*) cnapán *m*; (*on road, head*) uchtóg *f*.

bumper *n* cosantóir *m*.

bun *n* bonnóg *f*.

bunch *n* dos *m*, dornán *m*.

bundle *n* beart *f*.

bung *n* stopadán *m*.

bungalow *n* bungaló *m*.

bungle *vt* praiseach *f* a dhéanamh de.

bungler *n* ciotachán *m*.

buoy *n* (*mar*) baoi *m*.

buoyancy *n* snámhacht *f*.

buoyant *adj* snámhach.

burden *n* ualach *m*. • *vt* ualaigh.

bureau *n* biúró *m*.

bureaucracy *n* maorlathas *m*.

burgh *n* burg *m*.

burglar *n* buirgléir *m*.

burglary *n* buirgléireacht *f*.

burial *n* adhlacadh *m*.

burlesque *n* scigaithris *f*.

burly *adj* téagartha.

burn *vt* dóigh. • *n* dó *m*.

burn *n* (*stream*) sruthán *m*.

burning *adj* loiscneach

burnish *vt* sciomraigh.

burst *vi vt* pléasc.

bury *vt* adhlaic.

bus *n* bus *m*.

bush *n* tor *m*.

bushy *adj* torach.

business *n* gnólacht *f*.

businesslike *adj* críochnúil.

businessperson *n* fear *m* gnó/bean *f* ghnó.

bust *n* busta *m*.

bustle *n* fuadar *m*.

busy *adj* gnóthach.

busybody *n* socadán *m*.

but *conj* ach.

butcher *n* búistéir *m*.

butler *n* buitléir *m*.

butt *n* bun *m* toitín; (*wine*) bairille *m*; (*target*) ceap *m*. • *vt* buail sonc ar.

butter *n* im *m*.

buttercup *n* (*bot*) cam an ime *m*.

butterfly *n* féileacán *m*.

buttery *adj* butrach.

buttocks *npl* mása *mpl*.

button *n* cnaipe *m*. • *vt* cnaipí a cheangal.

buxom *adj* bloiscíneach.

buy *vt* ceannaigh.

buyer *n* ceannaí *m*.

buzz *n* crónán *m*. • *vt* (**to buzz someone**) glaoch a chur ar dhuine.

buzzard *n* clamhán *m*.

by *prep* in aice le; **by and by** ar ball; **by bus** ar an bhus; (*via*) trí.

by-election *n* fothoghchán *m*.

bypass *n* seachród *m*.

byre *n* cró *m*.

bystander *n* féachadóir *m*.

byte *n* (*comput*) beart *m*.

byword *n* leathfhocal *m*.

C

cab n tacsaí m.

cabbage n cabáiste m.

cabin n bothán m; bothóg f; cabán m.

cabinet n caibinéad m.

cable n cábla m.

cable television n teilifís f chábla.

cabstand n stad m tacsaithe.

cache n taisce f.

cactus n cachtas m.

café n caife m.

cafeteria n caifitéire m.

caffein(e) n caiféin f.

cage n cás m; caighean m. • vt (rud/ duine) a chur isteach i gcás; duine a chur i bpríosún.

cajole vt bréag (duine a bhréagadh le rud a dhéanamh).

cake n cáca m.

calamitous adj tubaisteach.

calamity n tubaiste f.

calculable adj ináirithe; somheasta.

calculate vt áirigh; comháirigh; ríomh.

calculation n áireamh m.

calculator n áireamhán m.

calculus n (math, med) calcalas m.

calendar n féilire m.

calf n lao m; gamhain m.

call vt scairt; glaoigh; to call for iarr; to call on cuairt a thabhairt ar; to call attention aird a dhíriú; to call names maslaigh. • n cuairt f; gairm f.

caller n scairteoir m, cuairteoir m.

calling n gairm f.

callous adj faurchroíoch, cruachroíoch.

calm n ciúnas m. • adj ciúin; suaimhneach; socair; sochma. • vt ciúnaigh.

calmness n ciúnas m; suaimhneas m.

calorie n calra m.

Calvary n Calvaire m.

Calvinist n Cailvíneach m.

camel n camall m.

camera n ceamara m.

camera operator n ceamaradóir m.

camouflage n duaithníocht f.

camp n campa m. • vi campáil.

campaign n feachtas m. • vi téigh ar fheachtas.

campaigner n saighdiúir m.

camper n campálaí m.

campsite n láithreán campála m.

can vb aux féad, is féidir le (féadaim/ is féidir liom é a dhéanamh). • n canna m.

canal n canáil f.

cancel vt cealaigh, cuir ar ceal.

cancellation n cealú m.

cancer n ailse f.

Cancer n An Portán m.

candid adj díreach, fírinneach.

candidate n iarrthóir m.

candidly adv go díreach, go fírinneach.

candle n coinneal f.

candour n oscailteacht f.

candy n milseán m, candaí m.

cane n cána m.

cannabis n canabhas m.

cannon n canóin f.

canoe n curach m.

canon n canóin f.

canopy n ceannbhrat m.

cantankerous adj cantalach.

canteen n proinnteach m.

canvas n canbhás m.

canvass *vt* vótaí a iarraidh.

cap *n* caipín *m*.

capability *n* cumas *m*, acmhainn *f*.

capacity *n* toilleadh *m*.

cape *n* clóca *m*.

capital *adj* príomh-, ceann-, mór, ard.

capital city *n* príomhchathair *f*.

capitalism *n* caipitleachas *m*.

capitalist *n* caiptlí *m*, rachmasaí *m*.

capital letter *n* ceannlitir *f*.

capital punishment *n* pionós *m* báis.

capitulate *vi* géill (ar choinníollacha).

capricious *adj* guagach.

Capricorn *n* An Gabhar *m*.

capsize *vt* (*mar*) iompaigh (an bád) béal faoi.

capsule *n* capsúl *m*, (*bot*) cochall *m*.

captain *n* captaen *m*; ceann *m* feadhna.

captivate *vt* draíocht *f* a chur ar.

captivation *n* mealltóireacht *f*.

captive *n* cime *m*, príosúnach *m*.

captivity *n* géibheann *m*, braighdeanas *m*.

capture *n* tógáil *f*, gabháil *f*. • *vt* tóg, gabh.

car *n* carr *m*, gluaisteán *m*.

caravan *n* carabhán *m*.

carbohydrate *n* carbaihiodráit *f*.

carbon *n* carbón *m*.

carcass *n* conablach *m*.

card *n* cárta *m*.

cardboard *n* cairtchlár *m*.

card game *n* cluiche *m* cártaí.

cardinal *adj* bunúsach, príomh-. • *n* cairdinéal *m*.

care *n* imní *f*, buaireamh *m*, cúram *m*. • *vi* **I don't care** is cuma liom; **to care for** *vt* aire *f* a thabhairt do.

career *n* slí *f* bheatha. • *vi* imeacht de rúchladh.

careful *adj* cúramach, faichilleach.

careless *adj* míchúramach, leibideach.

carelessness *n* neamhaird *f*.

caress *n* muirniú *m*. • *vt* muirnigh.

caretaker *n* airíoch *m*.

cargo *n* lasta *m*, lucht báid *m*.

caricature *n* scigphictiúr *m*.

caries *n* lobhadh *m*.

carnage *n* ár *m*.

carnal *adj* collaí, drúisiúil.

carnival *n* feis *f*, carnabhal *m*.

carnivorous *adj* feoiliteach.

carpenter *n* saor adhmaid *m*.

carpentry *n* adhmadóireacht *f*.

carpet *n* brat *m* urláir, cairpéad *m*.

carriage *n* carráiste *m*, cóiste *m*.

carrion *n* ablach *m*.

carrot *n* meacan dearg *m*, cairéad *m*.

carry *vt* iompair; **to carry the day** an bua a fháil; **to carry on** lean de.

cart *n* cairt *f*, trucail *f*.

cartilage *n* loingeán *m*.

cartoon *n* cartún *m*.

cartridge *n* cartús *m*.

carve *vt* snoigh, gearr.

carving *n* snoíodóireacht *f*.

case *n* cás *m*, cúis *f*; **in case** ar eagla (go).

cash *n* airgead *m* (tirim).

cash card *n* cárta *m* airgid.

cash dispenser *n* dáileoir airgid *m*.

cashier *n* airgeadóir *m*.

casino *n* caisiné *m*.

casket *n* cisteog *f*.

casserole *n* casaról *m*.

cassette *n* caiséad *m*.

cassette player *n* seinnteoir caiséad *m*, téiphaifeadán *m*.

cast¹ *vt* caith, teilg.

cast² *n* foireann *f*.

caste *n* sainaicme *f*.

castigate *vt* smachtaigh, íde *f* béil a thabhairt do.

castle *n* caisleán *m*.

castrate *vt* spoch, coill.

castration *n* spochadh *m*, coilleadh *m*.

casual *adj* fánach, neamhchúiseach, neamhfhoirmiúil.

casually *adv* go fánach, etc.

cat *n* cat *m*.

catalogue *n* catalóg *f*, clár *m*.

catapult *n* crann *m* tabhaill.

cataract *n* cataracht *f*, fionn *m*.

catastrophe *n* tubaiste *f*.

catch *vt* beir ar, gabh; **to catch cold** slaghdán a tholgadh; **to catch fire** téigh le thine. • *n* gabháil *f*, cleas *m*.

catchword *n* leathfhocal *m*.

catechism *n* caiticeasma *m*.

categorical *adj* dearfa, follasach.

categorically *adv* go dearfa, etc.

category *n* catagóir *f*, earnáil *f*.

cater *vi* riar ar, freastail ar.

catering *n* lónadóireacht *f*.

caterpillar *n* cruimh *f*.

cathedral *n* ardeaglais *f*.

Catholic *adj n* (*relig*) Caitliceach *m*.

Catholicism *n* Caitliceachas *m*.

cattle *n* eallach *m sg*.

cauliflower *n* cóilis *f*.

cause *n* údar *m*, fáth *m*, cúis *f*, **cause for complaint** ábhar *m* gearáin. • *vt* tabhairt ar dhuine (rud a dhéanamh).

causeway *n* cabhsa *m*.

cauterise *vt* poncloisc.

caution *n* faicheall *m*, rabhadh *m*. • *vt* tabhair rabhadh (do).

cautious *adj* faichilleach.

cavalry *n* marcshlua.

cave *n* uaimh *f*.

cavity *n* log *m*, cuas *m*, béalchuas *m*.

cease *vt* stad (de), éirigh as. • *vi* stad, éirigh as.

ceasefire *n* sos *m* lámhaigh.

ceaseless *adj* gan stad.

ceaselessly *adv* gan stad, go síoraí.

cede *vt* géill.

ceiling *n* síleáil *f*.

celebrate *vt* ceiliúir.

celebration *n* ceiliúradh *m*.

celery *n* soilire *m*.

celibate *adj* aontumha.

cell *n* cill *f*.

cellar *n* siléar *m*.

cement *n* stroighin *f*. • *vt* stroighnigh.

cemetery *n* reilig *f*.

censor *n* cinsire *m*.

censorship *n* cinsireacht *f*.

censure *n* cáineadh *m*. • *vt* cáin; locht a fháil ar.

census *n* daonáireamh *m*.

centenary *n* ceiliúradh *m* céad bliain.

centigrade *n* ceinteagrád *m*.

centimetre *n* ceintiméadar *m*.

central *adj* lárnach.

centralise *vt* lárnaigh.

centre *n* lár *m*, (*bldg*) lárionad *m*. • *vt* rud a chur i lár báire.

century *n* céad *m*, aois *f*.

ceramic *adj* ceirmeach.

cereal *n* arbhar *m*.

ceremonial *adj* deasghnách.

ceremony *n* deasghnáth *m*, searmanas *m*.

certain *adj* cinnte, dearfa.

certainty, certitude *n* cinnteacht *f*, dearfacht *f*.

certificate *n* teastas *m*.

certification *n* deimhniú *m*.

certify *vt* deimhnigh.

cessation n stopadh m.

chafe vt scríob.

chagrin n díomá f.

chain n slabhra m. • vt cuir ar slabhra.

chair n cathaoir f. • vt bheith sa chathaoir.

chairman, chairperson n cathaoirleach m.

chalk n cailc f.

challenge n dúshlán m. • vt dúshlán a thabhairt ar dhuine (rud a dhéanamh).

chamber n seomra m.

champion n curadh m. • vt cosain.

championship n craobh f.

chance n seans m, faill f; **by chance** de thaisme.

chancellor n seansailéir m.

change vt athraigh. • vi athraigh. • n athrú m.

changeable adj inathraithe.

channel n cainéal m; (TV) bealach m. • vt dírigh ar.

chant n coigeadal m, cantaireacht f. • vt cantaireacht f a dhéanamh.

chaos n anord m.

chaotic adj anordúil, bunoscionn.

chapel n séipéal m.

chapter n caibidil f.

character n carachtar m.

characteristic adj tréitheach.

charcoal n gualach m.

charge vt (elec) luchtaigh, ruathar a thabhairt faoi. • n táille f; (milit) ruathar m.

charitable adj carthanach.

charity n cumann m carthanachta.

charm n meallacacht f. • vt meall.

chart n cairt f.

charter n cairt f. • vt cairtfhostaigh.

chase vt seilg. • n tóir f.

chaste adj geanmnaí, glan.

chastise vt smachtaigh.

chastisement n smachtú m.

chastity n geanmnaíocht f.

chat vi déan dreas comhrá le duine. • n comhrá m.

chatter vi déan cabaireacht f.

chauffeur (-euse) n tiománaí m.

chauvinist n seobhaineach m.

cheap adj saor.

cheapen vt saoirsigh.

cheat vt déan séitéireacht f ar. • n séitéir m.

check vt deimhnigh; seiceáil. • n seiceáil f.

checkup n seiceáil f.

cheek n leiceann m.

cheer n gáir f mholta. • vt cuir gáir f mholta asat do (dhuine).

cheerful adj gealgháireach; croíúil.

cheerfulness n croíúlacht f.

cheeriness n croíúlacht f.

cheese n cáis f.

chef n príomhchócaire m.

chemist n ceimiceoir m, poitigéir m.

chemistry n ceimic f.

cheque n seic m.

cherish vt muirnigh.

cherry n silín m.

chess n ficheall f.

chest n (anat) cliabh m, (furn) cófra m.

chew vt cogain.

chewing gum n guma coganta m.

chick n scalltán m, sicín m.

chicken n circeoil f, sicín m.

chief adj príomh-, ard-. • n taoiseach m, ceann m urra.

chieftain n taoiseach m.

child n leanbh m, páiste m.

childbirth n breith f clainne.

childhood n leanbaíocht f.

childish adj leanbaí, páistiúil.

children n (of family) clann f.

chill n fuacht m. • vt fuaraigh.

chilly adj fuar, féithuar.

chimney n simléar m.

chin n smig f.

chip vt bain slis f de. • n sceallóg f, slis f, sceall m.

chirp vi gíog f a ligint asat. • n gíog f.

chisel n siséal m.

chivalry n ridireacht f.

chocolate n seacláid f.

choice n rogha f, togha m; **choice of food and drink** rogha gach bia agus togha gach dí. • adj tofa.

choir n cór m.

choke vt tacht.

choose vt roghnaigh.

chop vt gearr. • n gríscín m; **chops** npl (sl) geolbhaigh m.

chore n creachlaois f.

chorus n curfá m.

christen vt baist.

christening n baisteadh m.

Christian adj n Críostaí m.

Christmas n Nollaig f.

Christmas Eve n Oíche f Nollag f.

chronic adj ainsealach.

chronicle n croinic f.

chronicler n croinicí m.

chronological adj cróineolaíoch.

chronologically adv de réir dátaí.

chronology n cróineolaíocht f.

chuckle n maolgháire m.

chum n compánach m.

church n eaglais f.

cider n ceirtlis f.

cigar n todóg f.

cigarette n toitín m.

cinder n aibhleog f dhóite.

cinema n pictiúrlann f.

circle n ciorcal m. • vt timpeallaigh.

circuit n cúrsa m; (elec) ciorcad m.

circular adj ciorclach. • n ciorclán m.

circulate vi téigh thart.

circulation n (anat) imshruthú m.

circumference n imlíne f.

circumspect adj airdeallach.

circumstances n tosca m.

circumvent vt (fig) bob a bhualadh (ar dhuine).

circus n sorcas m.

cite vt luaigh.

citizen n saoránach m.

city n cathair f.

civic adj cathartha.

civil adj sibhialta.

civilian n sibhialtach m.

civilisation n sibhialtacht f.

civilise vt tabhair chun sibhialtachta.

claim vt éiligh; maígh. • n éileamh m.

claimant n éilitheoir m.

clamour n rí-rá m.

clamp n teanntán m. • vt clampaigh.

clandestine adj folaitheach.

clap vi tabhair bualadh bos.

clarification n soiléiriú m.

clarify vt soiléirigh.

clarity n soiléireacht f.

clasp n claspa m. • vt fáisc.

class n rang m.

classic, classical adj clasaiceach.

classification n rangú m.

classify vt rangaigh.

classroom n seomra m ranga.

clatter vi déan clagarnach f. • n clagarnach f.

claw n crúb f.

clean adj glan. • vt glan.

cleaning n glanadh m.

cleanliness n glaineacht f.

clear adj soiléir. • vt glan.

cleft n scoilt f.

clemency n trócaire f.

clement adj trócaireach; (*meteor*) breá.

clergy n cléir f.

clergyman n eaglaiseach m.

clerical adj cléiriúil.

clerk n cléireach m.

clever adj cliste, glic.

click vt cnag m. • n cniog m.

client n cliant m.

cliff n aill f.

climate n aeráid f; clíoma m.

climatic adj aeráideach.

climax n buaic f.

climb vt vi dreap.

climber n dreapadóir m.

cling vi greim a choinneáil (ar).

clinic n clinic m.

clip vt bearr.

cloak n clóca m. • vt ceil.

cloakroom n seomra m cótaí.

clock n clog m.

clog n paitín m.

close vt druid. • n clabhsúr m. • adj gar (do).

closeness n gaireacht f, foisceacht f.

cloth n éadach m; bréid m.

clothe vt gléas.

clothes npl éadaí mpl.

cloud n scamall m; néal m.

cloudy adj scamallach.

clover n seamair f.

clown n fear m grinn.

club n cumann m, club m.

clue n leid f.

clumsiness n ciotrúntacht f.

clumsy adj ciotach.

cluster n crobhaing f.

clutch n greim m. • vt greim a fháil ar.

coach n cóiste m. • vt traenáil.

coagulate vt téacht.

coal n gual m.

coalesce vi vt táthaigh.

coalition n comhcheangal m.

coarse adj garbh.

coast n cósta m.

coastal adj cósta.

coastguard n garda m cósta.

coat n cóta m.

coating n cumhdach m.

coax vt meall.

cobweb n líon m damhain alla.

cock n coileach m.

cockpit n cábán m (píolóta).

cocoa n cócó m.

coconut n cnó m cócó.

cocoon n cocún m.

cod n trosc m.

code n cód m.

coercion n comhéigean m.

coexistence n comhbheith f.

coffee n caife m.

coffer n cófra m.

coffin n cónra f.

cog n fiacail f.

cogency n éifeacht f.

cogent adj éifeachtach.

cognisance n eolas m; fios m.

cognisant adj is eol dom.

cogwheel n roth m fiaclach.

cohabit vi déan aontíos le.

cohabitation n aontíos m.

cohere vi vt comhtháthaigh.

coherent adj comhtháite.

cohesive adj comhtháite.

coil n lúb f. • vt corn.

coin n bonn m.

coincide vi comhtharlaigh (le).

coincidence *n* comhtharlú *m*.

colander *n* síothlán *m*.

cold *adj* fuar. • *n* fuacht *m*.

collaborate *vi* comhoibrigh (le).

collapse *vi* tit (go talamh). • *n* titim *f*.

collapsible *adj* infhillte.

collar *n* coiléar *m*.

collate *vt* rud a chur i gcomórtas le.

collateral *adj* comhthaobhach.

colleague *n* comhoibrí *m*.

collect *vt* bailigh.

collection *n* bailiúchán *m*.

collector *n* bailitheoir *m*.

college *n* coláiste *m*.

collide *vi* tuairteáil.

collision *n* tuairt *f*.

colloquial *adj* neamhfhoirmiúil.

colloquialism *n* gnáthleagan cainte *m*.

collusion *n* claonpháirteachas *m*.

colonial *adj* coilíneach.

colonise *vt* coilínigh.

colony *n* coilíneacht *f*.

colour *n* dath *m*. • *vt* dathaigh.

coloured *adj* daite.

colourful *adj* dathúil.

column *n* colún *m*.

columnist *n* colúnaí *m*.

coma *n* támhnéal *m*.

comatose *adj* támhach.

comb *n* cíor *f*. • *vt* cíor.

combat *n* comhrac *m*. • *vt* troid i gcoinne (+ *gen*).

combatant *n* trodaí *m*.

combination *n* comhcheangal *m*.

combine *vi vt* comhcheangail.

combustion *n* dó *m*.

come *vi* tar; **to come across, to come upon** tar ar; **to come down** *vi* tar anuas;

comedian *n* fear *m* grinn.

comedienne *n* bean *f* ghrinn.

comedy *n* coiméide *f*.

comet *n* coiméad *m*.

comfort *n* compord *m*.

comfortable *adj* compordach.

comic(al) *adj* greannmhar.

coming *n* teacht *m*. • *adj* le teacht.

comma *n* camóg *f*.

command *vt* ordaigh. • *n* ordú.

commemorate *vt* rud a chomóradh.

commend *vt* mol.

commendable *adj* inmholta.

comment *n* trácht *m*. • *vt* trácht (ar).

commerce *n* tráchtáil *f*.

commercial *adj* tráchtála.

commiserate *vt* comhbhrón a dhéanamh le duine (ar).

commission *n* coimisiún *m*. • *vt* coimisiúnaigh.

commit *vt* déan; (*crime, etc*) coir a dhéanamh.

committee *n* coiste *m*.

commodious *adj* fairsing.

commodity *n* earra *m*.

common *adj* coiteann, gnáth-.

Commonwealth *n* Comhlathas *m*.

communicate *vt* (scéal) a thabhairt (do).

communication *n* cumarsáid *f*.

communism *n* cumannachas *m*.

community *n* pobal *m*.

commute *vt* gearr.

compact *adj* dlúth.

compact disc *n* dlúthdhiosca *m*.

companion *n* compánach *m*.

company *n* cuideachta *f*; (*bus*) comhlacht *m*.

compare *vt* rud a chur i gcomparáid *f* le rud eile.

compass *n* compás *m*.

compassion *n* trua *f*.

compatible *adj* oiriúnach (do).
compatriot *n* comhthíreach *m*.
compel *vt* iallach a chur ar dhuine rud a dhéanamh.
compensate *vt* cúitigh.
compete *vi* dul san iomaíocht *f* (le).
competition *n* comórtas *m*.
competitor *n* iomaitheoir *m*.
compilation *n* cnuasach *m*.
complacent *adj* bogásach.
complain *vi* gearán a dhéanamh (faoi).
complaint *n* gearán *m*; (*med*) tinneas *m*.
complete *adj* iomlán. • *vt* críochnaigh.
complex *adj* casta.
compose *vt* cum.
comprehend *vt* tuig.
comprehensive *adj* cuimsitheach.
compromise *n* comhréiteach *m*.
compute *vt* comhairigh, ríomh.
computer *n* ríomhaire *m*.
computer programming *n* ríomhchlárú *m*.
computer science *n* ríomhaireacht *f*.
comrade *n* comrádaí *m*.
con *vt* bob a bhualadh (ar). • *n*. caimiléireacht *f*.
concentration camp *n* campa *m* géibhinn.
concept *n* coincheap *m*.
concern *n* cúram *m*.
concerning *prep* fá dtaobh de.
concerto *n* coinséartó *m*.
concise *adj* achomair.
conclude *vt* críochnaigh.
concrete *n* coincréit *f*. • *vt* coincréitigh.
condemn *vt* cáin.
condemnation *n* cáineadh *m*.
condom *n* coiscín *m*.

confection *n* milseog *f*.
conference *n* comhdháil *f*.
confident *adj* féinmhuiníneach.
confirm *vt* cinntigh.
confirmation *n* cinntiú *m*.
conflict *n* coimhlint *f*.
confuse *vt* mearbhall a chur (ar).
confusion *n* tranglam *m*; (*person*) mearbhall *m*.
congratulate *vt* comhghairdeas a dhéanamh (le).
congratulations *n* comhghairdeas *m*.
conjugate *vt* (*gr*) réimnigh.
conjunction *n* cónasc *m*.
conjure *vi vt* toghair.
connect *vt* nasc, ceangail.
connection *n* nasc *m*, ceangal *m*.
connoisseur *n* eolaí *m*.
conquer *vt* buail, buaigh ar.
conquest *n* gabháil *f*.
conscience *n* coinsias *m*.
conscientious *adj* coinsiasach.
conscious *adj* comhfhiosach.
consciousness *n* comhfhios *m*.
consecrate *vt* coisric.
consecutive *adj* leantach.
consent *n* cead *m*. • *vi* ceadaigh.
consequence *n* iarmhairt *f*, toradh *m*.
consequently *adv* ar an ábhar sin.
conservancy *n* caomhnú *m*.
conservation *n* caomhnú *m*.
conservative *adj* coimeádach.
conserve *vt* caomhnaigh.
consider *vt* smaoinigh ar; síl.
considerable *adj* maith; mór.
consideration *n* aird *f*.
consignment *n* coinsíneacht *f*.
consistency *n* seasmhacht *f*.
consolation *n* sólás *m*.
consolatory *adj* sólásach.
console *vt* sólás a thabhairt (do).

consonant n (gr) consan m.

consort n céile m.

conspicuous adj feiceálach.

conspiracy n comhcheilg f.

conspire vi déan uisce faoi thalamh.

constancy n daingneacht f, seasmhacht f.

constant adj seasmhach.

constellation n réaltbhuíon f.

constipation n iatacht f.

constituency n dáilcheantar m, toghlach m (parlaiminte, etc).

constitution n (pol) bunreacht m; (phys) comhdhéanamh m.

constriction n cúngú m.

construct vt tóg.

construction n tógáil f.

consult vt téigh i gcomhairle f le.

consume vt ith, caith; (drink) ól; (use up) ídigh.

consumer n tomhaltóir m.

consumer goods npl earraí mpl tomhaltais.

consumerism n tomhaltachas m.

consummate vt críochnaigh.

consummation n foirfeacht f.

contact n (phys) tadhall m; (message) teagmháil f.

contain vt coinnigh.

container n soitheach m, gabhdán m.

contemplate vt smaoinigh ar.

contemporary adj comhaimseartha.

contempt n dímheas m.

contemptuous adj dímheasúil.

content adj suaimhneach; sásta.

contest n comórtas m.

context n comhthéacs m.

continent n mór-roinn f.

contingent n meitheal f. • adj teagmhasach.

continual adj leanúnach.

continue vt lean de. • vi lean (ar).

continuous adj leanúnach.

contour n (map) comhrian m.

contraception n frithghiniúint f.

contraceptive n frithghiniúnach m. • adj frithghiniúnach.

contract vt (disease) tolg, tóg. • vi crap. • n conradh m.

contraction n crapadh m.

contradict vt bréagnaigh.

contradiction n bréagnú m.

contrary adj contrártha.

contrast vt rud a chur i gcomparáid f (le rud eile).

contribute vi vt íoc; tabhair.

contribution n síntiús m.

contrivance n cumadh m; cleas m.

control n smacht m.

controversial adj conspóideach.

controversy n conspóid f.

convalescent adj téarnamhach.

convene vt tionóil.

convenient adj áisiúil, caothúil.

convent n clochar m.

converge vi comhdhírigh.

conversation n comhrá m.

converse vi comhrá a dhéanamh (le).

conversion n iompú m.

convert vt tiontaigh. • vi iompaigh.

convertible adj inathraithe. • n carr m cábán infhillte.

convex adj dronnach.

conveyance n tíolacas m; (transport) iompar m.

conveyancer n tíolacthóir m.

convict vt ciontaigh. • n ciontach m.

conviction n ciontú m; (relig) creideamh m.

convivial adj suairc.

convulsion n arraing f.

cook n cócaire m. • vi vt cócaráil.

cooker n cócaireán m.

cookery n cócaireacht f.

cool vt fuaraigh.

cooperate vi comhoibrigh (le).

cope vi an lámh f in uachtar a fháil ar (dheacracht f).

copious adj flúirseach.

copulate vi comhriachtain f a dhéanamh.

copy n cóip f. • vt cóipeáil.

copyright n cóipcheart m.

coral n coiréal m.

cord n sreang f; corda m.

cordial adj croíúil.

core n croí m.

cork n corc m. • vt corc a chur i mbuidéal.

corkscrew n corcscriú m.

corn n arbhar m.

corner n coirnéal m.

cornflakes npl calóga fpl arbhair.

cornice n coirnis f.

coronary adj corónach.

coronation n corónú m.

corporation n corparáid f.

corpse n marbhán m.

corpuscle n coirpín m.

correct vt ceartaigh. • adj ceart.

correspond vi freagraigh do.

correspondence n comhfhreagras m.

corridor n dorchla m.

corrie n coire m.

corrode vt creim.

corrosion n creimeadh m.

corrugated adj rocach.

corrupt adj truaillithe.

cosmetic n cosmaid f.

cosmopolitan adj iltíreach.

cost n costas m. • vi cosain.

costly adj costasach.

costume n culaith f.

cosy adj seascair.

cottage n teachín m.

cotton n cadás m.

couch n tolg m.

cough n casacht f. • vi déan casacht f.

council n comhairle f.

councillor n comhairleoir m.

count vt déan cuntas; comhair; áirigh.

countenance n gnúis f.

counter n áiritheoir m.

counteract vt cealaigh.

counter-clockwise adv tuathal.

counterfeit adj bréige.

countersign vt comhshínigh.

counting n cuntas m.

countless adj gan áireamh.

country n tír f.

countryman n fear m tuaithe.

county n contae m.

coup (d'état) n gabháil f ceannais.

couple n lánúin f.

couplet n leathrann m.

coupon n cúpón m.

courage n misneach m.

courageous adj misniúil.

courier n cúiréir m.

course n cúrsa m.

court n cúirt f. • vt déan suirí f (le).

courteous adj cúirtéiseach.

courthouse n teach m cúirte.

cousin n col ceathar m.

cove n (mar) camas m.

cover n clúdach m; (culin) barr m. • vt clúdaigh.

coverage n tuairisciú m.

cover-up n forcheilt f.

cow n bó f.

coward n cladhaire m.

cowardice n claidhreacht f.

cowherd n buachaill m bó.

coy adj cúthail.

crab n portán m.

crack n scoilt f. • vt scoilt.

cradle n cliabhán m.

craft n ceird f; (*cunning*) gliceas m; (*vessel*) árthach m.

craftsman n ceardaí m.

crag n creig f.

cram vt brúigh; ding.

crane n crann m tógála.

crannog n crannóg f

cranny n scoilt f; prochóg f.

crash vi **the car crashed into a wall** bhuail an carr in éadan balla. • n taisme f.

craving n dúil f (i); cíocras (chun) m.

crawl vi snámh.

crazy adj ar mire.

creak vi díosc.

cream n uachtar m.

crease n filltín m.

create vt cruthaigh.

creation n cruthú m.

creature n créatúr m.

credible adj inchreidte.

crèche n naíolann f.

credit n creidmheas m. • vt (*believe*) creid.

credit card n cárta m creidmheasa.

creditor n creidiúnaí m.

creed n creideamh m.

creel n críol m, cliabh m.

cremate vt créam.

crew n foireann f.

crime n coir f.

criminal adj coiriúil. • n coirpeach m.

crimson adj corcairdhearg.

cringe vi lútáil.

cripple n bacach m.

crisis n géarchéim f.

crisp adj briosc; (*weather*) úr.

criterion n critéar m; slat f tomhais.

critic n léirmheastóir m.

critical adj cáinteach.

criticise vt cáin.

criticism n léirmheastóireacht f.

croak vi cuir grág f as.

crockery n soithí m.

croft n croit f.

crofter n croitéir.

crook n crúca m; (*pers*) bithiúnach m.

crooked adj cam.

croon vt can (amhrán) de chrónán.

crop n barr m. • vt barr.

cross n cros f. • adj cantalach. • vt trasnaigh.

crossbreed n cros-síolrú m.

cross-examine vt croscheistigh.

crossroad n crosbhealach m.

crossword n crosfhocal m.

crotch n gabhal m.

crotchet n (*mus*) croisín m.

crouch vi crom.

crow n préachán m.

crowd n slua m. • vi vt plódaigh.

crown n coróin f. • vt corónaigh.

crucible n breogán m.

crucifix n crois f.

cruciform adj croschruthach.

crude adj amh.

cruel adj cruálach.

cruelty n cruálacht f.

cruise n cúrsáil m.

crumb n grabhróg f.

crumple vi vt crap.

crush vt brúigh.

crust n crústa m.

crutch n maide m croise.

cub n (*animal*) coileán m.

cube n ciúb m.

cuckoo *n* cuach *f*.

cuff *n* cufa *m*.

culprit *n* ciontach *m*.

cult *n* cultas *m*.

cultivate *vt* saothraigh.

cultural *adj* cultúrtha.

culture *n* cultúr *m*.

cup *n* cupán *m*.

cupboard *n* cófra *m*.

cupidity *n* saint *f*.

curable *adj* inleighis.

curb *vt* srian.

curdle *vi vt* téacht.

cure *n* leigheas *m*. • *vt* leigheas.

curious *adj* fiosrach; (*strange*) aisteach

curl *n* coirnín *m*. • *vt* coirníní a chur i.

curlew *n* crotach *f*.

currency *n* airgeadra *m*.

current *adj* reatha. • *n* sruth *m*.

current affairs *npl* cúrsaí *mpl* reatha.

curse *vt* mallaigh. • *n* mallacht *f*.

curtain *n* cuirtín *m*.

curvature *n* lúbthacht *f*.

curve *vt* cuar, lúb. • *n* cuar *m*.

cushion *n* adhartán *m*.

custody *n* cúram *m*.

custom *n* nós *m*, gnás *m*.

customary *adj* gnáth-; iondúil.

cut *vi vt* gearr; *n* gearradh.

cutlery *n* sceanra *m*.

cycle *n* rothar *m*.

cycling *n* rothaíocht *f*.

cynical *adj* searbhasach; siniciúil.

cyst *n* cist *f*.

D

dabble *vi* bí ag súgradh le.
dad, daddy *n* daidí *m*.
daffodil *n* lus an chromchinn *m*.
dagger *n* miodóg *f*.
daily *adj* laethúil. • *adv* gach lá.
dainty *adj* mín.
dairy *n* déirí *m*.
daisy *n* nóinín *m*.
dale *n* gleanntán *m*.
dam *n* damba *m*.
damage *n* dochar *m*. • *vt* déan dochar do rud.
damnable *adj* damanta.
damnation *n* damnú *m*.
damp *adj* tais.
dampen *vt* taisrigh.
dance *n* damhsa *m*. • *vt vi* damhsaigh.
dandelion *n* caisearbhán *m*.
dandruff *n* sail *f* chnis.
danger *n* contúirt *f*.
dangerous *adj* contúirteach.
dappled *adj* breactha.
dare *vt* tabhair dúshlán duine (rud a dhéanamh).
daring *n* dánacht *f*.
dark *adj* dorcha.
darken *vt* dorchaigh.
darkness *n* dorchadas *m*.
darling *n* muirnín *m*, grá *m*. • *adj* muirneach.
darn *vt* dearnaíl.
dash *vi* sciuird *f* a thabhairt.
database *n* bunachar sonraí *m*.
date *n* dáta *m*; (*bot*) dáta *m*.
daub *vt* smear.
daughter *n* iníon *f*.
daughter-in-law *n* banchliamhain *m*.

dawn *n* breacadh an lae *m*.
day *n* lá *m*.
daylight *n* solas *m* an lae.
daze *vt* caoch.
dazzle *vt* caoch.
dead *adj* marbh.
deadlock *n* sáinn *f*.
deadly *adj* marfach.
deaf *adj* bodhar.
deafen *vt* bodhraigh.
deafness *n* bodhaire *f*.
deal *n* margadh *m*. • *vt* (*cards*) roinn.
dealings *npl* déileáil *f*.
dear *adj* ionúin, (*cost*) daor.
dearness *n* (*cost*) daoire *f*.
dearth *n* gainne *f*.
death *n* bás *m*.
debar *vt* toirmisc.
debase *vt* truailligh.
debate *n* díospóireacht *f*. • *vt* pléigh.
debit *n* dochar *m*. • *vt* (*com*) breac do dhochar.
debt *n* fiach *m*; debts *npl* fiacha *mpl*.
decade *n* deich *m* mbliana.
decadent *adj* meatach.
decant *vt* taom.
decanter *n* teisteán *m*.
decay *vi* lobh. • *n* lobhadh *m*.
deceit *n* cealg *f*.
deceive *vt* cealg, meall.
December *n* Mí *f* na Nollag.
decency *n* cneastacht *f*.
decent *adj* cneasta, macánta.
deception *n* cealg *f*.
decide *vt* socraigh.
decimal *adj* deachúlach.
decision *n* cinneadh *m*.

157

decisive *adj* cinnitheach.

deck *n* deic *f.* • *vt* sciamhaigh

declaration *n* forógra *m.*

declare *vt* fógair.

decompose *vi* lobh.

decomposition *n* dianscaoileadh *m.*

decorate *vt* maisigh.

decoration *n* maisiúchán *m.*

decorous *adj* cuibhiúil.

decrease *vt* laghdaigh. • *n* laghdú *m.*

decrepit *adj* cranda.

decry *vt* cáin.

dedicate *vt* tiomnaigh.

deduce *vt* tuig as.

deduct *vt* bain de.

deduction *n* tátal *m.*

deed *n* beart *m*; (*legal*) gníomh.

deep *adj* domhain.

deepen *vt* doimhnigh.

deer *n* fia *m.*

deface *vt* mill.

defamation *n* clúmhilleadh *m.*

default *n* faillí *f.*

defeat *n* briseadh *m.* • *vt* cloígh.

defect *n* locht *m.*

defective *adj* lochtach.

defence *n* cosaint *f.*

defenceless *adj* gan chosaint *f.*

defend *vt* cosain.

defensive *adj* cosantach.

defer *vt* cuir ar athló.

deference *n* umhlaíocht *f.*

defiance *n* dúshlán *m.*

defiant *adj* dúshlánach.

deficiency *n* easpa *f*

deficit *n* easnamh *m.*

definable *adj* sonrúil.

define *vt* sainmhínigh.

definite *adj* dearfa.

definition *n* sainmhíniú *m.*

deflect *vt* sraon.

deform *vt* cuir (rud) ó chuma.

deformity *n* cithréim *f.*

defraud *vt* déan calaois *f* ar.

deft *adj* deaslámhach.

defy *vt* tabhair dúshlán do.

degenerate *vi* meath. • *adj* meata.

degree *n* céim *f*; (*educ*) céim *f.*

deign *vi* deonaigh (chun rud a dhéa-namh).

deity *n* dia *m.*

dejected *adj* díomách.

delay *vt* moilligh. • *n* moill *f.*

delegate *n* toscaire *m.*

delegation *n* toscaireacht *f.*

delete *vt* cealaigh.

deliberate *vt* déan machnaimh ar. • *adj* réamhbheartaithe; (*slow*) malltriallach.

delicacy *n* fíneáltacht *f.*

delicate *adj* fíneálta.

delicious *adj* blasta.

delight *vt* cuir lúcháir *f* ar. • *n* lúcháir *f.*

delightful *adj* aoibhinn.

delinquency *n* ciontacht *f.*

delinquent *n* ciontóir *m.*

delirium *n* rámhaille *f.*

deliver *vt* seachaid; (*baby*) saolaigh.

delivery *n* seachadadh *m*; (*baby*) breith *f.*

dell *n* gleanntán *m.*

deluge *n* díle *f.*

demand *n* éileamh *m.* • *vt* éiligh.

demean *vi* ísligh tú féin.

demented *adj* néaltraithe.

dementia *n* gealtachas *m.*

demerit *n* dífluaíocht *f.*

democracy *n* daonlathas *m.*

democrat *n* daonlathaí *m.*

democratic *adj* daonlathach.

demolish *vt* scrios.

demon *n* deamhan *m.*

demonstrable *adj* soléirithe.

demonstration *n* léiriú *m*.

demonstrative *adj* taispeántach.

demote *vt* ísligh, tabhair céim *f* síos do.

demure *adj* stuama.

den *n* prochóg *f*.

denial *n* ceilt *f*, séanadh *m*.

denigrate *vt* lochtaigh, caith dímheas ar.

dense *adj* dlúth, tiubh.

density *n* dlús *m*, tiús *m*.

dent *n* lorg *m*, rian *m*. • *vt* log *or* ding a chur i.

dentist *n* fiaclóir *m*.

dentistry *n* fiaclóireacht *f*.

denture *n* déadchíor *m*, cár bréagach *m*.

denude *vt* nocht, lom.

deny *vt* séan, diúltaigh.

depart *vi* imigh, fág.

department *n* roinn *f*.

departure *n* imeacht *m*, fágáil *f*.

depend *vi* **to depend on/upon** brath ar, bheith i dtuilleamaí.

dependence *n* spleáchas *m*.

dependent *adj* spleách.

depict *vt* léirigh, cuir síos ar.

deplorable *adj* (*wretched*) truamhéalach, ainnis; (*disgraceful*) náireach; (*very bad*) uafásach.

deplore *vt* caoin, casaigh.

deportment *n* iompar *m*.

depose *vt* bris, cuir as oifig.

deposit *vt* (*in bank*) taisc, cur i dtaisce; (*as part payment*) cur éarlais *f* ar; (*put down*) leag síos. • *n* taisce *f*, deascán *m*, dríodarm.

depravity *n* truaillíocht *f*.

depreciate *vi* titeann (luach).

depress *vt* cuir gruaim ar; (*press down*) brúigh síos.

depressant *n* dúlagrán *m*.

depression *n* gruaim *f*.

deprive *vt*: **to deprive somebody of something** rud a bhaint de dhuine *or* a choinneáil ó dhuine.

depth *n* doimhneacht *f*.

depute *vt* tiomnaigh.

derelict *adj* tréigthe.

deride *vt* fonóid *f or* scigmhagadh a dhéanamh faoi dhuine.

derision *n* fonóid *f*.

derivation *n* fréamhaí *m*.

derive *vi* **to derive from** fréamhú ó

descend *vi vt* tuirling; téigh síos; tar anuas.

descent *n* tuirlingt *f*.

describe *vt* cuir síos ar.

description *n* cur síos (ar) *m*.

desert *n* fásach *m*. • *vt* tréig.

deserve *vt* tuill; **he deserves it** tá sé tuillte aige.

design *vt* leag amach; ceap. • *n* dearadh *m*.

designer *n* dearthóir

desire *n* mian *f*. • *vt* santaigh.

desist *vi* éirigh as.

desk *n* deasc *f*.

despair *n* éadóchas *m*. • *vi* tit in éadóchas.

desperate *adj* éadóchasach.

despicable *adj* suarach, gránna.

despise *vt*: **to despise something** drochmheas a bheith agat ar rud.

despite *prep* d'ainneoin (+ *gen*).

dessert *n* milseog *f*.

destiny *n* cinniúint *f*.

destitute *adj* beo bocht, ar an anás.

destroy *vt* scrios, mill.

destruction *n* scrios *m*, millteanas *m*.

detach *vt* scar, scoir.

detail *n* sonra *m*; **in detail** go mion.

• *vt* tabhair mionchuntas ar.

detain *vt* moill *f* a chur ar.

detect *vt* braith; tabhair faoi deara.

detective *n* bleachtaire *m*.

deter *vt* coisc.

determination *n* cinneadh *m*.

determine *vt* cinn ar, socraigh ar.

determinism *n* cinnteachas *m*.

detest *vt*: **to detest something** fuath a bheith agat ar rud.

detestation *n* dearg-ghráin *f*.

detonate *vt* maidhm.

detour *n* cor bealaigh *m*.

detract *vt*: **to detract from** baint ó.

detriment *n* aimhleas *m*.

devalue *vt* díluacháil.

devastate *vt* scrios, mill.

devastation *n* scrios *m*, millteanas *m*.

develop *vt* forbair.

development *n* forbairt *f*.

deviate *vi* claon.

device *n* gléas *m*.

devil *n* diabhal *m*, deamhan *m*.

devious *adj* slítheánta.

devise *vt* ceap; cum.

devolve *vt* cumhacht a chinneachadh.

devolution *n* dílárú *m*.

devote *vt* tiomnaigh, tabhair.

devotion *n* dúthracht *f* (*rel.*) cráifeacht *f*.

devour *vt* alp.

dew *n* drúcht *m*.

dexterity *n* aclaíocht *f*, deaslámhacht *f*.

diagnose *vt* fáithmheas, aithnigh.

diagnosis *n* (*med*) fáithmheas *m*.

diagonal *adj* fiar.

dial *n* diail *f*. *vt* diailigh.

dialect *n* canúint *f*.

diameter *n* trastomhas *m*.

diamond *n* diamant *m*.

diarrhoea *n* buinneach *f*.

diary *n* dialann *f*, cín *f* lae

dice *npl see* **die**.

dictate *vt* deachtaigh.

dictionary *n* foclóir *m*.

die *vi* faigh bás, éag. • *n* (*pl* **dice**) dísle *m* (*pl* díslí)

diesel *n* díosal *m*.

diet *n* aiste *f* bia.

differ *vi* difrigh.

difference *n* difear *m*.

different *adj* difriúil.

differentiate *vt* idirdhealú a dhéanamh ar.

differently *adv* ar dhóigh eile.

difficult *adj* doiligh, deacair.

difficulty *n* deacracht *f*.

dig *vt* tochail.

digest *vt* díleáigh.

digestible *adj* indíleáite.

digit *n* digit *f*.

digital *adj* digiteach.

dignified *adj* uasal, díniteach.

dilate *vt* méadaigh. • *vi* (*eyes*) leath.

dilemma *n* aincheist *f*.

diligent *adj* dícheallach.

dilute *vt* tanaigh, lagaigh.

dim *adj* doiléir, lag.

dimension *n* buntomhas *m*, méid *f*, toise *m*.

diminish *vt vi* laghdaigh.

dimple *n* loigín *m*

din *n* trup *m*, tormán *m*, callán *m*.

dine *vi* béile a ithe.

dining room *n* seomra *m* bia.

dinner *n* dinnéar *m*.

dinner time *n* am *m* dinnéir.

dip *vt* tum.

diplomacy *n* taidhleoireacht *f*.

dipsomania *n* diopsamáine *f*.

direct adj díreach. • vt dírigh(ar).

direction n treo m; (guidance) treoir f.

direction-finder n treo-aimsí m.

directly adv go díreach; láithreach bonn.

director n stiúrthóir m.

dirk n scian f, miodóg f.

dirt n salachar m.

dirty adj salach.

disability n míchumas m.

disadvantage n míbhuntáiste m.

disagree vi gan aontú le duine.

disagreement n easaontas m.

disappear vi imigh.

disappoint vt meall.

disapprove vt bheith míshásta le.

disaster n tubaiste f.

disbelieve vt díchreid.

disc n diosca m.

discard vt rud a chaitheamh uait.

discerning adj grinn.

discharge vt folmhaigh. • n folmhú m, scaoileadh m.

disclaim vt séan.

disclose vt tabhair le fios.

disco n dioscó m.

discomfort n míshuaimhneas m, míchompord m.

disconnect vt scaoil, scoir.

disconsolate adj dobrónach, dólásach, tromchroíoch.

discontented adj míshásta.

discord n easaontas m; (mus) díchorda m.

discount n lacáiste m. • vt díol ar lacáiste.

discourage vt cuir beaguchtach ar.

discover vt tar ar; fionn.

discovery n fionnachtain f.

discrepancy n difear m, difríocht f.

discretion n discréid f.

discriminate vt (between) idirdhealú a dhéanamh ar; (against) leatrom a dhéanamh ar (dhuine).

discrimination n breithiúnas m; leatrom m; idirdhealú m.

discuss vt pléigh.

discussion n díospóireacht f.

disease n galar m, aicíd f.

disembark vi téigh i dtír f.

disengage vt scaoil.

disentangle vt réitigh.

disfavour n míchlú m.

disgrace n náire f. • vt náirigh.

disgraceful adj náireach, scannalach.

disguise vt cuir bréagriocht ar. • n bréagriocht m.

disgust n samhnas m. • vt cuir samhnas ar.

disgusting adj samhnasach.

dish n pláta m, soitheach m, mias f.

dishcloth n éadach m soithí.

dishearten vt cuir beaguchtach ar.

dishonest adj mí-ionraic.

dishonesty n mímhacántacht f.

dishwasher n niteoir soithí m.

disillusion vt oscail na súile f do (dhuine).

disinclined adj mífhonnmhar.

disinherit vt cuir as oidhreacht f.

disinterested adj neamhchlaonta, cothrom.

disjointed adj curtha as alt; scaipthe; seachránach.

disk n diosca m, teasc f.

disk drive n dioscathiomáint f.

dislike n míthaitneamh m, míghnaoi f. • vt ní maith liom é.

dislodge vt cuir as áit f; ruaig.

disloyal adj mídhílis.

dismal adj duairc, gruama.

dismay n uafás m.

dismember vt srac.

dismiss vt bris as oifig f; cuir chun bóthair; diúltaigh do.

disobedience n easumhlaíocht f.

disobedient adj easumhal.

disobey vt bí easumhal do (dhuine).

disorder n mí-ord m, mí-eagar m.

disown vt séan.

disparity n difríocht f, neamhionannas m.

dispel vt ruaig, díbrigh, scaip.

dispensation n dáileadh m, dispeansáid f.

dispense vt dáil; roinn.

dispersal n scaipeadh m, ruaigeadh m.

displace vt dílaithrigh, cuir as áit f.

display vt taispeáin. • n taispeántas m.

displease vt cuir míshásamh ar (dhuine).

dispose vt cóirigh; cuir rud de láimh.

disprove vt bréagnaigh.

disputatious adj argóinteach.

dispute n conspóid f; argóint f. • vt conspóid, argóint a dhéanamh.

disqualification n dícháilíocht f.

disqualify vt dícháiligh.

disregard vt déan neamhshuim de.

disrepair n drochordú m.

disrespect n neamhómós m.

disrupt vt réab.

disruption n réabadh m.

dissatisfaction n míshásamh m.

dissatisfied adj míshásta.

dissect vt mionscrúdaigh.

dissertation n tráchtas m.

disservice n dochar m.

dissimilar adj éagsúil.

dissipate vt scaip.

dissociate vt dealaigh ó.

dissolute adj ainrianta.

dissolve vt tuaslaig.

dissuade vt duine a chur ó rud a dhéanamh.

distance n achar m, fad m.

distant adj i bhfadó.

distaste n déistin f.

distasteful adj déistineach.

distil vt driog.

distiller n driogaire m.

distillery n drioglann f.

distinct adj éagsúil.

distinction n idirdhealú m; (merit) oirirceas m.

distinguish vt déan idirdhealú idir.

distort vt cuir rud as a chuma f.

distress n gátar m. • vt goill ar.

distribute vt dáil, roinn.

district n ceantar m.

district nurse n banaltra f ceantair.

distrust n amhras m.

disturb vt cuir isteach ar.

disturbance n cur isteach m; achrann m.

disunite vt easaontaigh.

disunity n easaontas m.

disuse n léig f.

ditch n díog f.

ditto adv (an rud) céanna.

ditty n lúibín f.

dive vi tum.

diver n tumadóir m.

diverge vi scar.

diverse adj éagsúil.

diversify vt déan éagsúil.

diversion n claonadh m; (pastime) caitheamh aimsire m.

diversity n éagsúlacht f.

divert vt claon.

divide vt vi roinn.

divination n fáistineacht f.

divine adj diaga.

divisible adj inroinnte.

division n (math) roinnt f.

divorce n colscaradh m. • vt vi colscaraigh.

dizzy adj meadhránach.

do vt déan.

dock n duga m.

docken n (bot) copóg f.

dockyard n longlann f.

doctor n dochtúir m.

doctrine n teagasc m.

document n doiciméad m.

documentary n scannán faisnéise f.

dodge vt seachnaigh

doe n eilit f.

dog n madadh m.

dogged adj ceanndána.

dogmatic adj dogmach.

dole n liúntas m, déirc f.

dollar n dollar m.

domain n fearannas m.

domestic adj: **domestic life** saol m an teaghlaigh; **domestic arts** ealaín f an tí; **domestic economy** m tíos.

domesticate vt (animal) ceansaigh.

domicile n áitreabh m, sainchónaí m.

dominate vt bheith i gceannas ar.

domineer vi máistreacht f or lámh f láidir, a imirt ar dhuine.

dominion n ceannas m, tiarnas m, críoch f.

donate vt bronn.

donor n bronntóir m; (blood donor) deontóir fola m.

doom n cinniúint f, míchinniúint f. • vt (**he is doomed**) tá a phort seinnte, tá a chosa nite.

Doomsday n Lá m an Luan, Luan an tSléibhe m.

door n doras m.

doorstep n leac f dorais.

dope n (drug) dóp m; (fool) amadán m.

dose n deoch f leighis; miosúr m.

dot n ponc m.

dotage n leanbaíocht f.

double adj dúbailte. • vt dúblaigh. • n dúbailt f.

double bass n olldord m.

double-breasted adj (coat) dúbailte.

doubt n amhras m. • vt bí in amhras faoi rud.

doubtful adj amhrasach.

dough n taos m.

dour adj dúrúnta, dúr.

dove n colm m.

down prep síos, (from above) anuas.

downfall n díl m (báistí); turnamh m (impireachta).

downhill adv dul le fána, (of person) bheith ag meath.

downright adj amach is amach.

downstairs adv thíos staighre.

downward(s) adv síos, (from above) anuas.

dowry n spré f.

doze vi bí ag suanaíocht f.

dozen n dosaen m.

drag vt tarraing.

drain vt taom. • n draein f.

drake n bardal m.

dram n braon m, dram m.

drama n dráma m.

dramatist n drámadóir m.

draught n (drink) bolgam m; (wind) siorradh m.

draughts npl táiplis f.

draughtsman n línitheoir m.

draw vt tarraing.

drawer n tarráceán m.

drawing n tarraingt f.

drawing-pin n tacóid f ordóige f.

dread n imeagla f. • vt imeagla f a bheith ar dhuine roimh rud.

dream n brionglóid f • vt vi brionglóid f a dhéanamh.

dreamer n aislingeach m.

dredge vi dreideáil f.

dregs npl deascadh m, dríodar m.

drench vt báigh.

dress vt gléas. • vi gléas; cóirigh. • n gúna m.

dresser n driosúr m.

dressing n gléasadh m, cóiriú m.

dribble vi sil.

dried adj tirim.

drift vi imigh gan treo.

drill vt druileáil.

drink vt vi ól. • n deoch f.

drinker n óltóir m.

drip vi sil.

drive vt tiomáin.

drivel n raiméis f.

driver n tiománaí m.

driving licence n ceadúnas m tiomána.

drizzle n ceobhrán m.

droll adj greannmhar, barrúil.

drone n liúdramán m; (of bee) crónán m; (sound) dordán m.

droop vi crom.

drop n braon m. • vt lig do rud titim.

drought n triomach m.

drove n plód m, scata m.

drover n dráibhéir m.

drown vi vt báigh.

drowsy adj codlatach.

drudgery n sclábhaíocht f.

drug n druga m.

drug addict n andúileach m drugaí.

druggist n drugadóir m, poitigéir m.

druid n draoi m.

druidism n draíocht f.

drum n druma m.

drum major n maor m druma.

drummer n drumadóir m.

drumstick n bata druma m.

drunk adj ólta, ar meisce.

drunkenness n meisce f.

dry adj tirim. • vt triomaigh.

dub vt ainm a thabhairt ar dhuine, (sound on film, etc) fuaimrian a chur.

duck n lacha f.

duck vi tum in uisce; crom síos.

dud adj gan mhaith; bréagach.

due adj iníoctha.

duel n comhrac aonair m.

duet n (mus) díséad m.

dull adj gruama, marbhánta; (stupid) bómánta.

dullness n gruaim f, marbhántacht f; bómántacht f.

duly adv mar is cóir; go cuí.

dumb adj balbh.

dummy n fear bréige f; balbhán m.

dump n carn fuíllligh m. • vt caith amach.

dumpling n domplagán m.

dunce n dunsa m.

dung n cac m; aoileach m.

dunghill n carn aoiligh m.

duplicate n macasamhail f.

duplicity n caimiléireacht f.

durable adj buan, buanseasmhach.

duration n achar m, fad m, ré f.

during prep le linn.

dusk n clapsholas m.

dusky adj doiléir.

dust n dusta m. • vt dustáil.

dustbin n bosca m bruscair.

Dutch adj Ollanach.

dutiful *adj* umhal.

duty *n* dualgas *m*; (*customs*) dleacht *f*.

duty-free *adj* saor ó dhleacht.

dwarf *n* abhac *m*.

dwell *vi* cónaigh.

dwelling *n* áitreabh *m*, áit *f* chónaithe.

dwindle *vi* laghdaigh, meath.

dye *vt* dathaigh. • *n* dath *m*.

dyke *n* claí *m*, díog *f*.

dynamic *adj* dinimiciúil, bríomhar.

dynamite *n* dinimit *f*.

dynasty *n* ríora *m*, ríshliocht *m*.

dyspepsia *n* (*med*) mídhíleá *m*.

E

each *pn* gach aon. • *adj* gach.

eager *adj* cíocrach.

eagle *n* iolar *m*.

ear *n* cluas *f*.

earl *n* iarla *m*.

early *adj* luath.

earn *vt* saothraigh.

earnest *adj* dáiríre.

earphone *n* cluasán *m*.

earring *n* fáinne cluaise *f*.

earth *n* (*ground*) talamh *m*.

earthenware *npl* cré-earraí *mpl*.

earthly *adj* saolta.

earthquake *n* crith *m* talún.

earthworm *n* péist *f* talún.

ease *n* sócúlacht *f*.

easel *n* tacas *m*.

east *n* oirthear *m*.

Easter *n* Cáisc *m*.

easterly *adj* (*wind*) anoir; thoir.

easy *adj* furasta.

eat *vt vi* ith.

eatable *adj* inite.

ebb *n* trá *f*. • *vi* tráigh.

eccentric *adj* corr.

eccentricity *n* saoithiúlacht *f*.

echo *n* macalla *m*. • *vi* déan macalla.

eclipse *n* urú *m*. • *vt* uraigh.

ecology *n* éiceolaíocht *f*.

economics *n* eacnamaíocht *f*.

economise *vt* coigil.

economist *n* eacnamaí *m*.

economy *n* eacnamaíocht *f*.

ecstasy *npl* sceitimíní *m*.

ecstatic *adj* I am ecstatic tá sceitimíní orm.

ecumenical *adj* éacúiméineach.

eddy *n* guairneán *m*.

edge *n* imeall *m*; faobhar *m*; ciúmhais *f*. • *vt* cuir ciúmhais *f* le.

edgewise *adv* ar faor.

edible *adj* inite.

edict *n* reacht *m*.

edifice *n* foirgneamh *m*.

edify *vt* teagasc.

Edinburgh *n* Dún Éideann *m*.

edit *vt* cuir in eagar.

edition *n* eagrán *m*.

editor *n* eagarthóir *m*.

educate *vt* múin.

education *n* oideachas *m*.

educational *adj* oideachais.

effect *n* éifeacht *f*. • *vt* téigh i bhfeidhm *f* ar.

effective *adj* éifeachtach.

effeminate *adj* piteogach.

effervescent *adj* coipeach.

efficacy *n* éifeachtacht *f*.

efficient *adj* éifeachtach.

effigy *n* íomhá *f*.

effluent *n* eisilteach *m*.

effort *n* iarracht *f*.

egg *n* ubh *f*.

egghead *n* (*sl*) intleachtach.

egoism, egotism *n* féinspéis *f*.

Egypt *n* An Éigipt *f*.

eight *n* ocht *m*.

eighth *n* ochtú *m*.

eighteen *adj n* ocht *m* déag.

eightsome *n* ochtar *m*.

eightsome reel *n* ríl *f* ochtair.

eighty *adj n* ochtó *m*.

either *adv* ach oiread. • *conj* **either . . . or . . . .** nó . . .

ejaculate *vi* scaoil. • *f* speirm.

eject *vt* caith amach.

elaborate *adj* casta.

elapse *vi* imigh thart.

elastic *adj* leaisteach.

elate *vt* tóg croí.

elbow *n* uillinn *f*.

elder *n* (*church*) seanóir *m*; (*tree*) trom *m*. • *adj* is sine.

elderly *adj* cnagaosta.

elect *vt* togh.

election *n* toghchán *m*.

electioneering *n* toghchánaíocht *f*.

elector *n* toghthóir *m*.

electorate *npl* toghthóirí *mpl*.

electric *adj* leictreach.

electricity *n* leictreachas *m*.

electrification *n* leictriú *m*.

electrocute *vt* maraigh le leictreachas.

electron *n* leictreon *m*.

electronic *adj* leictreonach.

elegance *n* sciamhacht *f*.

elegant *adj* sciamhach.

elegiac *n* caointeach *m*.

elegy *n* caoineadh *m*.

element *n* dúil *f*.

elementary *adj* bunúsach.

elephant *n* eilifint *f*.

elevate *vt* ardaigh.

eleven *n* aon *m* déag.

elf *n* luacharachán *m*.

eligible *adj* incháilithe.

eliminate *vt* díothaigh.

elixir *n* íocshláinte *f*.

elm *n* leamhán *m*.

elongate *vt* fadaigh.

elope *vi* éalaigh.

eloquence *n* deis *f* labhartha.

else *pn* eile.

elude *vt* éalaigh ó.

elusive *adj* do-aimsithe.

email *n* ríomhphost *m*.

emancipate *vt* fuascail.

embalm *vt* balsamaigh.

embargo *n* lánchosc *m*.

embark *vt* tosaigh ar.

embarrass *vt* cuir aiféaltas ar.

embarrassment *n* aiféaltas *m*.

embassy *n* ambasáid *f*.

ember *n* aibhleog *f*.

embezzle *vt* cúigleáil.

emboss *vt* grabháil.

embrace *vt* teann (duine) le do chroí.

embroider *vt* bróidnigh.

embryo *n* suth *m*.

emerald *n* smaragaid *f*.

emerge *vi* tar amach as.

emergency *n* éigeandáil *f*.

emigrant *n* eisimirceach *m*.

emigrate *vi* téigh ar imirce *f*.

eminent *adj* céimiúil.

emit *vt* lig amach.

emotion *n* mothú(chán) *m*.

emotional *adj* corraitheach.

emphasis *n* béim *f*.

emphatic *adj* láidir.

empire *n* impireacht *f*.

empirical *adj* eimpíreach.

employ *vt* fostaigh.

employee *n* fostaí *m*.

employer *n* fostóir *m*.

empty *adj* folamh.

emulation *n* iomaíocht *f*.

enable *vt* cumasaigh.

enact *vt* achtaigh.

enamel *n* cruan *m*.

enchant *vt* cuir draíocht *f* ar.

enchantment *n* draíocht *f*.

enclosure *n* clós *m*.

encourage *vt* misnigh.

encroach *vi* cúngaigh ar.

encumbrance *n* ualach *m*.

end *n* deireadh *m*; críoch *f*. • *vt* críochnaigh.

endemic *adj* dúchasach.

endless *adj* síoraí.

endorse *vt* formhuinigh.

endowment *n* bronnadh *m*.

enemy *n* namhaid *f*.

energetic *adj* fuinniúil.

energy *n* fuinneamh *m*.

enforce *vt* cuir i bhfeidhm *f*.

engagement *n* gealltanas pósta *m*.

engine *n* inneall *m*.

engineer *n* innealtóir *m*. • *vt* innill.

England *n* Sasana *m*.

English *n* (*ling*) Béarla *m*.

English(wo)man *n* Sasanach *m*.

enhance *vt* méadaigh.

enigma *n* dúthomhas *m*.

enjoy *vt* bain sult as.

enlarge *vt* méadaigh.

enlighten *vt* soilsigh.

enlist *vi vt* liostáil.

enormous *adj* ollmhór.

enough *adv* go leor.

enquire *vt* fiosraigh.

enrage *vt* cuir fearg *f* ar.

ensue *vi* lean.

ensure *vt* cinntigh.

enter *vt* téigh isteach i.

enterprise *n* fiontar *m*, fiontraíocht *f*.

enterprising *adj* fiontrach.

entertainer *n* fuirseoir *m*.

entertainment *n* siamsa *m*.

enthusiasm *n* díograis *f*.

entice *vt* meall.

entire *adj* iomlán, uile.

entirely *adv* go léir.

entitle *vt* tabhair cóir *f* do.

entrance *n* bealach *m* isteach.

entreat *vt* guigh.

entrepreneur *n* fiontraí *m*.

envelope *n* clúdach *m*.

environment *n* timpeallacht *f*; (*ecology*) imshaol *m*.

envy *n* éad *m*.

ephemeral *adj* gearrshaolach.

episode *n* eachtra *f*.

epitaph *n* feartlaoi *f*.

epoch *n* ré *f*.

equal *adj* cothrom.

equalise *vt* comhardaigh; (*game*) cothromaigh.

equation *n* cothromóid *f*.

equator *n* meánchiorcal *m*.

equidistant *adj* chomh fada ar shiúl.

equinox *n* cónacht *f*.

equip *vt* feistigh.

equipment *n* trealamh *m*.

equipped *adj* feistithe.

equity *n* cóir *f*; (*fin*) cothromas *m*.

equivalent *adj* ar comhbhrí *f* (le). • *n* comhbhrí *f*.

erase *vt* scrios.

erect *vt* tóg.

erection *n* tógáil *f*.

erode *vt* creim.

erotic *adj* anghrách.

err *vi* déan earráid *f*.

errand *n* teachtaireacht *f*.

erratic *adj* taomach.

error *n* earráid *f*.

eruption *n* brúchtadh *m*.

escalator *n* staighre beo *m*.

escape *vi* éalaigh. • *n* éalú *m*.

esoteric *adj* rúnda.

essay *n* aiste *f*.

essence *n* úscra *m*.

essential *adj* bunúsach.

establish *vt* bunaigh.

estate *n* eastát *m*.

esteem *n* meas *m*.

estimate *vt* meas.

estrange *vt* tit amach le.

estuary *n* inbhear *m*.

eternal *adj* síoraí.

eternity *n* síoraíocht *f*.

ethical *adj* eiticiúil.

ethnic *adj* eitneach.

eunuch *n* coillteán *m*.

Europe *n* An Eoraip *f*.

European *adj* Eorpach.

evaporate *vi vt* galaigh.

even *adj* cothrom. • *adv* fiú.

evening *n* tráthnóna *m*, coineascar *m*.

event *n* imeacht *m*.

ever *adv* (*in past*) riamh; (*in future*) choíche; go deo.

evergreen *adj* síorghlas.

everlasting *adj* síoraí.

evermore *adv* go brách.

every *adj* gach.

everyday *adj* gnáth-.

everyone *pron* gach duine.

everything *n* gach rud *m*.

evict *vt* díshealbhaigh.

eviction *n* díshealbhú *m*.

evidence *n* fianaise *f*.

evident *adj* follasach.

evil *adj* olc. • *n* olc *m*.

ewe *n* caora *f*.

exact *adj* beacht. • *vt* bain (rud) de (dhuine).

exactly *adv* go beacht.

exaggerate *vt* déan aibhéil *f*.

examination *n* scrúdú *m*.

examine *vt* scrúdaigh.

example *n* sampla *m*.

excavate *vt* tochail.

excavation *n* tochailt *f*.

exceed *vt* téigh thar.

exceedingly *adv* thar a bheith.

excel *vt* sáraigh.

excellence *n* feabhas *m*.

excellent *adj* thar barr.

except *vt* fág as; *prep* ach; **except for** ach amháin.

exceptional *adj* eisceachtúil.

exchange *vt* malartaigh.

exchange rate *n* ráta *m* malairte.

excite *vt* spreag.

excitement *n* sceitimíní *mpl*.

exclaim *vi* gáir.

exclamation *n* uaillbhreas *m*.

exclamation mark *n* comhartha *m* uaillbhreasa.

exclusive *adj* eisiach.

excrement *n* cac *m*.

excrete *vt* fear.

excuse *vt* gabh leithscéal. • *n* leithscéal *m*.

executive *n* feidhmeannach *m*.

executor *n* seiceadóir *m*.

exercise *n* aclaíocht *f*. • *vi* déan aclaíocht *f*. • *vt* aclaigh.

exertion *n* saothar *m*.

exhaust *vt* traoch.

exhaustion *n* traochadh *m*.

exile *n* deoraíocht *f*.

exist *vi* bí ann.

existence *n* bheith *f*.

exit *vi* téigh amach.

exonerate *vt* saor (duine) ó.

exorbitant *adj* an-daor.

exotic *adj* coimhthíoch.

expand *vt* leathnaigh.

expatriate *adj* imirceach.

expect *vt* bí ag súil le.

expedient *adj* caothúil.

expedition *n* sluaíocht *f* (turais).

expeditious *adj* éasca.

expend *vt* caith.

expenditure *n* caiteachas *m*.

expensive *adj* daor.

experience *n* taithí *f*. • *vt* mothaigh.

experiment *n* turgnamh *m*.

expert *adj* saineolach. • *n* saineolaí *m*.

expire *vi* éag.

explain *vt* mínigh.

explanation *n* míniú *m*.

explicit *adj* follasach.

explode *vi vt* pléasc.

exploit *vt* tar i dtír *f* (ar). • *n* éacht *m*.

explore *vt* taiscéal.

export *vt* onnmhairigh• *n* onnmhaireiú *f*.

exportation *n* onnmhairiú *m*.

expose *vt* nocht.

exposure *n* nochtadh *m*.

express *vt* cuir in iúl. • *adj* luas-. • *n* (*rail*) luastraein *f*.

expression *n* leagan *m* cainte.

exquisite *adj* fíorálainn.

extensive *adj* fairsing.

exterior *adj* amuigh.

extinct *adj* in éag.

extinguish *vt* múch.

extinguisher *n* múchtóir (tine) *m*.

extra *adv* de bhreis *f*. • *n* breis *f*.

extraordinary *adj* iontach.

extravagant *adj* diomailteach.

extreme *adj* antoisceach.

extricate *vt* saor.

extrovert *n* eisdíritheoir *m*.

exuberance *n* spleodar *m*.

exuberant *adj* spleodrach.

eye *n* súil *f*. • *vt* breathnaigh ar.

eyesight *n* radharc *m* (na) súl.

eyrie *n* nead *f* (iolair).

F

fable n fabhal(scéal) m.

fabric n éadach m, uige f.

facade n aghaidh f.

face n aghaidh f; gnúis f.

facet n taobh m.

facilitate vt éascaigh.

facilities npl saoráidí fpl.

fact n fíric f.

factor n toisc f.

factory n monarcha f.

faculty n bua m; (university) dámh f.

fad n teidhe m.

fade vi meath.

fail vt I failed theip orm.

failure n teip f.

faint vi tit i laige f. • adj fann.

fair adj fionn. • n aonach m.

fairly adv go cothrom.

fairness n cothrom m.

fairway n raon m gailf.

fairy adj sí. • n síóg f.

faith n creideamh m.

faithful adj dílis.

fake m caimilér • adj bréige. • vt falsaigh

fall vi tit. • n titim f.

fallacy n fallás m.

fallow adj bán.

false adj bréige.

falsehood n bréag f.

falter vi tuisligh.

fame n clú m.

familiar adj aithnidiúil.

familiarise vt éirigh cleachta le.

family n teaghlach m; (offspring) clann f.

famine n gorta m.

famished adj stiúgtha (leis an ocras).

famous adj clúiteach.

fanatic n fanaiceach m.

fancy adj maisiúil. • vt taitneamh a thabhairt do.

fantastic adj iontach.

fantasy n fantasaíocht f.

far adv i bhfad. • adj fada.

fare n táille f; (food) beatha f.

farewell n slán m.

farm n feirm f.

farmer n feirmeoir m.

fart n tuthóg f, (noisy) broim m.

farther adv níos faide.

fascinate vt cuir faoi dhraíocht f.

fascination n iontas m.

fascism n faisisteachas m.

fashion n faisean m. • vt múnlaigh.

fashionable adj faiseanta.

fast adj gasta; tapaidh.

fasten vt ceangail.

fast food n mearbhia m.

fastidious adj nósúil.

fat adj ramhar. • n (cooking) geir f.

fatal adj marfach.

fate n dán m.

father n athair m. • vt bí mar athair.

father-in-law n athair m céile.

fatherly adj athartha.

fathom vt tomhais.

fatigue n tuirse f. • vt tuirsigh.

fatuous adj baoth.

fault n locht m.

faultless adj gan locht.

faulty adj lochtach.

favour vt bí i bhfabhar (+ gen).

favourite *n* an duine *m* is ansa (le).

fawn *n* oisín *m*.

fax *n* facs *m*.

fear *vt* eagla *f* a bheith ort roimh. • *n* eagla *f*.

fearful *adj* eaglach.

fearless *adj* gan eagla.

feast *n* féasta *m*; (*festival*) féile *f*. • *vi* do sháith *f* a ithe.

feat *n* éacht *m*.

feather *n* cleite *m*.

February *n* Feabhra *m*.

federal *adj* cónaidhme.

fee *n* táille *f*.

feeble *adj* fann.

feed *vt* cothaigh.

feel *vt* mothaigh.

feeling *n* mothú *m*.

felicitous *adj* tráthúil.

feline *adj* mar chat.

fellowship *n* comhaltacht *f*.

felon *n* meirleach *m*.

female *adj* baineann.

feminine *adj* banda.

fence *n* sconsa *m*. • *vt* cuir fál ar.

fender *n* fiondar.

ferment *n* coipeadh *m*. • *vt vi* coip.

fermenation *n* coipeadh *m*.

fern *n* (*bot*) raithneach *f*.

ferret *n* firéad *m*.

ferry *n* faradh *m*. • *vt* (*carry*) iompair.

ferry-boat *n* bád farantóireachta *f*.

fertile *adj* torthúil.

fertility *n* torthúlacht *f*.

fertilise *vt* leasaigh.

fervent *adj* díograiseach.

fervour *n* díograis *f*.

fester *vi* ábhraigh.

festive *adj* féiltiúil.

fetch *vt* faigh.

feu *n* gabháil *m*.

feud *n* fíoch *m*.

fever *n* fiabhras *m*.

feverish *adj* fiabhrasach.

few *adj* tearc. • *n* beagán *m*.

fibre *n* snáithín *m*.

fibrous *adj* snáithíneach.

fickle *adj* guagach.

fiction *n* ficsean *m*.

fiddle *n* fidil *f*. • *vt* bí ag méirínteach *f*; (*accounts*) falsaigh.

fiddler *n* fidléir *m*.

fidelity *n* dílseacht *f*.

field *n* páirc *f*.

field-glasses *npl* déshúiligh *mpl*.

fieldmouse *n* luch *f* fhéir.

fierce *adj* fíochmhar.

fierceness *n* fíochmhaireacht *f*.

fiery *adj* teasaí.

fifteen *adj n* cúig *m* déag.

fifth *adj* cúigiú.

fiftieth *adj* caogadú.

fifty *adj n* caoga *m*.

fig *n* fige *f*.

fight *vt vi* troid. • *n* troid *f*.

figure *n* (*number*) figiúr *m*.

file *n* líne *f*; (*documents*) comhad *m*. • *vi* comhadaigh.

filial *adj* bráithriúil.

fill *vt* líon.

fillet *vt* filléadaigh.

filly *n* cliobóg *f*.

film *n* scannán *m*.

filmstar *n* réaltóg *f* scannán.

filter *n* scagaire *m*. • *vt* scag.

filthy *adj* bréan.

final *adj* deireanach.

finalise *vt* tabhair chun críche *f*.

finance *n* airgeadas *m*.

financier *n* airgeadaí *m*.

find *vt* aimsigh.

fine *adj* breá. • *n* fíneáil *f*. • *vt* fíneáil.

finery *n* galántacht *f.*

finger *n* méar *f.*

fingernail *n* ionga *f* méire.

finish *vi vt* críochnaigh. • *n* críoch *f.*

fir *n* giúis *f*

fire *n* tine *f.* • *vt* scaoil.

firearm *n* arm tine *f.*

fire escape *n* staighre *m* éalaithe.

fireproof *adj* tinedhíonach.

fireside *n* teallach *m.*

firewood *n* brosna *m.*

firm *adj* daingean. • *n* (*com*) comhlacht *m.*

first *adj* céad. • *adv* (*time*) i dtosach báire; (*sequence*) ar dtús.

first aid *n* garchabhair *f.*

first-born *n* céadghin *f.*

firth *n* caol *m.*

fiscal *adj* airgeadaíochta.

fish *n* iasc *m.* • *vt vi* iasc.

fisher *n* iascaire *m.*

fishing *n* iascaireacht *f.*

fishing-line *n* dorú *m.*

fishing rod *n* slat *f* iascaigh.

fishy *adj* iascach; (*fig*) amhrasach.

fist *n* dorn *m.*

fit *n* racht *m.* • *adj* folláin.

five *adj n* cúig *m.*

fix *vt* deisigh; cóirigh.

fixture *n* fearas *m.*

fizz *vi* coipeadh.

flabby *adj* lodartha.

flag *n* bratach *f.*

flagrant *adj* follasach.

flagstone *n* leac *f.*

flair *n* bua *m.*

flake *n* screamhóg *f.*

flame *n* bladhm *f.*

flannel *n* flainín *m.*

flap *n* liopa *m.* • *vt* buail.

flare *n* lasair *f* rabhaidh.

flash *n* splanc *f.* • *vt* caith (solas).

flask *n* fleasc *m.*

flat *adj* cothrom; (*mus*) maol. • *n* maol *m;* (*building*) árasán *m.*

flatten *vt* leag; (*mus*) maolaigh.

flatter *vt* déan plámás le.

flattery *n* plámás *m.*

flautist *n* cuisleannach *m.*

flavour *n* blas *m.* • *vt* blaistigh.

flea *n* dreancaid *f.*

fleece *n* lomra *m.* • *vt* feann.

fleet *n* cabhlach *m.*

fleeting *adj* duthain.

flesh *n* feoil *f.*

fleshy *adj* feolmhar.

flex *n* fleisc *f.*

flexible *adj* solúbtha.

flicker *vi* preab.

flight *n* eitilt *f.*

flimsy *adj* tanaí.

flinch *vi* loic.

flint *n* cloch *f* thine *f.*

flippant *adj* cabanta.

flit *vi* éalaigh; (*house*) aistrigh (teach).

float *vi* snámh.

flock *n* tréad *m.*

flood *n* tuile *f.* • *vt* báigh.

floodlight *n* tuilsolas *m.*

floor *n* urlár. • *vt* cuir urlár ann.

floppy disk *n* diosca *m* flapach.

floral *adj* bláthach.

flounder *n* iomlaisc *m.*

flour *n* plúr *m.*

flourish *vi* rath a bheith ort; fás go maith.

flow *vi* sruthaigh.

flower *n* bláth *m.*

fluctuate *vi* luainigh.

fluency *n* líofacht *f.*

fluent *adj* líofa.

fluid *adj* silteach. • *n* sreabhán *m.*

flush *vt*: (*toilet*) sruthlaigh. • *vi* scaird.

fluster *vt* cuir mearbhall ar.

flute *n* feadóg *f* mhór.

fly *vi vt* eitil. • *n* cuil *f*; (*fishing*) maghar *m*. • *adj* glic.

foal *n* searrach *m*.

foam *n* cúr *m*. • *vi* coip.

focus *n* fócas *m*. • *vt* fócasaigh.

fodder *n* fodar *m*.

foetus *n* gin *f*.

fog *n* ceo *m*.

foggy *adj* ceomhar.

foil *vt* sáraigh.

fold *n* (*animal*) loca *m*. • *vt* fill.

folded *adj* fillte.

foliage *n* duilliúr *m*.

folk *n* daoine *m*.

folklore *n* béaloideas *m*.

folksong *n* ceol tíre *f*.

folktale *n* scéal *m* béaloidis.

follow *vt* lean.

folly *n* baois *f*.

fond *adj* ceanúil.

fondle *vt* muirnigh.

food *n* bia *m*.

fool *n* amadán *m*. • *vt* meall.

foolish *adj* amaideach.

foolproof *adj* do-mhillte.

foot *n* cos *f*; (*measurement*) troigh *f*.

footpath *n* cosán *m*.

footwear *n* coisbheart *m*.

for *prep* do; faoi choinne; le haghaidh; (*time: future*) go ceann; (*past*) ar feadh.

forage *vt* ransaigh.

forbid *vt* coisc.

forbidding *adj* doicheallach.

force *n* fórsa *m*. • *vt* tabhair ar (dhuine) (rud a dhéanamh).

forceps *n* teanchair *f*.

ford *n* áth *m*.

fore *n*: **to the fore** chun tosaigh.

forearm *n* rí *f* (na) láimhe *f*.

forecast *vt* tuar. • *n* réamhaisnéis *f*.

forefather *n* sinsear *m*.

forefinger *n* corrmhéar *f*.

forego *vt* fág.

foreground *n* réamhionad *m*.

forehead *n* éadan *m*.

foreign *adj* coimhthíoch, gallda.

foreigner *n* coimhthíoch *m*, Gall *m*.

foreknow *vt* aithin roimh ré *f*.

foreknowledge *n* réamhfhios *m*.

foremost *adj* is tábhachtaí.

forerunner *n* réamhtheachtaí *m*.

foresail *n* seol *m* tosaigh.

foresee *vt* tuar.

foreshadow *vt* tuar.

foresight *n* réamhfhéachaint *f*.

forest *n* foraois *f*.

forestry *n* foraoiseacht *f*.

foretaste *n* réamhbhlas *m*.

foretell *vt* réamhaithris.

forever *adv* go deo.

forewarn *vt* tabhair rabhadh.

foreword *n* réamhfhocal *m*.

forge *n* céarta *f*. • *vt* falsaigh.

forger *n* falsaitheoir *m*.

forget *vt vi* déan dearmad.

forgetful *adj* dearmadach.

forgetfulness *n* dearmad *m*.

forgive *vt* maith (do).

forgotten *adj* (rud) a bhfuil dearmad déanta air.

fork *n* forc *m*. • *vi* gabhlaigh.

forlorn *adj* dearóil.

form *n* cruth *m*. • *vt* cruthaigh; foirmigh.

formal *adj* foirmiúil.

formality *n* deasghnáth *m*.

format *n* formáid *f*.

formidable *adj* scanrúil.

formula *n* foirmle *f*.

fornicate *vi* collaíocht *f* a bheith agat le duine. • *vt* gabh suas ar.

fornication *n* collaíocht *f*.

forsake *vt* tréig.

forsaken *adj* tréigthe.

fort *n* dún *m*, daingean *m*.

forth *adv* (as seo, *etc*) amach.

forthwith *adv* gan mhoill.

fortitude *n* foirtile *f*.

fortnight *n* coicís *f*.

fortuitous *adj* de thaisme *f*.

fortunate *adj* ádhúil.

fortune *n* fortún *m*.

fortune teller *n* bean *f* or fear *m* feasa.

forty *adj n* daichead *m*.

forward *adj* chun tosaigh. • *adv* ar aghaidh *f*.

forwards *adv* ar aghaidh *f*.

fossil *n* iontaise *f*.

foster *vt* altramaigh.

foster father *n* athair *m* altrama.

foster mother *n* máthair *f* altrama.

foster sibling *n* comhalta *m*.

foul *adj* bréan. • *n* calaois *f*.

found *vt* bunaigh.

foundation *n* bunú *m*.

founder *n* bunaitheoir *m*. • *vi* (*mar*) téigh go tóin *f* poill.

foundling *n* leanbh *m* tréigthe.

fount, fountain *n* fuarán *m*.

four *adj n* ceathair *m*.

foursome *n* ceathrar *m*.

fourteen *adj n* ceathair *m* déag.

fourteenth *adj n* ceathrú *f* déag.

fourth *adj n* ceathrú *f*.

fourthly *adv* sa cheathrú háit.

fowl *n* éan *m*.

fox *n* sionnach *m*.

fraction *n* codán *m*.

fracture *n* briseadh *m*.

fragile *adj* sobhriste.

fragment *n* blogh *f*.

fragrant *adj* cumhra.

frail *adj* lag.

frailty *n* laige *f*.

frame *n* fráma *m*.

France *n* An Fhrainc *f*.

frank *adj* ionraic. • *vt* (*stamp*) frainceáil.

frantic *adj* ar buile *f*.

fraternal *adj* bráithriúil.

fraud *n* caimiléireacht *f*.

freak *n* torathar *m*.

freckles *npl* bricíní *mpl*.

freckled *adj* bricíneach.

free *adj* saor; (*without cost*) saor in aisce.

freedom *n* saoirse *f*.

freelance *adj* neamhspleách.

freemason *n* máisiún *m*.

free-range *adj* saor-raoin.

free trade *n* saorthrádáil *f*.

free will *n* saorthoil *f*.

freeze *vt vi* reoigh.

freezer *n* reoiteoir *m*.

freight *n* lasta *m*.

French *n* (*ling*) Fraincis *f*. • *adj* Francach.

Frenchman *n* (*person*) Francach *m*.

frenzy *n* buile *f*.

frequency *n* minicíocht *f*.

frequent *adj* minic. • *vt* gnáthaigh.

fresh *adj* (*air*) úr; fionnuar; (*food*) úr.

fret *vi* bí buartha (faoi rud).

fretful *adj* cancrach.

friar *n* bráthair *m*.

friction *n* frithchuimilt *f*.

Friday *n* Dé *m* hAoine.

friend *n* cara *m*.

friendliness *n* cairdiúlacht *f*.

friendly *adj* cairdiúil.

friendship *n* cairdeas *m*.

fright n scanradh m.
frighten vt scanraigh.
frightful adj scanrúil.
frigid adj fuaránta.
frill n rufa m.
frisky adj meidhreach.
frivolity n giodam m.
frivolous adj giodamach.
fro adv anall.
frock n gúna m.
frog n frog m.
from prep ó; de; as.
front n aghaidh f.
front-door n doras m tosaigh.
frontier n imeallchríoch f.
frost n sioc m.
frostbitten adj siocdhóite.
frosty adj (frozen) reoite.
frown n gruig f.
frugal adj coigilteach.
frugality n coigilt f.
fruit n toradh m.
fruity adj súch.
frustrate vt sáraigh.
fry vt frioch.
frying pan n friochtán m.
fuel n breosla m.

fugitive n éalaitheach m.
fulfil vt comhlíon.
fulfilment n comhlíonadh m.
full adj lán.
full-grown adj lánfhásta.
full stop n lánstad m.
full-time adj lánaimseartha.
fumble vi bí ag útamáil le.
fun n spraoi m, spórt m.
function n feidhm f.
function key n feidhm-eochair f.
fundamental adj bunúsach.
funeral n sochraid f.
funny adj greannmhar; barrúil.
fur n fionnadh m.
furnish vt trealmhaigh.
furniture n troscán m.
furrow n clais f.
furry adj clúmhach.
further, furthermore adv ar a bharr sin.
fury n buile f.
fuse n fiús m.
fusty adj smolchaite.
futile adj fánach; díomhaoin.
futility n díomhaointeas m.
future adj le teacht. • n todhchaí f.

G

gable n binn f.
gadget n gaireas m.
Gael n Gael m.
Gaelic n Gaeilge f (lang). • adj Gaelach.
gaiety n meidhir f.
gaily adv go haerach.
gain vt gnóthaigh.
gale n gála m.
gallant adj curata.
gallery n gailearaí m.
galley n birling f.
gallon n galún m.
gallop vi téigh ar cosa in airde f.
Galway n Gaillimh f.
gallows n croch f.
galore adv go leor.
gamble vi bheith ag cearrbhachas.
gambler n cearrbhach m.
gambling n cearrbhachas m.
game n cluiche m; (hunting) seilg f.
gamekeeper n maor m géim.
gander n gandal m.
gang n drong f.
gannet n gainnéad m.
gaol n príosún m.
gap n bearna f.
gape vi stán.
garage n garáiste m.
garbage n bruscar m.
garble vt cuir (scéal) as a riocht.
garden n gairdín m.
gardener n garraíodóir m.
garland n bláthfhleasc f.
garlic n gairleog f.
garment n ball m éadaigh.
garron n gearrán m.

garrulity n cabaíl f.
garrulous adj cabach.
garter n gairtéar m.
gas n gás m.
gas cooker n cócaireán m gáis, sorn m gáis.
gas fire n tine f gháis.
gash n créacht f.
gasp n cnead f (a ligint).
gastronomic adj gastranómach.
gastronomy n gastranómachas m.
gate n geata m.
gather vt bailigh.
gathering n cruinniú m.
gaudy adj spiagaí.
gauge n tomhsaire m.
gaunt adj lom.
gawky adj anásta.
gay adj (homosexual) aerach; meidhreach.
gaze vi amharc.
gear n (car) giar m.
gem n seoid f.
gender n cineál m.
genealogical adj ginealaigh.
genealogist n ginealeolaí m.
genealogy n ginealach m.
general adj ginearálta; gnáth-.
general election n olltoghchán m.
generally adv de ghnáth.
generator n gineadóir m.
generic adj ginearálta.
generosity n flaithiúlacht f.
generous adj flaithiúil.
genetic adj géiniteach.
genial adj lách.
genitals npl baill mpl ghiniúna.

genius n (*person*) sárintleachtach m.

genteel adj galánta.

gentle adj caoin.

gentleman n duine m uasal.

gentlewoman n bean f uasal.

gentry n na huaisle mpl.

genuine adj fíor-.

geography n tíreolaíocht f.

geological adj geolaíoch.

geologist n geolaí m.

geology n geolaíocht f.

geometry n céimseata f.

germ n (*bot*) frídín m.

German adj Gearmánach. • n Gearmánach m; (*lang*) Gearmáinis f.

Germany n An Ghearmáin f.

germinate vt vi péac.

gestation n tréimhse f iompair.

gesture n gotha m.

get vt faigh. • vi (*become*) éirigh.

ghastly adj fuafar.

ghost n taibhse f.

ghostly adj taibhsiúil.

giant adj ollmhór. • n fathach m.

gibberish n raiméis f.

gibe n focal fonóide f.

giddy adj meadhránach.

gift n bronntanas m.

gifted adj éirimiúil.

gigantic adj ábhalmhór.

gild vt óraigh.

gill n ceathrú f pionta.

gin n geal m.

gingerbread n arán m sinséir.

giraffe n sioráf m.

girdle n (*corset*) sursaing f.

girl n cailín m, girseach f.

girlfriend n cailín m.

girth n (*harness*) giorta m.

gist n bunús m an scéil.

give vt tabhair.

glaciation n oighearshruthú m.

glacier n oighearshruth m.

glad adj áthasach.

glance n sracfhéachaint f.

gland n faireog f.

glare n dallrú m.

Glasgow n Glaschú m.

glass n gloine f.

glassware npl earraí gloine f.

gleam vi drithligh.

gleaming adj dealrach.

glean vt diarsaigh.

glee n lúcháir f.

glen n gleann m.

glib adj cabanta.

glide vi (*aviat*) téigh ar foluain.

glimmer n fannléas m.

glimpse n spléachadh m. • vt faigh spléachadh.

glint vi lonraigh.

glisten, glitter vi drithligh.

gloaming n clapsholas m.

global adj domhanda.

global warming n téamh domhanda m.

globe n cruinneog f.

gloom n gruaim f.

gloomy adj gruama.

glory n glóire f.

glossy adj snasta.

glove n lámhainn f.

glow vi lonraigh. • n luisne f.

glower vi tabhair drochfhéachaint f (ar).

glue n gliú m.

glum adj gruama.

glutton n craosaire m, gorb m.

gluttony n craos m.

gnash vt: **to gnash one's teeth** díoscán a bhaint as na fiacla.

gnaw vt creim.

go vi téigh, gabh; (*depart*) imigh

goal n cúl m.

goalkeeper n cúl m báire.

goalpost n cuaille m báire.

goat n gabhar m.

goblin n gruagach m.

god n dia m.

goddess n bandia m.

going n dul m; (departing) imeacht m.

gold n ór m.

golden adj órga.

golf n galf m.

good adj maith, dea-.

goodbye! excl slán (go fóill)!

goodness n maitheas f.

goodwill n dea-mhéin f.

goods npl earraí mpl.

goose n gé f.

gooseberry n spíonán m.

gore vt sáigh (le hadharc).

gorge n (geog) altán m. • vt déan craos.

gorgeous adj sárálainn.

gorse n aiteann m.

gory adj fuilteach.

gospel n soiscéal m.

gossip n cúlchaint f. • vi bheith ag cúlchaint f (ar).

govern vt rialaigh.

government n rialtas m.

gown n gúna m.

grab vt sciob.

grace n grásta m; (prayer) altú (roimh bhia) m; (manner) cuannacht f • vt maisigh.

grace-note n nóta m maise.

graceful adj mómhar.

gracious adj grástúil.

grade n céim f; grád m.

gradient n grádán m.

gradual adj céimseach.

gradually adv de réir a chéile.

graduate n céimí m.

graduation n bronnadh m céimeanna.

graft n nódú m. • vt nódaigh. *vi vt saothraigh.

grain n gráinne m.

graip n graeipe f.

gram n gram m.

granary n iothlainn f.

grand adj mór; maorga.

grandchild n garmhac m; gariníon f.

grandad n seanathair m.

grandfather n seanathair m.

grandmother n seanmháthair m.

granite n eibhear m.

grant n deontas m.

granular adj gráinneach.

grape n fíonchaor f.

grapefruit n seadóg f.

graphics npl graificí fpl.

grapple vi téigh chun spairne f (le).

grasp vt beir ar. • n greim m.

grass n féar m.

grassy adj féarmhar.

grate n gráta m. • vt scríob.

grateful adj buíoch.

grater n scríobán m.

gratitude n buíochas m.

gratuity n deolchaire f.

grave adj tromchúiseach.

grave n uaigh f.

gravel n gairbhéal m.

gravestone n leac f uaighe.

graveyard n reilig f.

gravity n (physic) imtharraingt f.

gravy n súlach m.

graze vi bí ar féarach.

graze vt scríob.

grease n bealadh m. • vt bealaigh.

greasy adj bealaithe.

great adj mór.

greatness n mórgacht f.
Greece n An Ghréig f.
greed n saint f.
greedy adj santach.
Greek adj Gréagach. • n Gréagach m; (ling) Gréigis f.
green adj glas; uaine.
greenness n glaise f; uaine f.
greet vt beannaigh do.
greeting n beannacht f.
gregarious adj caidreamhach.
grey adj liath.
grey-haired adj liath.
grid n greille f.
griddle n grideall f.
grief n dobrón m; léan m.
grieve vt déan dobrón.
grill n greille f. • vt gríosc.
grilse n maighreán m.
grim adj dúr.
grimace n strainc f.
grime n salachar m.
grin n strais f. • vi cuir straois f ort féin.
grind vt meil.
gristle n loingeán m.
grit n grean m.
grizzled adj bricliath.
groan n éagnach m.
grocer n grósaeir m.
groceries npl earraí grósaera mpl.
groin n bléin f.
groove n eitre f.
grope vi déan méarnáil f (ar lorg ruda).
gross adj otair.
gross n grósa m (144).
grotesque adj arrachtach.
ground n talamh m.
group n grúpa m.

grouse n (bird) cearc f fhraoigh.
grouse n (grumble) clamhsán m.
grove n garrán m.
grovel vi lodair.
grow vt vi fás; méadaigh.
growl vi drantaigh.
growth n fás m.
grudge n fala f.
grumble vi déan clamhsán.
grunt vi déan gnúsacht f. • n gnúsacht f.
guarantee n ráthaíocht f.
guard n garda m. • vt gardáil.
guardian n coimirceoir m; caomhnóir m.
guerrilla n guairille m.
guess vi vt tomhais.
guest n aoi m.
guide vt treoraigh. • n eolaí m.
guided missile n diúracán treoraithe m.
guide dog n madra treoraithe m.
guillemot n foracha f.
guilt n ciontacht f.
guilty adj ciontach.
guitar n giotár m.
gulf n murascaill f.
gully n (drain) lintéar m.
gulp n slogóg f. • vt vi slog.
gum n (chewing gum) guma coganta m.
gumption n gus m.
gun n gunna m.
gunman n fear m gunna.
gurgle n glothar m.
gust n séideán m.
gusto n (le) fonn m.
gusty adj fleách.
gut n putóg f.

H

habit *n* nós; (*monk*) aibíd *f.*

habitual *adj* gnách, gnáth-.

hack *vt* ciorraigh.

haddock *n* cadóg *f.*

haft *n* cos *f.*

hag *n* cailleach *f.*

haggis *n* hagaois *f.*

haggle *vi* margáil a dhéanamh faoi rud.

hailstone *n* cloch *f* shneachta.

hair *n* gruaig *f*, folt *m.*

hairdryer *n* triomadóir gruaige *m.*

hairy *adj* gruagach.

half *n* leath *f.*

half-bottle *n* leathbhuidéal *m.*

halfway *n* leath *f* bealaigh.

hall *n* halla *m.*

Hallowe'en *n* Oíche *f* Shamhna.

hallucination *n* mearú súl *m.*

halo *n* fáinne *m.*

halt *vt vi* stad.

halter *n* adhastar *m.*

halve *vt* laghdaigh faoina leath.

ham *n* liamhás *m.*

hamlet *n* sráidbhaile *m.*

hammer *n* casúr *m.* • *vt* orlaigh.

hamper *n* ciseán *m.* • *vt* cuir isteach ar.

hand *n* lámh *f.* • *vt* sín.

handbag *n* mála *m* láimhe.

handball *n* liathróid Faimhe *f.*

handful *n* dornán *m.*

handicap *n* cis *f.*

handkerchief *n* ciarsúr *m.*

handle *n* lámh *f*; murlán *m.* • *vt* láimhsigh.

handshake *n* croitheadh láimhe *m.*

handsome *adj* dóighiúil.

handwoven *n* lámhfhite *m.*

handy *adj* áisiúil.

hang *vt* croch.

hangover *n* póit *f.*

happen *vi* tarlaigh.

happening *n* tarlú *m.*

happiness *n* sonas *m.*

happy *adj* sona.

harass *vt* ciap, cráigh.

harbour *n* cuan *m*, port *m.* • *vt* tearmannaigh.

hard *adj* crua.

hard disk *n* diosca *m* crua.

harden *vt vi* cruaigh.

hardihood *n* crógacht *f.*

hardly *adv* **he hardly caught it** is ar éigean gur rug sé air.

hardship *n* anró *m.*

hardware *n* crua-earraí *mpl.*

hare *n* giorria *m.*

hare-brained *adj* bómánta.

harm *n* dochar *m.* • *vt* déan dochar do.

harmful *adj* díobhálach.

harmless *adj* gan dochar.

harmonic *adj* armónach.

harmonious *adj* (*mus*) ceolmhar.

harmonise *vt* cuir (smaointe, *etc*) i gcomhréir le chéile.

harmony *n* comhcheol *m.*

harp *n* cláirseach *f.*

harpist *n* cláirseoir *m.*

harrow *n* cliath *f* fhuirste.

harsh *adj* garg.

harshness *n* gairgeacht *f.*

hart *n* damhfhia *m.*

harvest *n* fómhar *m*.

haste *n* deifir *f*.

hasten *vt* deifrigh.

hasty *adj* deifreach.

hat *n* hata *m*.

hatch *n* haiste *m*.

hatchet *n* tua *f*.

hate *n* fuath *m*. • *vt* fuathaigh.

hateful *adj* fuafar.

haughty *adj* uaibhreach.

haul *vt* tarraing.

haunch *n* leis *f*.

haunt *vt* taithigh.

have *vt* **I have a pen** tá peann agam; **I have to do it** caithfidh mé é a dhéanamh.

hawk *n* seabhac *m*.

hawser *n* cábla *m*.

hawthorn *n* sceach *f* gheal.

hay *n* féar *m*.

hay fever *n* fiabhras *m* léana.

hayrick, haystack *n* cruach *f* fhéir.

haze *n* ceo *m*.

hazy *adj* ceobhránach.

he *pn* sé, é.

head *n* ceann *m*.

headache *n* tinneas *m* cinn.

headland *n* ceann *m* tíre.

headlight *n* ceannsolas *m*.

headmaster *n* ardmháistir *m*.

headmistress *n* ardmháistreás *f*.

headquarters *np* (*mil*) ceanncheathrú *fsg*.

headstrong *adj* ceanndána.

headway *n* dul chun cinn *m*.

heady *adj* corraitheach.

heal *vt vi* leigheas.

health *n* sláinte *f*.

healthy *adj* folláin, sláintiúil.

heap *n* moll *m*. • *vt* carn.

hear *vt vi* cluin, mothaigh.

hearing *n* éisteacht *f*.

hearing aid *n* áis *f* éisteachta *f*.

hearsay *n* scéal *m* scéil.

hearse *n* cóiste *m* na marbh, eileatram *m*.

heart *n* croí *m*.

heart attack *n* taom croí *m*.

hearten *vt* misnigh.

hearth *n* tinteán *m*.

hearty *adj* croíúil.

heat *n* teas *n*. • *vt* téigh.

heater *n* téitheoir *m*.

heathen *n* pagánach *m*. *adj* pagánach

heather *n* (*bot*) fraoch *m*.

heathery *adj* fraochmhar.

heating *n* teas *m*.

heave *vt* tóg. • *n* urróg *f*.

heaven *n* neamh *f*.

heavenly *adj* neamhaí.

heaviness *n* troime *f*.

heavy *adj* trom.

heckle *vt* trasnaigh.

hedge *n* fál *m*.

hedgehog *n* gráinneog *f*.

heed *vt* aird a thabhairt. • *n* aird *f*.

heedless *adj* neamhairdiúil.

heel *n* sáil *f*.

heifer *n* bodóg *f*.

height *n* airde *f*.

heighten *vt* ardaigh.

heir *n* oidhre *m*.

heiress *n* banoidhre *m*.

helicopter *n* héileacaptar *m*.

hell *n* ifreann *m*.

help *vt* cuidigh le. • *n* cuidiú *m*; garaíocht *f*.

helpful *adj* cabhrach.

hem *n* fáithim *f*.

hemisphere *n* leathshféar *m*.

hen *n* cearc *f*.

hence *adv* mar sin de.

henceforth *adv* as seo amach.

her *pn* sí, í. • *adj* a.

herald *n* fógróir *m*.

herb *n* luibh *f*.

herd *n* tréad *m*.

here *adv* anseo.

hereafter *adv* (*writing*) thíos. • *n* an tsíoraíocht *f*.

hereby *adv* leis seo.

hereditary *adj* oidhreachtúil.

heredity *n* dúchas *m*.

heresy *n* eiriceacht *f*.

heritage *n* oidhreacht *f*.

hermit *n* díthreabhach *m*.

hero *n* laoch *m*.

heroic *adj* cróga.

heroin *n* hearóin *f*.

heroine *n* banlaoch *m*.

heron *n* corr *f* éisc.

herring *n* scadán *m*.

herring gull *n* faoileán *m* scadán.

herself *pn* sí féin; (*object*) í féin.

hesitate *vi* bheith idir dhá chomhairle *f*.

hesitation *n* braiteoireacht *f*.

hiccough, hiccup *n* snag *m*.

hide *vt* ceil.

hideous *adj* míofar.

hiding-place *n* cró *m* folaigh.

high *adj* ard.

high frequency *adj* ardmhinicíochta.

highland *n* garbhchríoch *f*.

Highlander *n* híleantóir *m*.

Highlands *npl* na Garbhchríocha *fpl*.

highlight *vt* tabhair chun suntais.

high-minded *adj* ardaigeantach.

high-powered *adj* mórchumhachta.

high tide *n* lán mara *m*.

highway *n* bealach *m* mór.

hike *vi* siúil de chois.

hijack *vt* fuadaigh.

hill *n* cnoc *m*.

hillock *n* tulach *m*.

hillside *n* mala *f* chnoic.

hilly *adj* cnocach.

hilt *n* dorn *m*.

him *pn* é.

himself *pn* sé féin, (*object*) é féin.

hind *adj* deiridh.

hinder *vt* bac.

hinge *n* inse *m*.

hint *n* leid *f*.

hip *n* cromán *m*.

hire *vt* fostaigh.

his *adj* a.

hiss *vi* sios.

historian *n* staraí *m*.

historic(al) *adj* stairiúil.

history *n* stair *f*.

hit *vt* buail. • *n* buille *m*.

hitherto *adv* go dtí seo.

HIV *n* VED.

hive *n* coirceog *f*.

hoard *n* stór *m*. • *vt* cuir i dtaisce *f*.

hoarfrost *n* sioc *m* bán.

hoarse *adj* piachánach.

hoarseness *n* piachán *m*.

hobby *n* caitheamh aimsire *m*.

hobnail *n* durnán *m*.

hoe *n* grafóg *f*. • *vt* glan le grafóg *f*.

Hogmanay *n* Oíche *f* Chinn Bhliana.

hold *vt* coinnigh.

hole *n* poll *m*.

holiday *n* saoire *f*.

hollow *adj* cuasach. • *n* cuas *m*.

hollowness *n* folaimhe *f*.

holly *n* (*bot*) cuileann *m*.

holy *adj* naofa.

holy water *n* uisce *m* coisricthe.

homage *n* ómós.

home *n* baile. • *adj* baile.

home page n leathanach m baile.

home rule n rialtas m dúchais.

homesick adj cumhach.

homesickness n cumha m.

homespun adj simplí.

homosexual adj n homaighnéasach.

honest adj ionraic.

honesty n ionracas.

honey n mil f.

honeymoon n mí f na meala.

honeysuckle n (bot) féithleann m.

honour n onóir f, urraim f. • vt onóraigh.

hood n cochall m.

hoof n crúb f.

hook n crúca m.

hooked adj crúcach.

hooligan n maistín m.

hoot vi séid.

hop n truslóg f. • vi tabhair truslóg f.

hope n dóchas m. • vi tá súil agam (go).

hopeful adj dóchasach.

horizon n bun na spéire f.

horizontal adj cothománach.

horn n adharc f; (mus) corn m; (drink) buabhall m.

hornet n cearnamhán m.

horoscope n tuismeá f.

horrible adj uafásach.

horrid adj gránna.

horror n uafás m.

horse n capall m.

horseman n marcach m.

horseshoe n crú capaill m.

hose n (sock) stocaí mpl; (pipe) píobán m.

hospitable adj flaithiúil.

hospital n otharlann f.

hospitality n flaithiúlacht f.

host n óstach m; (people) slua m.

hostage n giall m.

hostess n banóstach m.

hostile adj naimhdeach.

hostility n naimhdeas m.

hot adj te.

hotel n óstán m.

hour n uair f.

hourly adv gach uair.

house n teach m. • vt tabhair dídean (do).

household n teaghlach m.

hover vi bí ar foluain.

how adv cad é mar, conas.

however adv áfach.

howl vi lig glam f asat. • n glam f.

huddle vi teann isteach (le chéile).

hug vt beir barróg f (ar).

hull n cabhail f.

hum n crónán m. • vi bí ag crónán.

human adj daonna.

humane adj daonnachtúil.

humanity n (quality) daonnacht f.

humankind n an cine daonna.

humble adj umhal. • vt ísligh.

humid adj tais.

humorist n fear m grinn.

humorous adj greannmhar.

humour n greann m. • vt duine a mholadh.

hump n cruit f.

hundred adj n céad m.

hundredth adj céadú.

hunger n ocras m.

hunger strike n stailc f ocrais.

hungry adj ocrach.

hunt vi vt seilg. • n seilg f.

hunter n sealgaire m.

hurricane n stoirm f ghaoithe.

hurry vt vi déan deifir f. • n deifir f.

hurt vt gortaigh. • n dochar m.

hurtful adj goilliúnach.

husband *n* fear *m* céile.
hush! *excl* éist!, fuist!
hut *n* bothán *m*.
hybrid *n* croschineálach *m*.
hydroelectric *adj* hidrileictreach.
hygiene *n* sláinteachas *m*.

hymn *n* iomann *m*.
hypocrisy *n* fimíneacht *f*.
hypocrite *n* fimíneach *m*.
hysterical *adj* histéireach; (*laughter*) sna trithí gáire.
hysterics *npl* taom histéire *m*.

I *pn* mé.

ice *n* oighear *m*, siocán *m*.

iceberg *n* cnoc *m* oighir.

ice cream *n* uachtar *m* reoite.

icicle *n* coinlín reo *m*.

icing *n* reoán *m*.

icy *adj* siochta.

idea *n* smaoineamh *m*, barúil *f*.

ideal *adj* ar fheabhas. • *n* idéal *m*.

identical *adj* ionann.

identification *n* aitheantas *m*.

identify *vt* aithin.

identity *n* aithne *f*; (*particular*) féiniúlacht *f*.

idiom *n* cor cainte *m*.

idiot *n* amadán *m*.

idle *adj* díomhaoin; (*lazy*) falsa.

idleness *n* díomhaointeas *m*.

idler *n* falsóir *m*.

idol *n* íol *m*.

if *conj* (*pres/past*) má; (*cond/impfct*) dá; *conj* (*neg*) mura.

ignite *vt vi* las.

ignition *n* adhaint *f*.

ignominious *adj* náireach.

ignorance *n* aineolas *m*.

ignorant *adj* aineolach.

ignore *vt* déan neamhiontas de.

ill *adj* tinn, breoite.

ill-health *n* easláinte *f*.

illegal *adj* mídhleathach.

illegality *n* aindleathacht *f*.

illegible *adj* doléite.

illegitimate *adj* neamhdhlisteanach.

illiterate *adj* neamhliteartha.

illness *n* tinneas *m*.

illogical *adj* míloighciúil.

illuminate *vt* soilsigh.

illumination *n* soilsiú *m*; (*decoration*) maisiú *m*.

illusion *n* seachmall *m*.

illusory *adj* mealltach.

illustrate *vt* léirigh; (*decorate*) maisigh

illustrator *n* maisitheoir *m*.

illustrious *adj* oirirc.

image *n* íomhá *f*.

imaginable *adj* insamhlaithe.

imaginary *adj* samhailteach.

imagination *n* samhlaíocht *f*.

imagine *vt* samhlaigh.

imbecile *n* amadán *m*.

imbibe *vt* ól.

imbue *vt* (*to imbue someone with an idea*) smaoineamh a chur i gceann duine.

imitate *vt* déan aithris *f* (ar).

imitation *n* aithris *f*.

immaculate *adj* gan smál.

immaterial *adj* neamhábhartha.

immature *adj* anabaí.

immaturity *n* anabaíocht *f*.

immeasurably *adv* thar a bheith.

immediate *adj* láithreach.

immediately *adv* láithreach bonn.

immense *adj* ollmhór.

immerse *vt* tum.

immigrant *n* inimirceach *m*.

immigration *n* inimirce *f*.

imminent *adj* (rud) atá ar tí titim amach.

immodest *adj* mínáireach.

immoral *adj* mímhorálta.

immorality *n* mímhoráltacht *f*.

immortal adj neamhbhásmhar.

immortality n neamhbhásmhaireacht f.

immunise vt díon.

immunity n saoirse f; imdhíonacht f.

imp n grabaire m.

impair vt loit.

impalpable adj dothuigthe.

impart vt dáil (ar).

impartial adj neamhchlaon.

impassable adj dothrasnaithne.

impassive adj socair.

impatience n mífhoighne f.

impede vt bac.

impediment n constaic f.

impel vt to impel someone to do something cuir d'fhiacha ar dhuine rud éigin a dhéanamh.

impenetrable adj dothreáite.

imperative adj práinneach.

imperceptible adj domhothaithe.

impersonal adj neamhphearsanta.

impersonate vt pearsanaigh.

impertinence n sotal m.

impertinent adj sotalach.

impervious adj beag beann (ar rud); (to water) uiscedhíonach.

impetuous adj tobann; teasaí.

impetus n fuinneamh m.

impinge (on something) vi buail (ar rud éigin).

implacable adj doshásta.

implement n uirlis f.

implement vt cuir i bhfeidhm.

implicate vt cuir cuid den mhilleán ar.

implication n impleacht f.

implicit adj intuigthe.

implore vt impigh ar.

imply vt tabhair le fios; (mean) ciallaigh.

impolitic adj neamhchríonna.

import n (meaning) brí f. • npl (goods) earraí mpl iompórtálacha. • vt iompórtáil.

importance n tábhacht f.

important adj tábhachtach.

impose vt cuir ar.

impossibility n dodhéantacht f.

impossible adj dodhéanta.

impostor n mealltóir m.

impotence n éagumas m.

impotent adj éagumasach.

impoverish vt bochtaigh.

impracticable adj neamhphraiticiúil.

impregnable adj doghafa.

impressive adj sonrach.

imprison vt cuir i bpríosún.

improbability n neamhdhóchúlacht f.

improbable adj neamhdhóchúil.

improper adj mí-oiriúnach.

improve vt leasaigh.

improvement n feabhas m.

improvident adj éigríonna.

imprudent adj místuama.

impudence n sotal m.

impulsive adj ríogach.

impure adj neamhghlan.

impute vt cuir i leith (duine).

in prep i (the, sing) sa, (the, pl) sna. • adv (inwards) isteach.

inability n míchumas m.

inaccurate adj míchruinn.

inadequate adj easnamhach.

inadvertent adj neamhchúramach.

inane adj leamh.

inarticulate adj snagach.

inasmuch as conj sa mhéid go.

incarnate adj i gcolainn f dhaonna.

incense n túis f. • vt cuir fearg f ar.

incest n ciorrú coil m.

incestuous adj colach

nch *n* orlach *f*.

nclement *adj* anróiteach.

nclination *n* claonadh *m*.

ncline *vt vi* claon.

nclude *vt* cuir san áireamh.

ncognito *adv* faoi choim *f*.

ncome *n* ioncam *m*, teacht *m* isteach.

ncome tax *n* cáin *f* ioncaim.

ncomparable *adj* dosháraithe.

ncompatible *adj* neamh-chomhoiriúnach.

ncomplete *adj* neamhiomlán.

ncomprehensible *adj* dothuigthe.

nconvenience *n* míchaoithiúlacht *f*.

ncorrect *adj* mícheart.

ncrease *vt* méadaigh. • *n* méadú *m*.

ncredible *adj* dochreidte.

ncredulous *adj* amhrasach.

ncriminate *vt* ciontaigh.

ncubate *vt vi* gor.

ncur *vt* fearg *f* a tharraingt ort.

ncurable *adj* doleigheasta.

ndebted *adj* faoi chomaoin *f*.

ndecent *adj* mígheanasach.

ndeed *adv* go deimhin.

ndelible *adj* doscriosta.

ndemnify *vt* téigh in urra ar.

ndent *vt* eangaigh.

ndependence *n* neamhspleáchas *m*.

ndependent *adj* neamhspleách.

ndex *n* innéacs *m*. • *vt vi* innéac-saigh.

ndicate *vt* tabhair le fios.

ndifferent *adj* ar nós cuma liom.

ndigestion *n* mídhíleá *m*.

ndignant *adj* feargach.

ndignation *n* fearg *f*.

ndirect *adj* neamhdhíreach.

ndiscreet *adj* béalscaoilte.

ndiscretion *n* earráid *f*.

individual *n* duine *m* aonair.

indoor *adv* istigh.

indulge *vt* sásaigh.

indulgent *adj* boigéiseach.

industrial *adj* tionsclaíoch.

industrious *adj* saothrach.

industry *n* (*abstract*) tionscal *m*; dícheall *m*.

inedible *adj* do-ite.

inept *adj* baoth.

inequality *n* éagothroime *f*.

inert *adj* marbhánta.

inexcusable *adj* doleithscéil.

inexpensive *adj* saor.

inexperienced *adj* gan taithí.

inexplicable *adj* domhínithe.

inextricable *adj* dofhuascailte.

infallible *adj* do-earráide.

infant *n* naíonán *m*.

infantile *adj* leanbaí.

infantry *n* cos-slua *m*.

infect *vt* ionfabhtaigh.

infection *n* ionfabhtú *m*.

inferior *adj* íochtarach.

infertile *adj* neamhthorthúil.

infest *vt*: **infested with** foirgthe le.

infinitesimal *adj* an-bhídeach.

infirm *adj* easlán.

inflammable *adj* inlasta.

inflate *vt* séid.

inflation *n* (*money*) boilsciú *m*.

inflict *vt* (rud) a ghearradh ar.

influence *n* tionchar *m*. • *vt* téigh i bhfeidhm *f* ar.

influenza *n* fliú *m*.

inform *vt* cuir (rud) in iúl.

informal *adj* neamhfhoirmiúil.

informality *n* neamhfhoirmiúlacht *f*.

information *n* eolas *m*.

information technology *n* teicneolaíocht *f* an colais.

infrequent *adj* annamh.

infringe *vt* sáraigh.

ingenious *adj* intleachtach.

ingenuous *adj* oscailte.

ingot *n* barra *m*.

ingredient *n* comhábhar *m*.

inhabit *vt* áitrigh.

inhabitable *adj* ináitrithe.

inhabitant *n* áitreabhach *m*.

inhale *vt* ionanálaigh.

inherit *vt* faigh (rud) mar oidhreacht *f*.

inhibit *vt* cros rud ar.

inhibition *n* urchoilleadh *m*.

inhospitable *adj* doicheallach.

inhuman *adj* mídhaonna.

initial *adj* tosaigh. • *n* túslitir *f*.

inject *vt* insteall.

injection *n* instealladh *m*.

injure *vt* gortaigh.

injurious *adj* díobhálach.

injury *n* gortú *m*.

ink *n* dúch *m*.

inland *adj* intíre.

inlet *n* gaoth *m*.

inn *n* óstán *m*.

innate *adj* dúchasach.

inner *adj* inmheánach, istigh.

innkeeper *n* óstóir *m*.

innocent *adj* neamhchiontach.

innovate *vt* nuálaigh.

innovation *n* nuáil *f*.

innovator *n* nuálaí *m*.

innuendo *n* leathfhocal *m*.

inoculate *vt* ionaclaigh

inquire *vt vi* fiafraigh.

inquiry *n* fiosrúchán *m*.

inquisitive *adj* fiosrach.

insane *adj* as do mheabhair *f*.

insanitary *adj* míshláintiúil.

insanity *n* gealtacht *f*.

insect *n* feithid *f*.

insecure *adj* éadaingean.

inseparable *adj* do-scartha.

insert *vt* cuir isteach.

inside *n* taobh istigh. • *adv* isteach.

insincere *adj* éigneasta.

insipid *adj* leamh.

insist *vi* seas ar.

insolvency *n* dócmhainneacht *f*.

insolvent *adj* dócmhainneach.

insomnia *n* neamhchodladh *m*.

inspect *vt* scrúdaigh.

instal *vt* suiteáil.

instalment *n* (*payment*) glasíoc *m*.

instance *n* sampla *m*.

instant *adj* ar an toirt. • *n* nóiméad *m*.

instil *vt* cuir ina luí ar.

instinct *n* instinn *f*.

instinctive *adj* instinneach.

institute *n* institiúid *f*.

institution *n* institiúid *f*.

instrument *n* (*music*) gléas *m*; (*pol* beart *m*.

insular *adj* oileánach.

insulate *vt* insligh.

insult *vt* maslaigh. • *n* masla *m*.

insurance *n* (*com*) árachas *m*.

insurance policy *n* polasaí árachais *m*

insure *vt* árachaigh.

intact *adj* iomlán.

integrity *n* ionracas *m*.

intellect *n* intleacht *f*.

intellectual *adj* intleachtúil.

intelligence *n* intleacht *f*.

intelligible *adj* sothuigthe.

intend *vt* tá de rún ag.

intense *adj* dian.

intensify *vt* géaraigh.

intensity *n* déine *f*.

intention *n* rún *m*.

intentional adj d'aon turas.

intercede vi déan idirghuí.

intercept vt ceap.

intercourse n caidreamh m; (sexual) caidreamh m collaí.

interest n suim f.

interesting adj suimiúil.

internal adj inmheánach.

international adj idirnáisiúnta.

internet n idirlíon m.

interpret vt mínigh.

interpreter n ateangaire m.

interrupt vt cuir isteach.

interruption n cur isteach m.

intertwine vt figh.

intervene vi déan idirghabháil f.

intervention n idirghabháil f.

interview n agallamh m. • vt cuir agallamh ar.

intestine n stéig f.

intimacy n dlúthchaidreamh m.

intimate adj dlúth.

into prep isteach i, i.

intonation n tuin f chainte f.

intricate adj casta.

intrinsic adj ann féin.

introduce vt cuir (duine) in aithne f.

introduction n cur in aithne f.

intrude vi brúigh isteach ar.

intruder n foghlaí m.

intuition n iomas m.

invalid adj neamhbhailí. • n easlán m.

invariable adj neamhathraitheach.

invent vt fionn.

invention n fionnachtain f.

inventive adj airgtheach.

inventor n fionnachtaí m.

inventory n liosta m.

Inverness n Inbhir Nis m.

invert vt inbhéartaigh.

invest vt infheistigh.

invisible adj dofheicthe.

invitation n cuireadh m.

invite vt tabhair cuireadh (do).

invoice n (com) sonrasc m.

involuntary adj éadoilteanach.

involve vt baint a bheith (agat) le.

inward adj isteach.

inwards adv isteach.

Ireland n Éire f, (in Ireland) in Éirinn.

Irish adj Éireannach, Gaelach.

irksome adj bearránach.

iron n iarann m. • adj iarainn. • vt iarnáil.

ironic adj íorónta.

irony n íoróin f.

irrational adj éigiallta.

irregular adj neamhrialta.

irrelevant adj neamhábhartha.

irreverent adj easurramach.

irrigate vt uiscigh.

irrigation n uisciú m.

irritable adj colgach.

irritation n crá m.

Islam n Ioslamachas m.

island n oileán m.

islander n oileánach m.

Islay n Île m.

isolate vt leithlisigh.

isolated adj iargúlta.

issue n ceist f; (descendents) sliocht m.

isthmus n cuing f.

it pn é, (fem) í.

Italian adj Iodálach.

Italy n An Iodáil f.

itch n tochas m.

itchy adj tochasach.

itinerary n plean m aistir.

its pn a.

itself pn é féin, í féin.

ivory n eabhar m.

J

jab n insealladh m. • vt sáigh.

jacket n casóg f.

Jacobite n adj Seacaibíteach m

jagged adj eangach.

jail n príosún m.

jam n subh m; (traffic) plódú tráchta m.

jangle vi bheith ag gliogarnach.

janitor n doirseoir m.

January n Eanáir m.

jar n crúsca m.

jargon n béarlagair m.

jaundice npl na buíocháin m.

jaunt n turas m.

jaunty adj aerach.

jaw n giall m.

jawbone n cnámh f géill.

jealous adj éadmhar.

jealousy n éad m.

jeans n bríste m géine.

jeer vt déan fonóid f faoi.

jelly n glóthach f.

jellyfish n smugairle m róin.

jerkin n seircín m.

jersey n geansaí m.

jest vi déan magadh.

jester n fear m magaidh.

jet plane n scairdeitleán m.

jettison vt cuir i bhfarraige f.

jetty n lamairne m, caladh cuain m.

jewel n seoid f.

jeweller n seodóir m.

jib n seol m cinn. • vi cuir stailc suas.

jig n port m.

jilt vt tréig.

job n jab m.

jockey n jacaí m.

jog vi tabhair broideadh do; bheith ar bogshodar.

join vt ceangail.

joiner n siúinéir m.

joinery n siúinéireacht f.

joint n comhpháirteach. • n alt m.

jointly adv i gcomhpháirtíocht.

joke n magadh m.

jollity n meidhréis f.

jolly adj meidhreach.

jolt n stangadh m. • vt croith.

jostle vt guailleáil.

jot n faic f na fríde, dada m.

journal n iris f.

journalism n iriseoireacht f.

journalist n iriseoir m.

journey n turas m.

jovial adj meidhreach.

jowl n giall m.

joy n gliondar m.

joyful adj gliondrach.

jubilant adj ríméadach.

jubilee n iubhaile f.

judge n breitheamh m. • vt tabhair breith ar.

judgment n breithiúnas m.

judicial adj dlíthiúil.

jug n crúsca m.

juggle vt déan lámhchleasaíocht f.

jugular adj (féith) scornaí f.

juice n sú m.

juicy adj súmhar.

July n Iúil m.

jump n léim f. • vi vt léim.

jumper n geansaí m.

juncture n gabhal m.

June n Meitheamh m.

jungle n mothar m.

junior adj sóisearach; (rank) níos sóisearaí.

juniper n aiteal m.

junk n bruscar m.

junket n juncaed m. • vt déan féasta

juror n giúróir m.

just adj cóir • adv go díreach.

justice n ceart m.

justifiable adj inmhaite.

justification n fíorú (ráiteas, etc) m; saoradh (duine) ó chion m.

justify vt saor (duine) ó chion; fíoraigh (ráiteas, etc).

jut vi gob amach.

juvenile adj óigeanta.

juxtapose vt cuir rudaí le hais a chéile.

K

kale n cál m.

keel n cíl f.

keen adj díograiseach. • vt vi caoin.

keenness n géire f.

keep n daingean m. • vt coinnigh.

keepsake n cuimhneachán m.

kelp n ceilp f.

kennel n conchró m.

kerb n colbha cosáin m.

kernel n eithne f.

kettle n citeal m.

key n eochair f; (mus) gléas m.

keyboard n eochairchlár m.

keystone n eochair f.

kick n cic m. • vt ciceáil.

kid n (goat) meannán m.

kidnap vt fuadaigh.

kidney n duán m.

kill vt maraigh.

killer n marfóir m.

kilogram n cileagram m.

kilometre n ciliméadar m.

kin n muintir f.

kind adj cineál.

kindle vt dearg.

kindly adj cineálta.

kindred adj d'aon chineál.

kindred n muintir f.

king n rí m.

kingdom n ríocht f.

kinsman n fear m muinteartha.

kinswoman n bean f mhuinteartha.

kiosk n both f

kipper n scadán m leasaithe.

kiss n póg f. • vt póg.

kit n trealamh m.

kitbag n mála m taistil; (mil) mála m trealaimh.

kitchen n cistin f.

kite n eitleog f.

kitten n puisín m.

knack n cleas m deaslámhaí.

knapsack n cnapsac m.

knave n cneamhaire m.

knead vt fuin.

knee n glúin f.

kneecap n capán glúine f.

kneel vi téigh ar do ghlúine f, sléacht.

knickers n brístín m.

knife n scian f.

knight n ridire m.

knighthood n ridireacht f.

knit vt cniotáil.

knitter n cniotálaí m.

knitting needle n biorán m cniotála f.

knob n cnap m; murlán m.

knock n cnag m. • vt cnag.

knoll n maolchnoc m.

knot n snaidhm f. • vt snaidhm.

knotted, knotty adj snaidhmeach.

know vt vi aithnigh; bheith eolach ar.

knowing adj eolach.

knowingly adj go heolach.

knowledge n eolas m.

knowledgeable adj go heolach.

knuckle n alt m.

kyle n caol m.

L

label n lipéad m.

labial adj liopach.

laboratory n saotharlann f.

laborious adj saothrach.

labour vi obair f.

labourer n oibrí m.

labyrinth n cathair f ghríobháin.

lace n lása m, iall f. • vt ceangail.

lacerate vt stiall.

laceration n stialladh m.

lack n easnamh m. • vi bheith easnamhach.

lad, laddie n buachaill m.

ladder n dréimire m.

ladle n ladar m.

lady n bean f uasal.

ladybird n bóín f Dé.

ladylike adj banúil.

lair n uachais f.

lake n loch m.

lake dwelling n crannóg f.

lamb n uan m; (roast) uaineoil f.

lame adj bacach.

lameness n bacaíl f.

lament n caoineadh m. • vi vt caoin.

lamentable adj méalach.

lamentation n caoineadh m.

lamp n lampa m.

lance vt lansaigh.

lancet n lansa m.

land n talamh m. • vt cuir i dtír f.

landholder n tiarna m talún.

landing n ceann m staighre; (of aeroplane) tuirlingt f.

landing strip n stráice tuirlingthe m.

landlady n bean f tí.

landlocked adj talamhiata.

landmark n sprioc f.

landscape n tírdhreach m.

landslide n maidhm f thalún.

landward adv i dtreo na talún.

lane n bóithrín m.

language n teanga f.

languish vi téigh in ísle f brí

lanky adj scailleagánta.

lantern n laindéar m.

lap n ucht m.

lap vi bheith ag lapadáil.

lapel n bóna m.

lapse n earráid f.

larceny n gadaíocht f.

larch n learóg f.

lard n blonag f.

larder n lardrús m.

large adj mór.

lark n fuiseog f.

lass, lassie n cailín m.

last adj deireanach. • adv ar deireadh.

lasting adj buan.

late adj mall.

lately adv le déanaí.

lateness n déanaí f.

latent adj folaigh.

lather n sobal m. • vt cuir sobal ar.

Latin n Laidin f.

lattitude n domhanleithead m.

latter adj deireanach.

laugh n gáire m. *vi déan gáire.

laughter n gáire m.

launch vt láinseáil.

laurel n labhras m.

lavatory n leithreas m.

lavish adj fial. • vt caith go doscaí.

law n dlí m.

lawsuit n cúis f dlí.

lawyer n dlíodóir m.

laxative n purgóid f.

lay vt leag, cuir, breith.

lay-by n leataobh m.

layer n brat m.

layman n tuata m.

laziness n falsacht f.

lazy adj falsa.

lead n (min) luaidhe f; (dog) iall f. • vt treoraigh.

leaden adj ar dhath na luaidhe f.

leader n ceannaire m.

leaf n duille m.

leafy adj duilleach.

league n (pol) conradh m; (sport) sraith f.

leak n deoir f anuas. • vi (tank, etc) lig tríd; (shoes) lig isteach; (boat) bheith ag déanamh uisce.

leaky adj pollta.

lean adj caol. *vi lig do thaca le.

leap vt vi léim.

leap year n bliain f bhisigh.

learn vt foghlaim.

lease n léas m.

leasehold n léasacht f.

least adj is lú.

leather n leathar m.

leave n saoire f; cead m scoir. • vt fág. • vi imigh.

lecherous adj drúisiúil.

lecture n léacht f. • vt tabhair léacht.

ledge n leac f.

ledger n mórleabhar cuntas m.

lee, lee-side n taobh m an fhoscaidh.

leech n súmaire m.

leek n cainneann f.

left adj clé; **the left** (pol) an eite f chlé.

left-hand n ciotóg f.

left-handed adj ciotógach.

left-hand side n taobh m na láimhe clé.

leg n cos f.

legacy n oidhreacht f.

legalise vt déan (nós) dlíthiúil.

legend n finscéal m.

legendary adj finscéalach.

legibility n inléiteacht f.

legible adj inléite.

legislate vi achtaigh.

legitimate adj dlisteanach.

leisure n fóillíocht f.

leisurely adj go socair.

lemon n líomóid f.

lend vt tabhair (rud) ar iasacht f do.

lender n iasachtóir m.

length n fad m.

lengthen vt fadaigh, cuir fad le.

lengthways, lengthwise adv ar (a) fhad.

lenient adj bog.

lens n lionsa m.

Lent n An Carghas m.

leper n lobhar m.

leprechaun n leipreachán m.

less adj níos lú.

lessen vt laghdaigh.

lesson n ceacht m.

lest conj ar eagla f go.

let vt (lease) lig ar cíos; lig.

lethal adj marfach.

letter n litir f.

letter box n bosca m litreacha.

lettuce n leitís f.

level adj cothrom.

level n leibhéal m. • vt cuir ar leibhéal.

lever n liamhán m.

lewd adj graosta.

lewdness n graostacht f.

liability n (responsibility) freagracht f; (law) dliteanas m.

liable *adj* freagrach.

liar *n* bréagadóir *m*.

libel *vt* leabhlaigh.

liberal *adj* liobrálach.

librarian *n* leabharlannaí *m*.

library *n* leabharlann *f*.

licence *n* ceadúnas *m*.

license *vt* ceadúnaigh.

lichen *n* crotal *m*.

lick *vt* ligh.

lid *n* clár *m*.

lie *vi* luigh. • *n* bréag *f*. • *vt* déan bréag *f*.

life *n* beatha *f*, saol *m*.

lifeboat *n* bád *m* tarrthála.

lifeguard *n* garda *m* tarrthála.

lifestyle *n* stíl *f* bheatha.

lift *n* (*elevator*) ardaitheoir *m*. • *vt* tóg.

light *adj* éadrom.

light *n* solas *m*. • *vt* las.

light-headed *adj* éaganta.

lighten *vt* éadromaigh, laghdaigh.

lighthouse *n* teach *m* solais.

lightness *n* éadroime *f*.

lightning *n* tintreach *f*.

like[1] *adj* den chineál chéanna. • *n* **and the like** agus a leithéid *m*.

like[2] *vt* is maith le.

likeness *n* cosúlacht *f*.

likewise *adv* mar an gcéanna.

limb *n* géag *f*.

limestone *n* aolchloch *f*.

lime tree *n* crann *m* líomaí.

limit *n* teorainn *f*.

limited *adj* (*Ltd*) teoranta *m* (teo.).

limp *n* céim *f* bhacaí. • *vi* bheith ag bacadradh.

limpet *n* bairneach *m*.

lindin tree *n* crann *m* teile *f*.

line *n* líne *f*. • *vt* línigh.

lineage *n* ginealach *m*.

lineal *adj* díreach.

linear *adj* líneach.

linen *n* líon *m*.

linger *vi* moiligh.

linguist *n* teangeolaí *m*.

link *n* ceangal *m*.

linnet *n* gleoiseach *f*.

lion *n* leon *m*.

lioness *n* leon *m* baineann.

lip *n* liopa *m*.

liquefy *vi vt* leachtaigh.

liquid *adj* leachtach. • *n* leacht *m*.

liquidate *vt* leachtaigh.

lisp *n* gliscín *m*. • *vt vi* labhair go briotach.

list *n* liosta *m*. • *vt* déan liosta de.

listen *vi* éist.

listener *n* éisteoir *m*.

listless *adj* spadánta.

literacy *n* litearthacht *f*.

literal *adj* litriúil.

literate *adj* liteartha.

literature *n* litríocht *f*.

litre *n* lítear *m*.

litter *n* bruscar *m*; (*of young*) ál *m*. • *vt* cuir (seomra, etc) trína chéile.

little *adj* beag.

liturgy *n* liotúirge *m*.

live *adj* beo. • *vi* mair.

livelihood *n* slí *f* bheatha *f*.

lively *adj* bríomhar.

liver *n* ae *m*.

livid *adj* glasghnéitheach.

lizard *n* loghairt *f*.

load *n* ualach *m*. • *vt* lódaigh.

loaf *n* builín *m*.

loan *n* iasacht *f*.

loathe *vt* is leasc le.

loathing *n* gráin *f*.

loathsome *adj* fuafar.

lobster *n* gliomach *m*.

lobster pot n pota m gliomach.

local adj áitiúil.

locality n ceantar m.

locate vt aimsigh.

loch n loch m.

lock n glas m; (of hair) dlaoi f. • vt cuir glas ar.

locket n loicéad m.

locksmith n glasadóir m.

lodge n lóiste m. • vi bheith ar lóistín (ag).

lodger n lóistéir m.

loft n lochta m.

log n lomán m. • vi (comput) **to log off** log as, **to log on** log ann.

logic n loighic f.

logical adj loighciúil.

loiter vi bheith ag falróid.

loll vi bheith ag sínteoireacht.

lollipop n líreacán m.

lone adj aonarach.

loneliness n uaigneas m.

long adj fada. • adv i bhfad. • vi bheith ag tnúth le.

long ago adv i bhfad ó shin.

long-term adj fadtréimhseach.

longevity n fad m saoil.

longing n tnúth m.

longitude n domhanfhad m.

long-suffering adj fadfhulangach.

long-wave n fadtonn f. • adj fadtonnach.

long-winded adj fadchainteach.

look n amharc m; (appearance) cuma f. • vi amharc, féach; **to look for** lorg.

looking glass n scáthán m.

loop n lúb f.

loophole n lúb f ar lár.

loose adj scaoilte. • vi scaoil.

lopsided adj leataobhach.

lord n tiarna m.

lore n seanchas m.

lose vt caill.

loss n cailleadh m.

lost adj caillte.

lotion n lóis f.

lottery n crannchur m.

loud adj ard, glórach.

loudness n glóraí f.

loudspeaker n callaire m.

lounge n seomra m suí.

louse n míol m.

lousy adj ainnis.

lout n bodach m.

love n grá m.

lover n leannán m.

lovesick adj i bpian f an ghrá.

loving adj geanúil.

low adj íseal.

low-cut adj le brollach íseal.

lower vt ísligh.

lowest adj is ísle.

lowly adj uiríseal.

loyal adj dílis.

loyalty n dílseacht f.

lubricate vt bealaigh.

lucid adj soilseach.

luck n ádh m.

lucky adj ámharach.

lucrative adj éadálach.

ludicrous adj áiféiseach.

luggage n bagáiste m.

lukewarm adj bogthe.

lull vt cuir chun suain.

lullaby n suantraí f.

luminous adj lonrach.

lump n cnap m.

lumpy adj cnapach.

lunacy n buile f.

lunar adj **lunar year** bliain f ghealaí f; **lunar eclipse** urú gealaí f.

lunch, luncheon n lón m.
lung n scamhóg f.
lurch n turraing f. • vi bheith ag stámhailleach
lure n mealladh m. • vt meall.
lurid adj scéiniúil.
lurk vi fan i bhfolach.
luscious adj sáil.

lust n ainmhian f.
lustre n loinnir f.
lusty adj fuinniúil.
luxuriant adj borb, uaibhreach.
luxurious adj macnasach.
luxury n ollmhaitheas m.
lyre n lir f.
lyric n liric f.

M

mace n más m.

machine n meaisín m.

machinery n innealra m.

mackerel n ronnach m.

magazine n iris f.

magic adj draíochta. • n draíocht f.

magician n asarlaí m.

magistrate n giúistís f.

magnet n maighnéad m.

magnification n (opt) formhéadú m.

magnificence n ollástacht f.

magnificent adj thar barr.

magnify vt formhéadaigh.

magnitude n méid f.

magpie n snag m breac.

maid n cailín m (aimsire).

mail n post m, litreacha fpl. • vt cuir sa phost.

mail-order n postdíol m.

main adj príomh-.

mainland n mórthír f.

mainly adv den chuid f is mó.

maintain vt coinnigh; cothaigh.

maintenance n cothabháil f.

majestic adj mórga.

majesty n mórgacht f.

major adj tábhachtach. • n (milit) maor m.

make vt déan; **to make for** déan ar; **to make off** bain as; **to make do with** tar le. • n cineál m.

make-up n smideadh m.

male adj fearúil. • n fireannach m.

malevolence n drochaigeantacht f.

malice n mailís f.

malicious adj mailíseach.

malign vt caith anuas ar.

malignant adj (med) urchóideach.

mallet n mailléad m.

malt n braich f.

maltster n braicheadóir f.

maltreat vt tabhair drochíde f do.

mam, mammy n mam f, mamaí f.

mammal n mamach m.

man n fear m.

manage vt stiúir.

manageable adj soláimhsithe.

management n bainisteoireacht f.

manager n bainisteoir m.

manageress n bainistréas f.

mane n moing f.

manful adj fearúil.

manger n mainséar m.

mangle vt basc.

manhood n feargacht f.

maniac n (med) máineach m; (lunatic) gealt f.

manifest vt taispeáin.

manifestation n taispeánadh m.

manifesto n forógra m.

manipulate vt láimhsigh.

mankind n an cine daonna m.

manner n caoi f; (behaviour) béasa m.

mannerism n dóigh f.

mannerly adj múinte.

manners n múineadh m.

manse n bansa m.

mansion n teach m mór.

mantelpiece n matal m.

manual adj láimhe. • n lámhleabhar m.

manufacture vt déan.

manure n leasú m. • vt leasaigh.

manuscript n lámhscríbhinn f.
many adj a lán • pron mórán.
map n léarscáil f.
mar vt loit.
marble n marmar m.
March n Márta m.
march n máirseáil f. • vi máirseáil.
mare n láir f.
marijuana n marachuan m.
marine adj mara.
mariner n maraí m.
maritime adj (plants) mara; (area) láimh f le muir.
mark n smál m; rian m.
market n margadh m.
marketable adj indíolta.
maroon vt cuir ar oileán uaigneach.
marquee n ollphuball m.
marriage n pósadh m.
marriageable adj inphósta.
married adj pósta.
marry vt pós.
marsh n seascann m.
marshy adj riascach.
marten n cat m crainn.
martial adj míleata.
martyr n mairtíreach m.
marvel n iontas m. • vi déan iontas de.
marvellous adj iontach.
mascot n sonóg f.
masculine adj fireann.
mash n measc m, brúigh m.
mask n masc m.
mason n saor cloiche f.
masonry n saoirseacht f chloiche f.
mass n toirt f; (church) aifreann m.
massacre n ár m.
massage n suathaireacht f.
massive adj oll-.
mast n crann m.

master n máistir m.
masterly adj máistriúil.
masterpiece n sárshaothar m.
mat n mata m.
match n lasán m. • vt meaitseáil.
matchless adj díchomórtais.
mate n céile m, comrádaí m; (chess) marbhsháinn f; (ship) máta m. • vt vi cúpláil;
material n ábhar m.
maternal adj máthartha.
maternity n máithreachas m.
mathematics n matamaitic f.
matinee n nóinléiriú m.
matins n maitín m.
matrimony n pósadh m.
matter n ábhar m, damhna m.
mattress n tocht m.
mature adj aibí.
maul vt clamhair.
mavis n smólach m.
maw n méadail f.
maximum n uasmhéid f.
may vb aux féad.
May n Bealtaine f.
Mayday n Lá Bealtaine f.
maze n lúbra m.
me pn mé, mise.
meadow n móinéar m.
meagre adj gortach.
meal n min f; (repast) béile m.
mealy adj mineach.
mean adj suarach.
mean n meán m.
mean vt ciallaigh.
meaning n ciall f.
meaningless adj gan chiall f.
meantime adv idir an dá linn f.
measles n bruitíneach f.
measurable adj intomhaiste.
measure n tomhas m. • vt tomhais.

measurement *n* tomhas *m*.

meat *n* feoil *f*.

mechanic *n* meicneoir *m*.

mechanism *n* meicníocht *f*.

medal *n* bonn *m*.

meddle *vi* bain le.

mediate *vt* déan idirghabháil.

mediation *n* idirghabháil *f*.

mediator *n* idirghabhálaí *m*.

medical *adj* leighis.

medicinal *adj* íocshláinteach.

medicine *n* leigheas *m*.

medieval *adj* meánaoiseach.

mediocre *adj* lagmheasartha.

meditate *vi* machnaigh.

meditation *n* machnamh *m*.

medium *n* meán- *m*.

medium wave *n* meántonnach *m*.

meek *adj* ceansa.

meekness *n* ceansacht *f*.

meet *vt* cas le, buail le.

meeting *n* cruinniú *m*.

megalith *n* meigilit *f*.

melancholy *adj* gruama. • *n* gruaim *f*.

mellifluous *adj* milisbhriathrach.

mellow *adj* (*fruit*) méith; (*sound*) séimh.

melodious *adj* fonnmhar.

melody *n* fonn *m*.

melon *n* mealbhacán *m*.

melt *vt vi* leáigh.

melting point *n* leáphointe *m*.

member *n* ball *m*.

member of parliament *n* feisire parlaiminte *f*.

membership *n* ballraíocht *f*.

memento *n* cuimhneachán *m*.

memoirs *npl* cuimhní cinn *mpl*.

memorable *adj* suntasach.

memorise *vt* cuir de ghlanmheabhair.

memory *n* cuimhne *f*.

mend *vt* deisigh.

mental *adj* intinne.

mention *vt* luaigh.

menu *n* biachlár *m*.

merchant *n* ceannaí *m*.

mercy *n* trócaire *f*.

mere *adj* lom-.

merge *vt* cónaisc.

merit *n* fiúntas *m*.

mermaid *n* maighdean *f* mhara.

merriment *n* meidhir *f*.

mess *n* prácás *m*.

message *n* teachtaireacht *f*.

messenger *n* teachtaire *m*.

metal *n* miotal *m*.

metallic *adj* miotalach.

meteor *n* dreige *f*.

meter *n* méadar *m*.

method *n* modh *m*.

metre *n* méadar *m*.

mettle *n* mianach *m*.

microbe *n* bitheog *f*.

micro- *n prefix* (*comput*) micrea-, micri-.

microwave *n* oigheann *m* micreathoinne.

mid *adj* lár-.

middle *n* lár *m*.

middle-aged *adj* meánaosta.

midge *n* míoltóg *f*.

midnight *n* meám oíche *f*.

midwife *n* bean *f* ghlúine *f*.

migrate *vi* téigh ar imirce *f*.

mild *adj* séimh.

mile *n* míle *m*.

military *adj* míleata.

milk *n* bainne *m*. • *vt* bligh.

milky *adj* bainniúil.

mill *n* muileann *m*.

millennium *n* mílaois *f*.

miller *n* muilleoir *m*.

million *n* milliún *m*.

mime *n* mím *f*.

mimicry *n* aithris *f*.

mind *n* intinn *f*.

mine *n* mianach *m*. • *poss pron* mo.

mineral *adj* mianrach • *n* mianra *m*.

mingle *vi* téigh i measc.

miniature *n* mionsamhail *f*.

minister *n* aire *m*. • *vt* riar ar.

minor *n* mionaoiseach *m* • *adj* mion-.

minstrel *n* fear *m* dána.

minus *prep* lúide.

minute *adj* beag bídeach. • *n* bomaite *m*, nóiméad *m*.

minx *n* giodróg *f*.

miracle *n* míorúilt *f*.

mirage *n* mearú súl *f*.

mirror *n* scáthán *m*.

misapprehension *n* míthuiscint *f*.

misbehaviour *n* mí-iompar *m*.

miscarriage *n* breith *f* anabaí.

mischief *n* diabhlaíocht *f*.

mischievous *adj* iomlatach.

misdeed *n* míghníomh *m*.

miser *n* sprionlóir *m*.

miserable *adj* ainnis.

misogyny *n* fuath *m* ban.

Miss *n* Iníon *f*.

miss *vt* caill.

missing *adj* ar iarraidh.

missionary *n* misinéir *m*.

mist *n* ceo *m*.

mistake *n* meancóg *f*.

Mister *n* An tUasal *m*.

mistletoe *n* drualus *m*.

mistress *n* máistreás *f*; bean luí *f*.

misty *adj* ceobhránach.

misunderstand *vt* bain míthuiscint as.

mite *n* fíneog *f*.

mix *vt* measc.

mixture *n* meascán *m*.

moan *n* éagaoin *f*. • *vi* bheith ag éagaoin.

mob *n* gramaisc *f*.

mobile phone *n* guthán *m* póca.

mock *vt* déan magadh faoi.

model *n* samhail *f*. • *vt* múnlaigh.

moderate *adj* cuibheasach.

moderation *n* measarthacht *f*.

modern *adj* nua-aimseartha.

modernise *vt* nuachóirigh.

modest *adj* modhúil.

modesty *n* modhúlacht *f*.

moist *adj* tais.

moisten *vt* fliuch.

mole *n* caochán *m*; (*on the skin*) ball *m* dobhráin.

molest *vt* cuir isteach ar.

mollify *vt* suaimhnigh.

mollusc *n* iasc *m* sliogánach.

moment *n* nóiméad *m*.

momentary *adj* gearrshaolach.

momentous *adj* an-tábhachtach.

monarch *n* monarc *m*.

monastery *n* mainistir *f*.

Monday *n* An Luan *m*.

money *n* airgead *m*.

monitor *n* (*comput*) monatóir *m*.

monk *n* manach *m*.

monkey *n* moncaí *m*.

monopoly *n* monoplacht *f*.

monotony *n* liostacht *f*.

monster *n* arrachtach *m*.

month *n* mí *f*.

monthly *adj* míosúil.

monument *n* séadchomhartha *m*.

mood *n* aoibh *f*.

moody *adj* dúr.

moon *n* gealach *f*.

moor *n* móinteán *m*. • *vt* feistigh.

moral *adj* morálta.

moreover *adv* ar a bharr sin.

morning *n* maidin *f*.

mortal *adj* básmhar.

mosquito *n* corrmhíol *m*.

moss *n* caonach *m*.

most *adj* bunús. • *pron* an mhórchuid *f*.

moth *n* féileacán oíche *f*, leamhan *m*.

mother *n* máthair *f*.

mother-in-law *n* máthair *f* chéile.

motherly *adj* máithriúil.

motion *n* gluaiseacht *f*.

motive *n* cúis *f*.

motor *n* inneall *m*.

motorist *n* gluaisteánaí *m*.

motto *n* mana *m*.

mould *n* múnla *m*.

mouldy *adj* clúmhúil.

moult *vi vt* (*bird*) bheith ag cur na gcleití; (*animal*) bheith ag cur an fhionnaidh.

mound *n* meall *m*.

mountain *n* sliabh *m*.

mountaineer *n* sléibhteoir *m*.

mourn *vt vi* caoin.

mourning *n* brón *m*.

mouse *n* luchóg *f*; (*comput*) luch *f*.

moustache *n* croiméal *m*.

mouth *n* béal *m*.

mouthful *n* bolgam *m*.

move *vi* bog; *vt* bog, gluais; aistrigh.

mow *vt* bain.

Mrs *n* Bean *f*.

much *adj* a lán.

muck *n* salachar *m*.

mud *n* clábar *m*.

muddle *n* cíor *f* thuathail.

muddy *adj* lábánach.

mug *n* muga *m*.

multiple *adj* iomadúil.

multiply *vt* iolraigh.

mumble *vt* mungail.

mumps *n* an plucamas *m*.

murder *n* dúnmharú *m*. • *vt* dúnmharaigh.

murderer *n* dúnmharfóir *m*.

murmur *n* monabhar *m*.

muscle *n* matán *m*.

museum *n* músaem *m*.

mushroom *n* muisriún *m*.

music *n* ceol *m*.

musical *adj* ceolmhar.

musical instrument *n* gléas *m* ceoil.

mussel *n* diúilicín *m*.

muster *n* comhchruinniú *m*.

mutation *n* athrú *m*.

mute *adj* balbh.

mutilate *vt* ciorraigh.

mutiny *n* ceannairc *f*.

mutton *n* caoireoil *f*.

mutual *adj* cómhalartach.

my *pn* mo, m', agam.

myself *pn* mé féin.

mysterious *adj* rúndiamhair.

mystery *n* rúndiamhair *f*.

mystical *adj* mistiúil.

myth *n* miotas *m*.

mythology *n* miotaseolaíocht *f*.

N

nag *vt* tabhair amach do.

nail *n* tairne *m*.

naïve *adj* saonta.

naked *adj* lomnocht.

name *n* ainm *m*.

nap *n* néal *m* codlata.

narrate *vt* aithris.

narrative *n* scéal *m*.

narrow *adj* cúng.

nasal *adj* srónach.

nasty *adj* mailíseach.

nation *n* náisiún *m*.

national *adj* náisiúnta.

nationalism *n* náisiúnachas *m*.

nationalist *n* náisiúnaí *m*.

nationality *n* náisiúntacht *f*.

native *adj* dúchasach. • *n* dúchasach *m*.

natural *adj* nádúrtha.

nature *n* nádúr *m*.

naughty *adj* dána.

nausea *n* samhnas *m*.

nauseous *adj* samhnasach.

nautical *adj* muirí.

navel *n* imleacán *m*.

neap-time *n* mallmhuir *f*

near (to) *prep* cóngarach (do).

near-sighted *adj* gearr-radharcach.

nearly *adv* beagnach.

neat *adj* slachtmhar.

necessary *adj* riachtanach.

necessity *n* riachtanas *m*.

neck *n* muineál *m*.

need *n* riachtanas *m*. • *vt* tá ~ ó.

needle *n* snáthaid *f*.

needy *adj* bocht.

negative *adj* diúltach.

neglect *vt* déan faillí i rud.

negligent *adj* neamhchúramach.

negotiate *vt* tar ar chomhréiteach.

neighbour *n* comharsa *f*.

nephew *n* nia *m*.

nerve *n* néaróg *f*.

nest *n* nead *f*.

Netherlands *n* An Ísiltír *f*.

net *n* líon *m*.

nettle *n* neantóg *f*.

neutral *adj* neodrach.

never *adv* riamh, go deo.

nevertheless *adv* mar sin féin.

new *adj* nua, úr.

New Year *n* An Bhliain Úr *m*.

next *adj* seo chugainn

nice *adj* deas.

niche *n* almóir *m*.

nickname *n* leasainm *m*.

niece *n* neacht *f*.

night *n* oíche *f*.

nightingale *n* filiméala *f*.

nil *n* náid *f*.

nine *adj n* naoi *m*.

nineteen *adj n* naoi (gcinn) déag *m*.

ninety *adj n* nócha *m*.

ninth *adj n* naoú *m*.

nip *n* liomóg *m*; (*drink*) braon *m*.

nipple *n* dide *f*, sine *f*.

noble *adj* uasal.

nod *n* sméideadh cinn *m*.

noise *n* gleo *m*.

noisy *adj* glórach.

nominate *vt* ainmnigh.

nonsense *n* amaidí *f*.

nonstop *adv* gan stad.

noon *n* meán *m* lae.

normal *adj* gnáth-.

normally *adv* de ghnáth.

north *n* tuaisceart *m.* • *adj* tuaisceartach.

northeast *n* oirthuaisceart *m.*

northern *adj* tuaisceartach.

northwest *n* iarthuaisceart *m.*

nose *n* srón *f.*

note *n* nóta *m.* • *vt* tabhair faoi deara.

notebook *n* leabhar *m* nótaí.

nothing *n* faic *f.*

notice *n* fógra *m.* • *vt* tabhair faoi deara.

notify *vt* cuir (rud) in iúl do.

nuclear *n* núicléach *m.*

numb *adj* bodhar.

number *n* uimhir *f.* • *vt* cuir uimhir *f* ar.

numeral *n* uimhir *f.*

numerous *adj* líonmhar.

nurse *n* banaltra *f.*

nursery *n* plandlann *f*; (*children*) naíolann *f.*

nursing home *n* teach banaltrachta *f.*

nut *n* cnó *m.*

nutshell *n* blaosc *f* cnó

O

oak *n* dair *f*.
oar *n* maide *m* rámha.
oatcake *n* arán *m* coirce.
oath *n* mionn *m*.
oatmeal *n* min *f* choirce.
obdurate *adj* crua.
obedience *n* umhlaíocht *f*.
obey *vt* géill.
object *n* rud *m*. • *vt* cuir i gcoinne.
objection *n* agóid *f*.
oblige *vt* cuir rud ina oibleagáid ar; déan gar do.
oblique *adj* fiar.
oblivion *n* díchuimhne *f*.
oboe *n* óbó *m*.
obscene *adj* gáirsiúil.
obscenity *n* gáirsiúlacht *f*.
observant *adj* grinnsúileach.
observe *vt* féach ar.
obsession *n* gnáthsheilbh *f*.
obsolete *adj* as feidhm *f*.
obstinate *adj* dáigh.
obstruct *vt* bac.
obstinacy *n* dígeantacht *f*.
obvious *adj* soiléir.
occasion *n* ócáid *f*.
occasional *adj* fánach.
occult *adj* diamhair.
occupancy *n* seilbh *f*.
occupy *vt* áitigh; sealbhaigh.
ocean *n* aigéan *m*.
octagon *n* ochtagán *m*.
octave *n* ochtáibh *f*.
October *n* Deireadh *m* Fómhair.
octopus *n* ochtapas *m*.
odd *adj* corr.
ode *n* óid *f*.

odour *n* boladh *m*.
of *prep* de (*grammatically: represented by putting the following word in the genitive case, e.g.* **lack of money** easpa airgid [airgead]).
offence *n* coir *f*.
offend *vt* cuir olc ar.
offer *n* tairiscint *f*.
office *n* oifig *f*.
officer *n* oifigeach *m*.
officious *adj* postúil.
often *adv* go minic.
ogle *vt* tabhair catsúil ar.
oil *n* ola *f*.
oilfield *n* olacheantar *m*.
oil rig *n* rige ola *m*.
oily *adj* olúil.
ointment *n* ungadh *m*.
old *adj* sean.
old-fashioned *adj* seanfhaiseanta.
omen *n* tuar *m*.
ominous *adj* tuarúil.
omit *vt* fág ar lár.
on *prep* ar. • *adv* ar.
once *adv* uair (amháin).
one *adj* aon.
onion *n* oiniún *m*.
only *adj* amháin.
onward *adv* ar aghaidh.
ooze *vi* úsc.
open *adj* oscailte. • *vt* oscail.
opening *n* oscailt *f*.
operation *n* feidhmiú *m*; (*med*) obráid *f*.
opinion *n* barúil *f*.
opponent *n* céile *m* comhraic.
opportune *adj* tráthúil.

opportunity n deis f.

opposite prep os comhair.

optical adj radharcach.

optimism n soirbhíochas m.

optimistic adj soirbhíoch.

or conj nó.

oral adj cainte.

orange adj oráiste.

orator n óráidí m.

orbit n fithis f.

orchard n úllord m.

ordain vt oirnigh.

order n ordú m. • vt ordaigh.

ordinary adj gnáth-; coitianta.

ore n mianach m.

organ n ball m; orgán m.

organic adj orgánach.

organise vt eagraigh.

organiser n eagraí m.

orgasm n orgásam m.

orgy n fleá f chraois.

oriental adj oirthearach.

origin n bun m; foinse f.

originality n éagoitinne f.

originate vi tar ó.

ornithology n éaneolaíocht f.

orphan n dílleachta m.

osprey n iascaire m coirneach.

ostensible adj mar dhea.

ostrich n osrais f.

other pn eile.

otherwise adv ar chuma f eile.

otter n dobharchú m.

ought vb aux ba chóir (dom, etc).

ounce n unsa m.

our pn ár.

ours pn ár . . . ne, na; againne.

ourselves pn pl muid féin, sinn féin

oust vt caith amach.

out adv amach.

out of date adj asdáta; seanaimseartha

outdo vt sáraigh.

outlaw n coirpeach m.

outrage n fearg f.

outright adv ar fad. • adj iomlán.

outside adv taobh amuigh.

outskirts n imeall m.

outspoken adj díreach.

outward adj ón taobh amuigh.

outwit vt faigh an ceann is fearr ar.

oven n oigheann m.

over prep thar; os cionn. • adv **ove**
  here abhus anseo; **over there** ad
  thall ansin.

overall adv ar an iomlán.

overboard adv thar bord.

overcharge vt gearr barraíocht f ar.

overflow vt sceith. • n (píopa, etc
  sceite m.

overnight adj adv thar oíche.

overrule vt cuir ar neamhní.

overseas adv thar lear.

overtake vt téigh thar, scoith.

overtime n ragobair f.

overturn vt iompaigh.

overweight adj ramhar.

owe vt tá (money, etc) ag ar.

owl n ulchabhán m.

own pron féin.

owner n úinéir m.

oxter n ascaill f.

oyster n oisre m.

P

pace *n* coiscéim *f.* • *vi* (**to pace up and down**) siúl suas agus anuas.
pacifism *n* síocháinachas *m.*
pacifist *n* síochánaí *m.*
pack *vt* pacáil.
packet *n* paca *m.*
pad *n* ceap *m*; (*helicopter*) ardán *m.*
paddle *vi* céaslaigh.
paddling *n* bheith *f* ag lapadaíl.
padlock *n* banrach *f.*
page *n* leathanach *m*; (*boy*) péitse *m*; buachaill *m* freastail.
pageant *n* tóstal *m.*
pain *n* pian *f.*
painful *adj* pianmhar.
painless *adj* gan phian.
paint *n* péint *f*; • *vt* péinteáil.
painting *n* (*art*) péintéireacht *f*; (*picture*) pictiúr *m.*
pair *n* péire *m.*
palace *n* pálás *m.*
palate *n* (*hard*) carball *m*; (*soft*) coguas *m.*
pale *adj* mílítheach. • *vi* éirí bán san aghaidh *f.*
pallid *adj* mílítheach.
palm *n* bos *f.*
pamper *vt* peata a dhéanamh de dhuine.
pan *n* scilléad *m*, sáspan *m.*
pancake *n* pána *m.*
pane *n* gloine *f.*
panic *n* scaoll *m.*
pant *vi* cnead.
pantry *n* pantrach *f.*
pants *nsg* brístín *mpl*; fobhríste *m.*
papal *adj* pápach.

paper *n* páipéar *m.*
parable *n* fáthscéal *m.*
paradise *n* parthas *m.*
paradox *n* paradacsa *m.*
paradoxical *n* paradacsúil *m.*
paragraph *n* paragraf *m.*
parallel *adj* comhthreomhar.
paralysis *n* pairilis *f.*
paralytic, paralytical *adj* pairiliseach.
parapet *n* slatbhalla *m.*
paranoid *adj* paranóiach.
parcel *n* beart *m.*
pardon *n* pardún *m.* • *vt* tabhair pardún do.
parent *n* tuismitheoir *m.*
parish *n* paróiste *m.*
park *n* páirc *f.*
parliament *n* parlaimint *f.*
parody *n* scigaithris *f.*
parrot *n* pearóid *f.*
parsimonious *adj* barainneach.
parsley *n* peirsil *f.*
part *n* cuid *f.* • *vt* scar.
partake *vi* bheith rannpháirteach i rud.
particle *n* cáithnín *m.*
particular *adj* áirithe.
parting *n* (*of people*) scaradh *m*; (*in hair*) stríoc *f.*
partition *n* (*wall*) spiara *m*; (*pol*) coíochdheighilt *f.*
partly *adv* breac-; leath-.
partner *n* páirtí *m*; céile *m.*
pass *n* bearnas *m.*
pass *vt* scoith; (*sport*) pasáil.
passable *adj* cuibheasach.
passage *n* pasáiste *m*; (*in book*) sliocht *m.*

passion n paisean m.
passionate adj paiseanta.
passive adj síochánta.
passivity n fulangacht f.
passport n pas m.
past n an t-am atá thart m. • prep thar, i ndiaidh.
pasta n pasta m.
pastry n taosrán m.
pasture n féarach m.
pat vt slíoc m.
patch n paiste m.
paternal adj athartha.
path n cosán m.
pathetic adj truamhéalach.
patience n foighne f.
patient adj foighneach. • n othar m.
patrimony n atharthacht f.
patronymic n ainm m sinsearthachta.
pattern n patrún m.
paunch n maróg f.
pause n sos f; moill f. • vi déan moill f.
paw n lapa m.
pawn n (chess) ceithearnach m; (fig) fichillín m. • vt cuir i ngeall.
pay n pá m. • vt díol, íoc.
pea n pis f.
peace n síocháin f.
peaceful adj síochánta.
peach n péitseog f.
peak n (mountain) binn f, stuaic f.
pear n piorra m.
pearl n péarla m.
peat n móin f.
pebble n méaróg f.
peck vt gob.
pectoral adj uchtach.
peculiar adj corr, aisteach.
pedal n troitheán m.
pedantry n saoithínteacht f.

peddle vt déan mangaireacht f.
pedestrian n coisí m.
pee vt vi mún.
peel n craiceann m. • vt scamh.
peep n spléachadh m. • vt tabhair spléachadh ar.
peevish adj colgach.
peewit n pilibín m.
pelt vt (to pelt someone with stones) caith clocha le duine.
pen n peann m.
penalty n pionós m.
penance n aithrí f.
pending adj ar feitheamh.
penetrate vt poll.
peninsula n leithinis f.
penis n bod m.
penny n pingin f.
pension n pinsean m.
pensioner n pinsinéir m.
people n daoine m.
pepper n piobar m.
perceive vt airigh.
per cent adv faoin gcéad.
perch n (for bird) fara m; (fish) péirse f. • vi suigh ar.
percolator n síothlán m.
percussion n greadadh m.
perennial adj síoraí.
perfect adj foirfe.
perform vt comhlíon.
perfume n cumhrán m.
perhaps adv b'fhéidir, seans.
period n tréimhse f.
perish vi éag, meath.
perishable adj meatach.
permanence n buaine f.
permanent adj buan.
permissive adj ceadaitheach.
permit n ceadúnas m. • vt ceadaigh.
perpendicular adj ingearach.

erquisite *n* solamar *m*.

ersecute *vt* céas.

ersevere *vt* coinnigh ort le.

ersistent *adj* dígeanta.

erson *n* duine *m*.

ersonal *adj* pearsanta.

ersuade *vt* áitigh (ar).

ersuasion *n* áitiú *m*.

ertinent *adj* oiriúnach.

eruse *vt* grinnléigh.

erverse *adj* saobh.

ervert n saofóir *m*.

essimist *n* duarcán *m*.

est *n* plá *f*.

estle *n* tuairgnín *m*.

et *n* peata *m*.

etition *n* achainí *f*. • *vt vi* impigh ar.

etrol *n* peitreal *m*.

etticoat *n* fo-ghúna *m*.

ew *n* suíochán *m*.

harmacist *n* poitigéir *m*.

hantom *n* taibhse *f*.

heasant *n* piasún *m*.

henomenon *n* feiniméan *m*.

hilosopher *n* fealsamh *m*.

hilosophy *n* fealsúnacht *f*.

hlegmatic *adj* réamach.

hone *n* fón *m*.

hosphorescence *n* tine *f* ghealáin.

hotograph *n* grianghraf *m*.

hrase *n* frása *m*.

hysical *adj* fisiceach.

iano *n* pianó *m*.

ianist *n* pianódóir *m*.

ick *vt* pioc.

ickle *n* picilí *fpl*.

ict *n* Piocht *m*.

icture *n* pictiúr *m*.

icturesque *adj* pictiúrtha.

ie *n* píóg *f*.

iece *n* píosa *m*.

pier *n* cé *f*.

pierce *vt* poll.

pig *n* muc *f*.

pigeon *n* colúr *m*.

pigsty *n* cró *m* muc *f*.

pile *vt* carn.

pilfer *vt* déan mionghadaíocht *f*.

pilfering *n* mionghadaíocht *f*.

pilgrim *n* oilithreach *m*.

pill *n* piollaire *m*.

pillar *n* colún *m*.

pillow *n* piliúr *m*.

pilot *n* píolóta *m*.

pimple *n* goirín *m*.

pin *n* biorán *m*.

PIN *abbr* (*number*) Uimhir *f*
Aitheantais Phearsanta.

pinch *vt* bain liomóg *f* as duine.

pine *n* (*bot*) péine *m*.

pink *adj* bándearg.

pipe *n* píopa *f*; (*mus*) píb *f*.

pirate *n* foghlaí *m* mara.

pirouette *n* fiodrince *m*. • *vi* déan
fiodrince.

piss *n* mún *m*. • *vt vi* mún.

pistol *n* piostal *m*.

pitch *n* (*mus*) airde *f*; (*sport*) páirc *f*
imeartha.

pitiful *adj* truacánta.

pittance *n* miontuarastal *m*.

pity *n* trua *f*.

place *n* áit *f*. • *vt* (*object*) cuir; (*iden-
tify*) aithin.

placidity *n* ciúnas *m*.

plague *vt* ciap.

plaice *n* leathóg *f* bhallach.

plaid *n* breacán *m*.

plain *adj* simplí.

plaintiff *n* (*law*) gearánaí *m*.

plait *n* trilseán *m*.

plan *n* plean *m*. • *vt* pleanáil.

planet n plainéad m.

plank n planc m.

plant n planda m. • vt cuir.

plantation n fáschoill f; plandáil f.

plaster n plástar m.

plastic adj plaisteach.

plate n pláta m.

plateau n ardchlár m.

plausible adj inchreidte.

play vt (game) imir; (instrument) seinn ar.

player n imreoir m.

plead vi vt pléadáil.

pleasant adj pléisiúrtha.

please vt sásaigh; taitin le.

pleasure n pléisiúr m.

pleat n filleadh m.

plenty adv go leor; flúirse (+ gen).

plight n cruachás m.

plod vi siúil go costrom.

plot n comhcheilg f; plota m.

plough n céachta m. • vt treabh.

plug n (elec) plocóid f; stopallán m.

plum n pluma m.

plumb vt tomhais doimhneacht (+ gen).

plump adj ramhar.

plunder n creach f. • vt creach.

plunge vi báigh.

plural adj n iolra m.

plurality n iolracht f.

plus prep móide.

poach vt póitseáil.

poacher n póitseálaí m.

pocket n póca m.

poem n dán m.

poet n file m.

poetry n filíocht f.

point vt taispeáin; dírigh do mhéar f ar.

poison n nimh f.

police n gardaí mpl; péas m; póilí mpl.

polish n snas m.

polite adj múinte.

pollute vt truailligh.

pompous adj mustrach, mórchúiseac

pond n linn f.

pony n pónaí m.

pool n linn f; (rain) slodán m.

poor adj bocht.

Pope n Pápa m.

popular adj coitianta.

population n daonra m.

porch n póirse m.

porridge n brachán m; leite f.

port n port m.

portable adj iniompartha.

portion n roinn f.

Portugal n An Phortaingéil f.

positive adj dearfach.

possess vt (to possess som thing) rud a bheith i do sheilbh.

possible adv is féidir go.

possibly adv seans.

post vt postáil; cuir sa phost.

postal order n ordú m poist.

post card n cárta m poist.

postcode n cód m poist.

postman n fear m poist.

post office n oifig f an phoist.

pot n pota m.

potato n práta m.

pottery n potaireacht f.

potty adj gan tábhacht f; (sl) mearα

pound n punt m.

pour vt doirt.

powder n púdar m.

power n cumhacht f.

power station n stáisiún m cumhacht

practical adj praiticiúil.

practice n cleachtadh m.

ractise *vt* cleacht.

raise *n* moladh *m*. • *vt* mol.

rank *n* cleas *m*, bob *m*.

rawn *n* cloicheán *m*.

ray *vi vt* guigh.

rayer *n* paidir *f*.

rayerbook *n* leabhar *m* urnaí.

reach *vi* tabhair seanmóir.

recarious *adj* neamhchinnte.

recaution *n* réamhchúram *m*.

recautionary *adj* réamhchúramach.

recentor *n* réamhchantóir *m*.

recious *adj* luachmhar.

recipitous *adj* rite.

recise *adj* beacht.

recocious *adj* seanchríonna.

redatory *adj* foghlach.

redict *vt* réamhaithris.

redominant *adj* ardcheannasach.

reface *n* réamhrá *m*.

refer *vt* is fearr (liom, etc).

regnant *adj* torrthach.

rehistorical *adj* réamhstairiúil.

rejudice *n* réamhchlaonadh *m*.

reliminary *adj* tosaigh, réamh-.

remises *n* áitreamh *m*.

remonition *n* tuar *m*.

repare *vt* ullmhaigh.

reposterous *adj* míréasúnta.

rescription *n* oideas *m*.

resence *n* láithreacht *f*.

resent *n* an t-am i láthair; (*gift*) bronntanas *m*. • *vt* bronn.

resently *adv* ar ball.

resident *n* uachtarán *m*.

ress release *n* preasráiteas *m*.

retence *n* cur *m* i gcéill *f*.

retend *vi* cuir i gcéill *f*.

retty *adj* gleoite, deas.

revailing *adj* coitianta.

reviously *adv* roimhe sin.

prey *n* creach *f*. • *vi* creach, seilg.

price *n* praghas *m*.

prick *vt* prioc.

prickly *adj* deilgneach.

pride *n* uabhar *m*.

priest *n* sagart *m*.

prim *adj* deismíneach.

primary school *n* bunscoil *f*.

primitive *adj* seanársa.

primrose *n* (*bot*) sabhaircín *m*.

prince *n* prionsa *m*.

print *vt* clóbhuail.

printer *n* (*comput*) printéir *m*.

print out *n* asphrionta *m*.

private *adj* príobháideach.

privilege *n* pribhléid *f*.

prize *n* duais *f*.

probable *adj* dócha.

probably *adv* is dócha.

probity *n* cneastacht *f*.

problem *n* fadhb *f*.

problematic *adj* fadhbach.

process *n* próiseas *m*.

proclaim *vt* fógair.

prod *vt* prioc, broid.

produce *n* toradh *m*. • *vt* táirg.

producer *n* táirgeoir *m*.

profession *n* slí *f* bheatha.

professor *n* ollamh *m*.

profit *n* brabús *m*. • *vt* déan brabús ar.

profound *adj* domhain.

profuse *adj* raidhseach, flúirseach.

program *n* (*comput*) ríomhchlár *m*.

programme *n* (*TV, etc*) clár *m*.

programmer *n* ríomhchláraitheoir *m*.

progress *n* dul chun cinn *m*.

prohibit *vt* coisc.

prolific *adj* torthúil.

prominent *adj* suntasach; feiceálach.

promontory n ros m, rinn f.

prompt adj pras.

pronoun n forainm m.

pronounce vt fuaimnigh.

prop vt tacaigh le.

proper adj cóir.

property n sealúchas m; maoin f.

prophesy vt tairngir.

proportion n comhréirf; cionmhaireacht f.

proprietor n dílseánach m, úinéir m.

propulsion n tiomáint f.

prose n prós m.

prosecute vt ionchúisigh.

prostitute n striapach f.

prostrate adj faon; sínte.

protect vt cosain.

protection n cosaint f.

protest vt dearbhaigh.

Protestant n Protastúnach m.

proud adj bródúil.

prove vt cruthaigh.

proverb n seanfhocal m.

provide vt soláthair.

province n cúige m.

provocation n saighdeadh m.

provost n uachtarán m.

prow n (mar) srón f.

prowl vi bheith ag smúrthacht f thart.

prude n duine m róchúisiúil.

prudent adj críonna.

prune vt bearr.

pry vi bí ag srónaíl.

psalm n salm m.

psalter n saltair f.

psychic adj síceach.

ptarmigan n tarmachan m.

pub n teach m tábhairne.

public adj poiblí.

publicity n poiblíocht f.

public relations n caidreamh m poib

publish vt foilsigh.

pudding n (sausage) putóg f; (swee milseog f; maróg f.

puddle n slodán m, lochán m.

puffin n fuipín m.

pull vt tarraing.

pulpit n puilpid f.

pulse n cuisle f.

pump n caidéal m; (shoe) buimpé f.

punctual adj poncúil.

puncture n poll m.

punish vt cuir pionós ar.

punishment n pionós m.

pupil n dalta m; (eye) mac imrisc r

puppy n coileáinín m.

pure adj glan-.

purge vt purgaigh.

purity n glaineacht f.

purple adj corcra.

purse n sparán m.

pursue vt tóraigh.

pursuit n tóir f.

push n brú m. • vt brúigh.

pussy cat n puisín m.

put vt cuir.

putrid adj lofa.

putt vt déan amas.

puzzle n dúcheist f.

pylon n piolón m.

pyramid n pirimid f.

Q

quack vi vác a ligean as.

quaint adj den tseandéanamh.

quaker n duine m de Chumann na gCarad.

qualification n cáilíocht f.

qualify vt cáiligh.

quality n tréith f.

quantity n méid m.

quarrel n troid f. • vi troid.

quarrelsome adj trodach.

quarry n (geog) cairéal m; creach f.

quarter n ceathrú f; (season) ráithe f.

quartz n (min) grianchloch f.

quaver n crith m; (mus) camán.

queasy adj samhnas a bheith ort.

queen n ríon f.

quell vt smachtaigh.

quench vt báigh.

quern n bró f.

question n ceist f. • vt ceistigh.

question mark n comhartha ceiste f.

queue n scuaine f.

quibble vi éirigh argóntach.

quick adj gasta, mear.

quicksand n gaineamh m beo.

quiet adj suaimhneach; ciúin.

quieten vt ciúnaigh.

quilt n cuilt f.

quirk n aiste f.

quit vt fág.

quite adv go maith, ar fad.

quiver vi crith. • n crith m.

quiz n tráth ceisteanna m.

quotation n sliocht m; (price) pragh as m luaite.

quote vt luaigh; tabhair mar údar.

R

abbit n coinín m.

abid adj fíochmhar.

ace n rás m; (human) cine m.

acism n ciníochas m.

acket n raicéad m; (noise) callán m.

adiant adj dealraitheach.

adiate vt vi radaigh.

adiator n radaitheoir m.

adical adj radacach.

adio n raidió m.

affle n crannchur m.

aft n rafta m.

after n rachta m.

ag n giobal m.

age n cuthach m.

aid n ruathar m.

ailroad, railway n iarnród m.

ain n fearthainn f. • vi bheith ag cur fearthainne.

ainbow n bogha m báistí.

ainy adj báistiúil, fliuch.

aise vt ardaigh, tóg.

ake vt racáil.

am n reithe m. • vt pulc.

AM abbr see random access memory.

ambler n spaisteoir m.

ampant adj rábach.

ancid adj bréan.

andom adj fánach, randamach.

andom access memory (RAM) n (comput) cuimhne f randamrochtona.

ange n raon m; sliabhraon m. • vt rangaigh.

ank n rang m; céimíocht f.

ankle vi goill ar.

ansom n fuascailt f. • vt cur duine ar fuascailt.

rapacious adj amplach.

rape n éigniú m. • vt éignigh.

rapid adj tapaidh.

rapidity n tapúlacht f.

rare adj annamh.

rarity n teirce f.

rash adj tobann. • n gríos m.

raspberry n sú f craobh.

rat n francach m.

rate n ráta m; táille f.

rather adv beagán.

ravage vt slad; scrios; creach.

rave vi bí ag rámhaille.

raven n fiach dubh m.

ravenous adj craosach, amplach.

raw adj amh.

razor n rásúr m.

reach vt sroich. • n fad m láimhe.

read vt vi léigh.

reader n léitheoir m.

readily adv go toilteanach.

readiness n réidhe f.

ready adj réidh.

real adj fíor-.

realise vt cuir i ngníomh.

reality n réaltacht f.

really adv go fírinneach.

reap vt bain.

rear n cúl m; deiridh m.

reason n cúis f; réasún m; ciall f.

rebate n lacáiste m.

rebel n ceannairceach m. • vi éirigh amach.

rebuff n gonc m.

rebuild vt atóg.

recall vt athghair.

recede vi cúlaigh.

receive vt faigh; glac.

recent adj deireanach.

recently adv ar na mallaibh.

reception n glacadh m; fáiltiú m.

receptive adj soghabhála.

recession n meathú m.

recipe n oideas m.

reciprocal adj cómhalartach.

recital n aithris f; (mus) ceadal m.

reckless adj meargánta.

reckon vt áirigh.

reclaim vt faigh or iarr ar ais.

recline vt luigh siar.

recognise vt aithin.

recommend vt mol.

reconcile vt déan athmhuintearas idir.

record vt cláraigh; taifead. • n taifead m; cuntas m; (mus) ceirnín m; cáipéis f.

recover vt faigh ar ais.

recovery n athghabháil f; biseach m.

recreation n caitheamhm m aimsire f.

rectify vt ceartaigh.

rector n reachtaire m.

recur vi atarlaigh; fill.

red adj dearg; rua.

redeem vt fuascail.

redirect vt athsheol.

redouble vt vi athdhúblail.

reduce vt laghdaigh.

redundant adj iomarcach; díomhaoin.

reed n giolcach f.

reef n (mar) sceir f.

reel n (fishing) roithleán m; (thread) ceirtlín m; (dance) ríl f.

refer vt seol (duine) chuig; tagair (do).

referee n réiteoir m.

reference n (for job) teistiméireacht f.

refill vt athlíon.

refit vt athchóirigh.

reflect vt frithchaith; smaoinigh a

reform vt leasaigh.

refrain vi: **to refrain fro** **something** staon ó rud.

refresh vt úraigh.

refreshment npl soláistí mpl.

refuge n tearmann m.

refund vt aisíoc. • n aisíoc m.

refusal n diúltú m.

refuse vt diúltaigh.

refute vt bréagnaigh.

regard vt breathnaigh, amharc. • aird f.

register n clár m.

regret n aithreachas m. • vt tá aithreachas orm (faoi).

regulate vt rialaigh.

rehearsal n cleachtadh m.

rehearse vt cleacht.

reign vi rialaigh.

reimburse vt aisíoc.

rein n srian m.

reinforce vt treisigh.

rejoice vt déan ollghairdeas faoi (rud**

relate vt aithris.

related adj (akin) gaolmhar.

relation n gaol m.

relative adj coibhneasta.

relax vt bog; scaoil. • vi déan scít f.

release vt scaoil; fuascail.

relent vi maolaigh.

relentless adj neamhthrócaireac**

relevant adj ag baint le hábhar.

reliable adj iontaofa.

relic n iarsma m.

relief n faoiseamh m.

relieve vt maolaigh.

religion n creideamh m.

relish n (*culin*) anlann m; díograis f.
• vt faigh blas ar.

reluctant adj drogallach.

rely vi braith ar.

remain vi fan.

remains n fuílleach m; (*human*)
corp m, corpán m.

remark n focal m.

remarkable adj sonraíoch.

remedy n leigheas m.

remember vt cuimhnigh ar.

remind vt cuir (rud) i gcuimhne do.

reminiscence n athchuimhne f.

remorse n doilíos m.

remote adj iargúlta.

remote control n cianrialú m.

renaissance m athbheochan f.

rend vt stróic.

renew vt athnuaigh.

rent n cíos m. • vt lig ar cíos; faigh
ar cíos.

repair vt deisigh. • n deisiú m.

repay vt aisíoc.

repeat vt athchraol (*TV*); abair arís.

repel vt ruaig.

replace vt cuir ar ais.

replay vt athimir.

replete adj lán.

reply n freagra m. • vi freagair.

report vt tuairiscigh.

reporter n tuairisceoir m.

representative n ionadaí m.

reprieve n (*law*) spásas m; faoiseamh
m.

reprimand n casaoid f.

reprisal n díoltas m.

reproach vt cuir rud i leith duine.

reproduce vt atáirg.

reproduction n atáirgeadh m.

reptile n reiptíl f.

republic n poblacht f.

reputation n clú m.

request n iarratas m. • vt iarr ar.

rescue vt sábháil.

research vt taighd.

researcher n taighdeoir m.

resent vt is fuath (liom).

resentment n doicheall m.

reserve vt taisc. • n cúlchiste m.

reservoir n taiscumar m.

residence n cónaí m.

resign vt éirigh as.

resistance n frithbheart m.

resolute adj diongbháilte.

resonant adj athshondach.

resource n seift f.

respect n meas m. • vt meas a bheith
agat (ar dhuine).

respectable adj measúil.

respectful adj urramach.

respective adj faoi seach.

respite n cairde m.

responsibility n freagracht f.

responsive adj freagrach.

rest n scíth f; (*mus*) sos m. • vt luigh
(ar); fan.

restaurant n bialann f.

restful adj suaimhneach.

restless adj corrthónach.

restore vt athchóirigh.

restrict vt cúngaigh.

result n toradh m.

retain vt coinnigh.

reticent adj tostach.

retire vi éirigh as (post).

retirement n scor m.

retreat vi cúlaigh.

retribution n cúiteamh m.

return vi fill. • n filleadh m.

reveal vi foilsigh.

revelation n foilsiú m.

revenge n díoltas m.

reverend *adj* urramach.

reverent *adj* urramach.

review *vt* athbhreithnigh.

revival *n* athbheochan *f*.

revive *vt* athbheoigh.

revolve *vt* imrothlaigh.

reward *n* duais *f*.

rheumatic *adj* réamatach.

rheumatism *n* scoilteacha *f* daitheachan *nfpl*.

rhinoceros *n* srónbheannach *m*.

rhubarb *n* biabhóg *f*.

rhyme *n* rím *f*. • *vi* déan rím *f*.

rib *n* easna *f*.

ribbon *n* ribín *m*.

rice *n* rís *f*.

rich *adj* saibhir.

riches *npl* saibhreas *m*.

riddle *n* tomhas *m*.

ride *vi* déan marcaíocht *f*.

rider *n* marcach *m*.

ridge *n* droim *m*.

ridiculous *adj* amaideach.

right *adj* ceart; (*hand*) deas. • *n* ceart *m*; (*side*) deiseal *m*. • *vt* cuir i gceart.

rigid *adj* docht.

rigour *n* déine *f*.

rim *n* fonsa *m*.

rind *n* craiceann *m*.

ring *n* fáinne *m*; ciorcal *m*. • *vt* (*telephone*) glaoigh ar.

rinse *vt* sruthlaigh.

ripe *adj* aibí.

ripen *vt vi* aibigh.

ripple *n* (*on water*) cuilithín *m*.

rise *vi* éirigh.

risk *n* priacal *m* • *vt* rud a chur i gcontúirt *f*.

rival *adj* iomaíochta. • *n* iomaitheoir *m*.

rivalry *n* iomaíocht *f*.

river *n* abhainn *f*.

rivulet *n* sruthán *m*.

road *n* ród *m*, bóthar *m*.

roam *vi* (imigh) ar fud na háite

roar *vi* béic. • *n* béic *f*.

roast *vt vi* róst.

rob *vt* creach, robáil.

robber *n* creachadóir *m*, robálaí *m*.

robbery *n* slad *m*.

robe *n* róba *m*.

robin (redbreast) *n* spideog *f* bhronndearg.

rock *n* cloch *f*. • *vt* luasc.

rod *n* slat *f*.

roe *n* fia *m* rua; (*fish*) eochraí *f*.

rogue *n* rógaire *m*.

roll *vt* roll. • *n* rolla *m*.

romance *n* rómánsaíocht *f*.

romantic *adj* rómánsach.

roof *n* díon *m*.

rook *n* (*orn*) préachán *m* dubh.

room *n* seomra *m*; (*space*) fairsingeacht *f*.

roomy *adj* fairsing.

root *n* fréamh *f*.

rope *n* rópa *m*, téad *f*.

rosary *n* paidrín *m*.

rose *n* rós *m*.

rosy *adj* rósach.

rot *n* lobhadh *m*.

rotten *adj* lofa.

rough *adj* garbh.

round *adj* cruinn. • *adv* thart, timpeall.

rouse *vt vi* dúisigh.

rout *n* ruaig *f*.

routine *n* gnáthchúrsa *m*.

row *n* (*rank*) líne *f*; (*fight*) racán *m*.

rowan *n* caorthann *f*.

rower *n* rámhaí *m*.

rub *vt* cuimil.

rubbish *n* bruscar *m*, (*idea*) seafóid *f*.

rudder n stiúir f.
rude adj borb.
rue vt aiféala a bheith ort.
rueful adj dubhach.
ruffian n bithiúnach m.
rug n ruga m.
ruin n scrios m; (house) fothrach tí m.
rule n riail f. • vt rialaigh.
rumble vi déan tormáil f.

rummage vi ransaigh.
rumour n ráfla m.
run vt: **to run the risk** teigh sa tseav vi rith.
runnel n sruthlán m.
rural adj tuaithe.
rush vi brostaigh.
rust n meirg f.
rut n cis f.
ruthless adj neamhthruacánta.

S

Sabbath n sabóid f.
sack n sac m, mála m. • vt bóthar a thabhairt do.
sacrament n sacraimint f.
sacred adj naofa.
sacrifice n íobairt f. • vt íobair.
sad adj brónach.
sadden vt dubhaigh.
saddle n diallait f.
sadness n brón m.
safe adj slán; sábháilte.
safety n sábháilteacht f.
saffron n cróch m.
sag vi tit.
sagacious adj géarchúiseach.
sail n seol m. • vi vt seol.
saint n naomh m.
sake n for God's sake ar son Dé m.
salad n sailéad m.
sale n reic f.
saleable adj indíolta.
saliva n seile f.
sallow adj liathbhuí.
salmon n bradán m.
salmon trout n breac m geal.
salt n salann m.
salt cellar n sáiltéar m.
salutary adj tairbheach.
salute vt beannaigh do.
salvage n tarrtháil f.
same adj céanna.
sameness n ionannas m.
sample n sampla m.
sanctify vt naomhaigh.
sanctuary n tearmann m.
sand n gaineamh m.
sandstone n gaineamhchloch f.
sandy adj gainmheach.

sane adj céillí.
sapling n buinneán m.
sapphire n saifír f.
sarcasm n tarcaisne f.
sarcastic adj searbhasach.
satanic adj diabhlaí.
satchel n mála m scoile.
sate vt sásaigh.
satellite n satailít f.
satiate vt sásaigh.
satin n sról m.
satire n aoir f.
satirical adj aorach.
satirist n aorthóir m.
satisfaction n sásamh m.
satisfied adj sásta.
satisfy vt sásaigh.
saturate vt maothaigh.
Saturday n Dé Sathairn m.
sauce n anlann m.
saucepan n sáspan m.
saucer n fochupán m.
sausage n ispín m.
save vt sábháil; tarrtháil.
savour vt faigh blas ar.
savoury adj blasta.
saw n sábh m. • vt sábh.
say vt abair.
saying n seanfhocal m.
scald vt scall.
scale n scála m; (fish) lann f; (mus) scála m.
scaly adj gaineach.
scalp n craiceann m an chinn.
scan vt breathnaigh.
scandal n scannal m.
scandalise vt scannalaigh.
scandalous adj scannalach.

229

scar *n* colm *m*.
scarce *adj* tearc.
scare *vt* cuir eagla *f* ar.
scarecrow *n* fear *m* bréige.
scarf *n* scaif *f*.
scatter *vt* scaip.
scattering *adj* scaipeadh.
scene *n* radharc *m*.
scenic *adj* álainn.
scent *n* cumhracht *f*.
scented *adj* cumhraithe.
sceptical *adj* amhrasach.
scheme *n* scéim *f*.
school *n* scoil *f*.
schoolmaster *n* máistir scoile *f*.
schoolmistress *n* máistreás *f* scoile *f*.
schoolteacher *n* múinteoir scoile *f*.
science *n* eolaíocht *f*.
scientific *adj* eolaíoch.
scissors *n* siosúr *m*.
scold *vt* scoill.
scone *n* bonnóg *f*; scóna *m*.
scorch *vt* ruadhóigh.
score *n* scór *m*. • *vt* scríob.
scorn *n* tarcaisne *f*.
scornful *adj* tarcaisneach.
Scotland *n* Albain *f*.
Scottish *adj* Albanach.
scour *vt* sciúr.
scourge *n* sciúirse *m*.
scout *n* (*milit*) scabhta *m*.
scowl *vi* gruig.
scrape *vt* vi scríob.
scratch *vt* scríob. • *n* scríobadh *m*.
scream *vi* lig scread *f*. • *n* scread *f*.
scree *n* sciollach *m*.
script *n* script *f*.
scroll *n* scrolla *m*.
scrotum *n* cadairne *m*.
scrub *vt* sciúr.
scruple *n* scrupall *m*.

scrupulous *adj* scrupallach.
scuffle *n* racán *m*.
sculptor *n* dealbhóir *m*.
sculpture *n* dealbhóireacht *f*.
scythe *n* speal *f*. • *vt* speal.
sea *n* muir *f*, farraige *f*.
seagull *n* faoileán *m*.
seal *n* rón *m*; (*official*) séala *m*. • *v*
  séalaigh.
sea level *n* leibhéal na farraige *f*.
seaport *n* calafort *m*.
sear *vt* feoigh.
search *vt* cuardaigh. • *n* cuardach *m*
seashore *n* cladach *m*.
season *n* séasúr *m*.
seasonable *adj* tráthúil.
seat *n* suíochán *m*.
seaweed *n* feamainn *f*.
second *adj* dara.
secondary *adj* tánaisteach.
secondary school *n* meánscoil *f*.
secondhand *adj* athláimhe.
secondly *adj* sa dara cás.
secrecy *n* rúndacht *f*.
secret *adj* rúnda *m*. • *n* rún.
secretary *n* rúnaí *m*.
secretive *adj* ceilteach.
secretly *adv* faoi cheilt *f*.
sect *n* seict *f*.
sectarian *n* seicteach *m*.
secular *adj* saolta.
secure *adj* daingean. • *vt* daingnigh
security *n* slándáil *f*.
seduce *vt* meall.
seduction *n* meabhlú *m*.
see *vt* feic.
seed *n* síol *m*. • *vt vi* síolaigh.
seeing *conj*: seeing that ós rud é
  go/ nach.
seek *vt* cuardaigh.
seer *n* fáidh *m*.

seize *vt* gabh.

seldom *adv* annamh.

select *vt* togh.

self- *pref* féin, féin-.

self-interest *n* leithleachas *m*.

selfish *adj* leithleach.

sell *vt* díol.

semiquaver *n* leathchamán *m*.

seminary *n* cliarscoil *f*.

semitone *n* (*mus*) leath-thon *m*.

senate *n* seanad *m*.

send *vt* cuir (sa phost); seol.

senile *adj* seanaoiseach.

senior *adj* sinsearach.

sensation *n* mothú *m*.

sense *n* ciall *f*.

senseless *adj* gan chiall *f*.

sensible *adj* céillí.

sensitive *adj* íogair.

sensual, sensuous *adj* macnasach.

sentence *n* abairt *f*; (*law*) breith *f*.

sentimental *adj* maoithneach.

separate *vt* dealaigh, deighil.

separation *n* scaradh *m*.

September *n* Mí *m* Mheán Fómhair.

septic *adj* seipteach.

sepulchral *adj* tuamúil.

sequence *n* ord *m*, sraith *f*.

serene *adj* sámh.

sergeant *n* sáirsint *m*.

series *n* sraith *f*.

serious *adj* dáiríre.

serpent *n* nathair *f*.

serrated *adj* fiaclach.

servant *n* searbhónta *m*.

serve *vt* freastal ar; riar ar.

service *n* seirbhís *f*.

serviceable *adj* áisiúil.

session *n* seisiún *m*.

set *vt* cuir; socraigh.

settle *vt* socraigh.

settlement *n* socraíocht *f*; (*of land*) lonnaíocht *f*

seven *adj* seacht. • *n* (*people*) seachtar *m*.

seventeen *adj n* seacht déag *m*.

seventh *adj n* seachtú *m*.

seventy *adj n* seachtó *m*.

sever *vt* teasc.

severe *adj* géar.

severity *n* géire *f*.

sew *vt vi* fuaigh.

sewage, sewer *n* séarachas *m*.

sewing *n* fuáil *f*.

sex *n* gnéas *m*.

sexual intercourse *n* caidreamh *m* collaí.

shade *n* scáth *m*. • *vt* scáthaigh.

shadow *n* scáth *m*.

shady *adj* scáthach.

shaggy *adj* mothallach.

shallow *adj* tanaí.

sham *adj* cur i gcéill.

shame *n* náire *f*. • *vt* náirigh.

shameful *adj* náireach.

shanty *n* seantán *m*.

shape *vt* múnlaigh. • *n* cruth *m*.

shapely *adj* comair.

share *n* roinnt *f*. • *vt* roinn.

shark *n* siorc *m*.

sharp *adj* géar.

sharpen *vt* faobhraigh.

sharpness *n* géire *f*.

shave *vt* bearr.

shawl *n* seál *m*.

she *pn* sí, í.

shear *vt* lom.

shearing *n* lomadh *m*.

sheath *n* (*contraceptive*) coiscín *m*.

shed *vt* doirt. • *n* bothán *m*.

sheep *n* caora *f*.

sheepdog *n* madra *m* caorach.

sheet n (*bed*) braillín m.

shelf n seilf f; (*rock*) laftán m.

shellfish npl bia m sliogán.

shelter n dídean m.

shepherd n aoire m.

sheriff n sirriam m.

Shetland n Sealtainn f.

shield n sciath f. • vt cosain.

shieling n bothán m.

shine vi lonraigh.

shinty n iomáint f.

shinty stick n camán m.

ship n long f.

shipwreck n longbhriseadh m.

shire n sír f.

shirt n léine f.

shiver vi crith.

shoal n scoil f.

shock n (*elec*) turraing f. • vt bain croitheadh as.

shoe n bróg f.

shoelace n iall f bróige.

shoemaker n gréasaí m.

shoot vt scaoil (le); (*grow*) péac.

shop n siopa m.

shore n cladach m.

short adj gearr.

shortage n ganntanas m.

shorten vt giorraigh.

shortly adv gan mhoill f.

short-sighted adj gearr-radharcach.

shorts n bríste m gairid.

shortwave n gearrthonn f.

shot n urchar m.

shoulder n gualainn f.

shout n scairt f.

shove vt brúigh. • n brú m.

show vt taispeáin.

shower n cithfholcadh m.

shred n ribeog f.

shriek n scréach f.

shrimp n sreabhlach m.

shrink vi crap.

shudder vi téigh creathán trí. • creathán m.

shuffle vt (*cards*) suaith.

shut vt druid, dún. • adj druidte m, dúnta m.

sick adj tinn.

sickness n tinneas m.

side n taobh m.

sidelong adj ar fiar.

sideways adv i leataobh.

siege n léigear m.

sieve n criathar m.

sigh vi lig osna f.

sight n amharc m, radharc m.

sign n comhartha m.

signature n síniú m.

significant adj tábhachtach.

signpost n cuaille m eolais.

silence n ciúnas m.

silent adj ciúin.

silk n síoda m.

sill n leac f.

silly adj amaideach.

silver n airgead m.

similar adj cosúil.

simple adj simplí.

simplify vt simpligh.

simultaneous adj comhuaineach.

sin n peaca m. • vi peacaigh.

since prep ó. • conj ó, nuair.

sincere adj macánta.

sing vt can, ceol, cas.

singer n amhránaí m.

single adj singil; díomhaoin.

singly adv ceann ar cheann.

singular adj uatha.

sinister adj urchóideach.

sink vi téigh go tóin f poill. • doirteal m.

sip *vt* bain suimín as. • *n* suimín *m*.

sister *n* deirfiúr *f*.

sister-in-law *n* deirfiúr *f* chleamhnais.

sit *vi* suigh.

sitting room *n* seomra *m* suí.

six *adj* sé. • *n* (*people*) seisear *m*.

sixteen *adj n* sé déag.

sixth *adj n* séú *m*.

size *n* méid *f*.

skate *n* scáta *m*. • *vi* scátáil.

skate *n* (*fish*) sciata *m*.

skeleton *n* cnámharlach *m*.

skerry *n* sceir *f*.

sketch *n* sceitse *m*.

ski *vi* sciáil.

skid *vi* scoirr.

ski-lift *n* ardaitheoir *m* sciála.

skill *n* scil *f*.

skim *vt* scimeáil.

skin *n* craiceann *m*. • *vt* bain ann craiceann de.

skinny *adj* caol.

skip *vt* léim.

skirmish *n* scliúchas *m*.

skirt *n* sciorta *m*.

skull *n* cloigeann *m*.

sky *n* spéir *f*.

Skye *n* An tOileán Sciathanach *m*.

skylark *n* fuiseog *f*.

slam *vt* druid de phlab.

slander *n* clúmhilleadh *m*.

slant *vt vi* claon. • *n* claonadh *m*.

slap *n* boiseog *f*.

slash *vt* gearr.

slate *n* slinn *f*.

slaughter *n* ár *m*.

slave *n* sclábhaí *m*.

sledge *n* carr *m* sleamhnáin.

sleek *adj* slíoctha.

sleep *vi* codail. • *n* codladh *m*.

sleepy *adj* codlatach.

sleet *n* flichshneachta *m*.

sleeve *n* muinchille *f*.

sleigh *n* carr *m* sleamhnáin.

slice *n* slisín *m*.

slide *vi* sleamhnaigh.

slip *vi* sleamhnaigh. • *n* sciorradh *m*.

slipper *n* slipéar *m*.

slippery *adj* sleamhain.

slit *n* gearradh *m*.

slogan *n* sluaghairm *f*.

slope *n* fána *f*.

sloven *n* leibide *f*.

slovenly *adj* leibideach.

slow *adj* mall.

slowness *n* moille *f*.

slur *n* masla *m*; (*speech*) bachlóg *f*.

sly *adj* glic.

smack *n* greadóg *f*.

small *adj* beag.

smart *adj* cliste.

smattering *n* smearadh *m*.

smear *vt* smear.

smell *vt* bolaigh. • *n* boladh *m*.

smile *vi* déan miongháire. • *n* miongháire *m*.

smith *n* gabha *m*.

smoke *n* deatach *m*. • *vt* caith (tabac, toitín).

smoky *adj* deatúil.

smooth *adj* mín.

smooth *vt* smúdáil.

smother *vt* múch.

smoulder *vi* cnádaigh.

smuggle *vt* smuigleáil.

smuggler *n* smuigléir *m*.

snack *n* smailc *f*.

snake *n* nathair *f*.

snatch *vt* sciob.

sneak *vi* déan rud go fáilí.

sneer *vi* déan fonóid *f*.

sneeze *vi* lig sraoth.

sniff vt vi smúr. • n boladh m.

snipe n naoscach f.

snivel n smugairle m.

snob n duine m ardnósach.

snooze n néal m codlata.

snore vi lig srann f.

snout n smut m.

snow n sneachta m. • vi cuir sneachta.

snowdrift n ráth sneachta m.

snug adj seascair.

snuggle vi luigh isteach le.

so adv amhlaidh, chomh, mar sin.

soak vi vt maothaigh.

soap n gallúnach f.

soapy adj lán gallúnaí.

sober adj stuama.

sociable adj cuideachtúil.

socialism n sóisialachas m.

society n sochaí f.

sock n stoca m.

sod n fód m.

soft adj bog.

soften vt bog.

softness n boige f.

software npl bogearraí mpl.

soil vt salaigh. • n ithir f.

solar adj grianda.

soldier n saighdiúir m.

sole n bonn (na coise f); (fish) sól m.

solemn adj sollúnta.

solicit vt iarr.

solicitor n aturnae m.

solid adj daingean.

solidarity n dlúthpháirtíocht f.

solitude n uaigneas m.

solo n (mus) (ceol) aonair m.

soloist n aonréadaí m.

soluble adj intuaslagtha.

solve vt fuascail.

solvent adj sóchmhainneach.

some adj roinnt f (separate items); cuid f.

somebody pn duine éigin.

somehow adv ar dhóigh f éigin.

something pn rud éigin.

sometime adv am éigin.

sometimes adv uaireanta.

somewhere adv áit f éigin.

son n mac m.

son-in-law n cliamhain m.

soon adv gan mhoill.

sophisticated adj sofaisticiúil.

sordid adj suarach.

sore n cneá f. • adj nimhneach, frithir.

sorrow n brón m.

sorry adj buartha; (sad) brónach.

sort n sórt m. • vt socraigh.

soul n anam m.

sound n fuaim f. • vt fuaimnigh.

soup n anraith m.

sour adj searbh.

south n deisceart m; aneas m; theas m.

southerly, southern adj theas, aneas.

sow n cráin f.

space n spás m.

space probe n tóireadóir spáis m.

spacious adj fairsing.

Spain n An Spáinn f.

spaniel n spáinnéar m.

Spanish n Spáinnis f.

spare vt spáráil.

spark n splanc f.

spawn vi vt sceith.

speak vi vt labhair.

spear n sleá f.

special adj speisialta.

species n gné f.

spectacles npl spéaclaí mpl.

spectre n arracht f.

speech n caint f; (oration) óráid f.

speed n luas m. • vt gabh ar luas.

spell *vt* litrigh.

spend *vt* caith.

spider *n* damhán alla *m*.

spill *vt* doirt.

spin *vt* rothlaigh; (*thread*) sníomh.
• *vi* cas *m*.

spine *n* dromlach *m*.

spinning wheel *n* tuirne *m*.

spirit *n* spiorad *m*.

spirited *adj* anamúil.

spit *vi* caith seile *f*.

spite *n* faltanas *m*.

splendid *adj* ar fheabhas.

split *vt* scoilt.

spoil *vt* mill.

spoon *n* spúnóg *f*.

sporran *n* sparán *m*.

sport *n* spórt *m*.

spot *n* ball *m*.

spouse *n* céile *m*.

spreadsheet *n* scairbhileog *f*.

spree *n* spraoi *m*.

spring *n* (*season*) (an t)earrach *m*.

spring *n* lingeán *m*; (*water*) fuarán *m*.

spume *n* cúr *m*.

spur *n* spor *m*.

spy *n* spiaire *m*.

squalid *adj* suarach.

squall *n* cóch *m*.

square *adj* cearnach. • *n* cearnóg *f*.

squash *vt* fáisc.

squat *adj* dingthe.

squeak *n* gíog *f*.

squirrel *n* iora *m*.

squirt *vt* scaird.

stable *n* stábla *m*. • *adj* cobhsaí.

stag *n* carria *m*.

stairs *n* staighre *msg*.

stale *adj* stálaithe.

stalk *n* gas *m*.

stallion *n* stail *f*.

stammer *vi* bac a bheith agat i do
chuid cainte.

stamp *n* stampa *m*; (*embossing*) stampa
m.

stand *vi* seas.

standstill *n* stad *m*.

star *n* réalta *f*; (*movies*) príomhaisteoir
m.

starboard *n* deasbhord *m*.

stare *vi*: **to stare at** stánadh ar.

starfish *n* crosóg *f* mhara.

starry *adj* réaltach.

start *vt vi* tosaigh. • *vt* (*motor*) cuir
ag dul *m*.

starvation *n* gorta *m*.

state *n* staid *f*; (*country*) stát *m*. • *vt*
maígh

station *n* stáisiún *m*.

statue *n* dealbh *f*.

stature *n* meas *m*.

stave *n* cliath *f*.

stay *n* cuairt *f*. • *vi* fan.

steak *n* stéig *f*.

steal *vt* goid.

steam *n* gal *f*.

steel *n* cruach *f*.

steep *adj* crochta.

steer *vt* stiúir.

step *n* céim *f*, coiscéim *f*.

sterile *adj* aimrid.

stern *adj* dian. • *n* (*mar*) deireadh *m*.

stick *n* maide *m*. • *vt* (*adhere*)
greamaigh.

stiffen *vi vt* righnigh.

still *n* stil *f*. • *adv* fós, go fóill.

sting *vt* cealg. • *n* cealg *f*.

stink *n* bréantas *m*.

stir *vt* corraigh.

stitch *n* greim *m*.

stocking *n* stoca *m*.

stomach *n* goile *m*.

stone n cloch f.

stool n stól m.

stop vt stad.

store n stór m. • vt stóráil.

storehouse n teach m stórais.

stork n corr f bhán.

storm n stoirm f; doineann f.

stormy adj stoirmeach.

story n scéal m.

stove n sornóg f.

straight adj díreach.

strain vt teann; (filter) síothlaigh. • n teannas m; (mental) strus m.

strange adj aisteach.

stranger n strainséir m.

strath n srath m.

straw n tuí m.

strawberry n sú f talún.

streaky adj stríocach.

stream n sruth m.

streamer n sraoilleán m.

street n sráid f.

strength n láidreacht f.

stretch vt sín.

strict adj docht.

stride n céim f fhada.

strike vt buail; (work) gabh ar stailc f.

string n sreang f; corda m.

stringed adj sreangach.

stroke vt slíoc.

stroll vi bí ag spaisteoireacht.

strong adj láidir.

struggle vi streachail. • n streachailt f.

stubble n coinleach m.

stubborn adj ceanndána.

stuff n stuif m.

stupid adj amaideach; bómánta.

sturdy adj téagartha.

sty n cró m uice f.

stye n sleamhnán m.

style n stíl f.

stylish adj faiseanta.

subject adj ábhar. • vt bheith faoi réir (ruda).

sublime adj oirirc.

submit vt géill.

subside vi tráig.

subsidy n fóirdheontas m.

substance n substaint f; tathag m.

substitute vt cuir rud in ionad ruda eile.

subtle adj caolchúiseach.

subtract vt (math) dealaigh.

succeed vi I **succeeded** d'éirigh liom.

successful adj rathúil.

such adj a leithéid de.

suck vt vi súigh.

suckle vt tabhair an chíoch f do.

sudden adj tobann.

suddenly adv go tobann.

sue vt cuir an dlí ar.

suffer vi vt fulaing.

sufferer n fulangaí m.

sufficient adj go leor.

sugar n siúcra m.

suggest vt mol.

suicide n féinmharú m.

suit n culaith f. • vt fóir do.

suitable adj cuí.

sum n suim f; iomlán m.

summer n samhradh m.

summit n mullach m.

summon vt glaoigh.

sun n grian f.

sunbathe vi déan bolg le gréin f.

Sunday n Dé Domhnaigh m.

sunny adj grianach.

sunrise n éirí m na gréine.

sunset n luí m na gréine.

supermarket n ollmhargadh m.

supernatural n osnádúrtha m.

superstition n piseog f.

supper n suipéar m.

supple adj aclaí.

support n taca m.

suppose vt vi síl.

suppress vt cuir faoi chois.

supreme adj ard-.

sure adj cinnte.

surely adv go cinnte.

surface n dromchla m.

surge vi borr.

surgeon n máinlia m.

surgery n (doctor's) clinic m.

surly adj dúr.

surname n sloinne m.

surplus n farasbarr m.

surprise vt tar aniar aduaidh ar. • n iontas m.

surprising adj iontach.

surrender n géilleadh m.

surround vt timpeallaigh.

survive vi mair.

survivor n marthanóir m.

suspect vt caith amhras ar.

suspend vt croch.

suspense n beophianadh m; to be in suspense bheith ar cipíní.

suspension bridge n droichead m crochta.

suspicious adj amhrasach.

swallow n (bird) fáinleog f. • vt slog.

swamp n seascann m.

swan n eala f.

swarm vi imigh i saithe.

swear vt mionnaigh.

sweat n allas m. • vi cuir allas.

swede n (neep) svaeid m.

Sweden n An tSualainn f.

sweep vt scuab.

sweet adj milis.

sweeties npl milseáin m.

sweetheart n grá m geal; leannán m.

swim vt vi snámh.

swimming pool n linn m snámha.

swing n luascán m.

switch n lasc f.

sword n claíomh m.

symbol n siombail f.

symbolic adj siombalach.

sympathetic adj báúil.

sympathise vi bí báúil le.

syringe n steallaire m.

syrup n síoróip f.

system n córas m.

T

table *n* tábla *m*, bord *m*.

tablet *n* taibléad *m*; tabhall *m*.

tacit *adj* tostach.

taciturn *adj* tostach.

tack *n* tacóid *f*.

tacket *n* tacóid *f*.

tadpole *n* torbán *m*.

tail *n* eireaball *m*.

taint *vt* truaill.

take *vt* tabhair (leat), glac.

tale *n* scéal *m*.

talent *n* tallann *f*.

talk *vi* labhair.

tall *adj* ard.

tame *adj* ceansa. • *vt* ceansaigh.

tangle *n* achrann *m*, aimhréidh *f*.

tanker *n* tancaer *m*.

tantalise *vt* griog.

tap *n* sconna *m*.

taper *vi* éirigh caol.

tapestry *n* taipéis *f*.

target *n* sprioc *f*.

tart *adj* searbh. • *n* toirtín *m*.

task *n* tasc *m*.

taste *vt* blais.

tawny *adj* ciarbhuí.

tax *vt* gearr cáin *f* (ar). • *n* cáin *f*.

tea *n* tae *m*.

teach *vi vt* teagasc, múin.

teacher *n* múinteoir *m*.

teach-in *n* seisiún *m* teagaisc.

teacup *n* taechupán *m*.

team *n* foireann *f*.

tear *vt* stróic. • *n* deoir *f*.

tease *vt* bí ag spochadh (as).

tedious *adj* fadálach.

teenager *n* déagóir *m*.

telephone *n* guthán *m*, telefón *m*.

television *n* teilifís *f*; (*set*) teilifíseán *m*.

tell *vt* inis.

temper *n* meon *m*.

temperament *n* meon *m*.

temperature *n* teocht *f*.

tempest *n* stoirm *f*.

temple *n* teampall *m*.

temporary *adj* sealadach.

tempt *vt* cuir cathú (ar).

ten *adj n* deich *m*. • *n* (*persons*) deichniúr *m*.

tenacious *adj* coinneálach.

tenant *n* tionónta *m*.

tender *adj* maoth.

tennis *n* leadóg *f*.

tent *n* puball *m*.

tenth *adj n* deichniú *m*.

term *n* téarma *m*.

tern *n* greabhóg *f*.

terrier *n* brocaire *m*.

terrorism *n* sceimhlitheoireacht *f*.

test *n* triail *f*.

testament *n* tiomna *m*.

testicle *n* magairle *m*.

than *adv* ná.

thank *vt* gabh buíochas (le). • *interj* **thank you** go raibh maith agat.

thankful *adj* buíoch.

that *pn* sin, siúd. • *conj* go (gur *in past*); (*neg*) nach (nár *in past*); (*relative*) a, ar, nach, nár.

thatch *n* tuí *m*.

thaw *vi* leáigh.

the *art* an, (*plur*) na, (*fem gen sing*) na.

theft *n* goid *f.*

their *pn* a (+ *eclipse*).

them *pn* iad(san).

themselves *pn pl* iad féin.

then *adv* ansin; ina dhiaidh sin.

thence *adv* uaidh sin.

theory *n* teoiric *f.*

therapy *n* teiripe *f.*

there *adv* ansin.

thereby *adv* dá bharr sin.

therefore *adv* dá bhrí *f* sin.

these *pn pl* (iad) seo.

they *pn pl* siad, iad.

thick *adj* tiubh.

thief *n* gadaí *m.*

thigh *n* ceathrú *f.*

thin *adj* tanaí.

thing *n* ní *m*, rud *m.*

think *vi* smaoinigh.

third *adj* tríú.

third rate *adj* ainnis.

thirst *n* tart *m.*

thirsty *adj*: **I am thirsty** tá tart orm.

thirteen *adj n* trí *m* déag.

thirty *adj n* tríocha *m.*

this *pn* seo.

thistle *n* feochadán *m.*

thorny *adj* deilgneach.

those *pn pl* siad sin, iad sin.

though *conj* cé go; bíodh go.

thought *n* smaoineamh *m.*

thousand *adj n* míle *m.*

thrash *vt* léas; (*corn*) buail.

threat *n* bagairt *f.*

threaten *vt* bagair.

three *adj n* trí *m*; (*persons*) triúr *m.*

thrilling *adj* corraitheach.

throat *n* scornach *f.*

through *prep* trí.

throw *vt* caith.

thrush *n* smólach *m.*

thumb *n* ordóg *m.*

thunder *n* toirneach *f.*

thunderous *adj* toirniúil.

Thursday *n* Déardaoin *f.*

thus *adv* mar seo.

ticket *n* ticéad *m.*

ticking *n* ticeáil *f.*

tide *n* taoide *f.*

tidy *vt* cuir slacht ar.

tiger *n* tíogar *m.*

till *prep* go, go dtí.

tiller *n* curadóir *m.*

time *n* am *m*, aimsir *f.*

timely *adj* tráthúil.

timeous *adj* i ndea-am.

tinker *n* tincéir *m.*

tiny *adj* bídeach.

tipsy *adj* súgach.

tired *adj* tuirseach.

tiresome *adj* tuirsiúil.

title *n* teideal *m.*

to *prep* go; go dtí; chuig; chun (+ *gen*).

toad *n* buaf *f.*

toast *vt* ól sláinte *f* duine.

tobacco *n* tobac *m.*

today *adv* inniu.

together *adv* le chéile.

toilet *n* leithreas *m.*

tomb *n* tuama *m.*

tomorrow *adv n* amárach *m.*

tone *n* ton *m*; glór *m.*

tongue *n* teanga *f.*

tonight *adv n* anocht *m.*

too *adv* fosta, chomh maith.

tool *n* uirlis *f.*

tooth *n* fiacail *f.*

top *n* mullach *m*, barr *m.*

torch *n* tóirse *m.*

torrent *n* tuile *f.*

tortoise *n* toirtís *f.*

Tory *n* Tóraí *m*.

toss *vt* caith (rud) san aer.

total *adj n* iomlán *m*.

touch *vt* leag (lámh *f*, etc) ar, bain de.

tough *adj* righin.

tour *n* turas *m*.

tourist *n* turasóir *m*.

toward, towards *prep* i dtreo (+ *gen*), i leith (+ *gen*).

tower *n* túr *m*.

town *n* baile *m*.

toy *n* bréagán *m*.

trace *n* lorg *m*.

track *n* rian *m*.

trade *n* trádáil *m*.

tradition *n* traidisiún *m*.

train *vt* traenáil. • *n* traein *f*; (*retinue*) lucht coimhdeachta *f*.

traitor *n* fealltóir *m*.

trance *n* (támh)néal *m*.

transfer *vt* aistrigh.

transient *adj* díomuan.

translate *vt* aistrigh.

transmitter *n* tarchuradóir *m*.

transparent *adj* trédhearcach.

trap *n* gaiste *m*. • *vt* ceap.

travel *vt vi* taistil. • *n* taisteal *m*.

tray *n* tráidire *m*.

treasure *n* stór *m*. • *vt* taisc.

treat *vt* caith le (duine, *etc*). • *n* coirm *f*.

tree *n* crann *m*.

tremor *n* crith *m*.

trespass *n* coir *f*; peaca *m*. • *vt* sáraigh (dlí).

trews *npl* triús *mpl*.

trial *n* triail *f*.

tribe *n* treibh *f*, sliocht *m*.

tributary *n* craobhabhainn *f*.

trick *n* cleas *m*.

trim *adj* comair.

trip *vi* **I tripped (up)** baineadh tuisle asam.

triumph *n* caithréim *f*. • *vt* bua a bhreith ar (dhuine).

triumphal *adj* caithréimeach.

triumphant *adj* buach.

trivial *adj* suarach.

trot *vi* bheith ag sodar.

trouble *vt* buair. • *n* trioblóid *f*.

trousers *n* bríste *m*.

trout *n* breac *m*.

true *adj* fíor.

trump card *n* mámh *m*.

trust *n* muinín *f*. • *vt* **I trust (her)** tá muinín *f* agam aisti.

truth *n* fírinne *f*.

try *vt* tabhair faoi *or* féach le rud a dhéanamh.

tub *n* tobán *m*.

Tuesday *n* Dé Máirt *f*.

tumble *vi* tit.

tumult *n* clampar *m*.

tune *n* fonn *m*, port *m*. • *vt* tiúin.

tuneful *adj* ceolmhar.

tup *n* reithe *m*.

turf *n* fód *m*; (*fuel*) móin *f*.

turn *vt vi* cas, tiontaigh.

turnip *n* tornapa *m*.

turtle *n* turtar *m*.

tutor *n* (*guardian*) oide *m*.

tweak *vt* bain cor as.

tweed *n* bréidín *m*.

twelfth *adj n* (an) dara (ceann) déag.

twelve *adj n* dó *m* dhéag.

twentieth *adj n* fichiú *m*.

twenty *adj n* fiche *m*.

twice *adv* faoi dhó.

twilight *n* clapsholas *m*.

twin *n* leathchúpla *m*.

twist *vt* cas.

two n dó m. • adj dhá, (*persons*) beirt f.
typical adj samplach.
typography n clóghrafaíocht f.

tyrant n aintiarna m.
tyre n bonn m.
tyro n núíosach m.

U

udder *n* úth *m*.

ugliness *n* gránnacht *f*.

ugly *adj* gránna.

ulcer *n* othras *m*.

ultimate *adj* deiridh.

umbrella *n* scáth fearthainne *f*.

unable *adj* neamhchumasach.

unaccustomed *adj* ainchleachta.

unanimous *adj* d'aon ghuth.

unarmed *adj* neamharmtha.

unavoidable *adj* dosheachanta.

unaware *adj* aineolach (ar).

unbolt *vt* bolta a scaoileadh.

unbreakable *adj* dobhriste.

uncle *n* uncail *m*.

uncomfortable *adj* míchompardach.

uncommon *adj* neamhghnách.

unconditional *adj* gan choinníoll.

uncork *vt* corc a bhaint as.

unction *n* ungadh *m*.

undecided *adj* neamhchinnte.

under *prep* faoi.

undergo *vt* fulaing.

underground *adj* faoi thalamh.

underneath *adv* thíos. • *prep* faoi.

understand *vi vt* tuig.

understandable *adj* intuigthe.

underwear *npl* fo-éadaí *mpl*.

undeserved *adj* neamhthuillte.

undistinguished *adj* coitianta.

undisturbed *adj* neamhchorraithe.

undo *vt* leasaigh.

unemployed *adj* dífhostaithe.

unequal *adj* neamhionann.

uneven *adj* míchothrom.

unexpected *adj* gan dúil *f*.

unfair *adj* leatromach.

unfinished *adj* neamhchríochnaithe.

unfold *vt* oscail amach.

unfriendly *adj* neamhchairdiúil.

unfurl *vt* scaoil (amach).

ungrateful *adj* míbhuíoch.

uniform *n* culaith *f*.

uniformity *n* comhionannas *m*.

unimportant *adj* neamhthábhachtach.

uninhabited *adj* neamháitrithe.

union *n* aontas *m*.

Unionist *n adj* (*pol*) Aontachtaí *m*.

unique *adj* ar leith.

unit *n* aonad *m*.

United States (of America) *npl* Stáit Aontaithe *mpl* (Mheiriceá) (SAM).

unity *n* aontacht *f*.

universal *adj* uilíoch.

universe *n* cruinne *f*.

university *n* ollscoil *f*.

unless *conj* mura(r).

unlike *adj* éagsúil.

unload *vt* díluchtaigh.

unmask *vt* masc a bhaint de.

unmusical *adj* neamhcheolmhar.

unnecessary *adj* neamhriachtanach.

unoccupied *adj* folamh.

unpack *vt* dífhacáil.

unpardonable *adj* do-mhaite.

unpleasant *adj* míthaitneamhach.

unpopular *adj* míghnaíúil.

unpremeditated *adj* gan réamhsmaoineamh.

unproductive *adj* neamhthorthúil.

unreal *adj* bréagach.

unreasonable *adj* míréasúnta.

unrest *n* míshocracht *f*.

unripe *adj* mí-aibí.

unsafe *adj* contúirteach.

unsatisfactory *adj* míshásúil.

unsightly *adj* míshlachtmhar.

unsuccessful *adj* mírathúil.

unsuitable *adj* mífhóirsteanach.

unsure *adj* éiginnte.

untidy *adj* amscaí.

untie *vt* scaoil.

until *prep* go, go dtí. • *conj* go dtí.

unused *adj* ainchleachta.

unusual *adj* neamhghnách.

unwanted *adj* gan iarraidh *f*.

unwieldy *adj* liobarnach.

unwise *adj* díchéillí.

unworthy *adj* neamhfhiúntach.

unwrap *vt* oscail.

up *adv* suas, (*from below*) aníos, thuas.

upbringing *n* tógáil *f*.

uphill *adv* in éadan na mala *f*.

uphold *vt* seas le.

upon *prep* ar.

upper *adj* uachtarach.

upright *adj* ingearach, díreach.

uproar *n* racán *m*.

upset *n* suaitheadh *m*.

upshot *n* deireadh *m*.

upside-down *adv adj* bunoscionn.

upstairs *adv* thuas staighre, suas staighre.

upward *adj* suas, (*from below*) aníos.

urban *adj* uirbeach.

urge *vt* gríosaigh.

urgency *n* práinn *f*.

urgent *adj* práinneach.

urinal *n* fualán *m*.

us *pn* muid, sinn.

usage *n* úsáid *f*.

use *n* úsáid *f*. • *vt* úsáid.

useful *adj* úsáideach.

usefulness *n* úsáid *m*.

useless *adj* gan feidhm *f*.

usual *adj* gnáth-, coitianta.

usurp *vt* forghabh.

uterus *n* broinn *f*.

utmost *adj* as cuimse *f*.

utter *adj* iomlán, lán; dearg-. • *vt* abair, labhair.

utterly *adv* ar fad.

V

vacancy n folúntas m.
vacant adj saor.
vaccinate vt vacsaínigh.
vagabond n spailpín m.
vagina n faighin f.
vague adj doiléir.
vain adj díomhaoin.
vale n gleann m.
valid adj bailí.
valley n gleann m; srath m.
valour n crógacht f.
valuable adj luachmhar.
value n luach m.
value added tax n cáin f bhreisluacha.
valve n comhla f.
van n veain f.
vandal n creachadóir m, sladaí m.
vanish vi téigh as radharc.
vapour n gal f.
varied adj éagsúil.
variegated adj breac.
variety n éagsúlacht f.
various adj éagsúil.
vary vt vi athraigh.
vase n vás m.
vast adj ollmhór.
veal n laofheoil f.
vegetable n glasra m.
vegetarian n feoilséantóir m.
vegetation n fásra m.
vehement adj tréan.
vehicle n feithicil f.
veil n caille f. • vt clúdaigh.
vein n féith f.
velvet n veilbhit f.
vengeance n díoltas m.
venison n fiafheoil f.

venom n nimh f.
venture n fiontar m.
venue n ionad m.
verdict n (law) breithiúnas m.
verge n bruach m.
verify vt fíoraigh.
vermin n míolra m.
vernacular n caint f na ndaoine.
verse n véarsaíocht f; (stanza) véarsa
    m.
version n leagan m.
vertical adj ingearach.
vertigo n meadhrán m.
very adv iontach, an-.
vest n veist f.
vestige n lorg m.
vet n tréidlia m.
vex vt cráigh.
viable adj inmharthana.
vibrate vi crith.
vicarious adj ionadach.
vice n duáilce f; (tool) bís f.
victim n íobartach m.
victor n buaiteoir m.
victory n bua m.
video recorder n fístaifeadán m.
view n dearcadh m; amharc m. • vt
    amharc (ar).
viewpoint n dearcadh m.
vigil n faire f.
vigour n fuinneamh m.
vile adj táir.
village n sráidbhaile m.
villain n bithiúnach m.
vindicate vt she was vindicated
    tugadh le fios go raibh an ceart aici.
vine n fíniúin f.

vintage n (*wine*) bliain f.
violence n foréigean m.
violent adj foréigneach.
violin n (*mus*) veidhlín m.
violinist n veidhleadóir m.
viper n nathair f.
virgin n maighdean f, ógh f.
virginity n ócht f.
virile adj fearúil.
virility n fearúlacht f.
virtual adj samhalta.
virtue n suáilce f.
virtuous adj suáilceach.
virus n víreas m.
visibility n infheictheacht f.
visible adj infheicthe.
vision n radharc m; (*mental*) fís f, aisling f.
visit vt tabhair cuairt f ar.

visitor n cuairteoir m.
vital adj riachtanach.
vitality n beogacht f.
vivacious adj bíogúil.
vocal adj guthach.
vocalist n amhránaí m.
vocation n gairm f.
voice n guth m.
void adj ar neamhní. • n folús m.
voluble adj líofa.
voluntary adj deonach.
vomit vt vi aisig. • n aiseag m.
vote n vóta m. • vt vótáil.
voucher n dearbhán m.
vow n móid f. • vi vt móidigh.
vowel n guta m.
voyage n turas farraige f.
vulgar adj gáirsiúil.
vulnerable adj soghonta.

W

wade *vi* siúil trí.

wafer *n* abhlann *f*.

wag *vt vi* croith.

wager *n* geall *m*.

wagon *n* vaigín *m*.

wagtail *n* glasóg *f*.

wail *vi* déan olagón.

waist *n* coim *f*.

wait *vi* fan.

waiter/waitress *n* freastalaí *m*.

wake *vi* múscail. • *n* (*relig*) faire *f*.

waken *vt* múscail.

Wales *n* An Bhreatain *f* Bheag.

walk *vi* siúil. • *n* siúl.

walking stick *n* bata *m* siúil.

wall *n* balla *m*.

walrus *n* rosualt *m*.

wan *adj* báiteach.

wander *vi* bheith ag falróid.

wanderer *n* fanaí *m*.

want *vt* tá (rud) de dhíth *f* ar. • *n* easpa *f*; díth *f*.

war *n* cogadh *m*.

warble *vt* ceiliúir.

wardrobe *n* vardrús *m*.

warehouse *n* stór *m*.

warlike *n* cogúil *m*.

warm *adj* te. • *vt* téigh.

warmth *n* teas *m*.

warn *vt* tabhair rabhadh do.

warren *n* coinicéar *m*.

warship *n* long *f* chogaidh.

wart *n* faithne *m*.

wary *adj* airdeallach.

wash *vt* nigh.

washing *n* níochán *m*.

wasp *n* foiche *f*.

waste *vt* cuir amú. • *n* fuíoll *m*.

watch *n* uaireadóir *m*. • *vt* amharc (ar); breathnaigh (ar).

watchdog *n* gadhar faire *m*.

water *n* uisce *m*. • *vt* cuir uisce ar.

water power *n* cumhacht *f* uisce.

waterfall *n* eas *m*.

waterproof *adj* uiscedhíonach.

watershed *n* (*geog*) dobhardhroim *m*.

watertight *adj* uiscedhíonach.

waulk *vt* úc.

waulking *n* úcadh *m*.

wave *n* tonn *f*. • *vi vt* croith.

wax *n* céir *f*.

way *n* slí *f*; bealach *m*.

waylay *vt* déan luíochán roimh dhuine.

we *pn* muid; sinn.

weak *adj* lag.

weaken *vt* lagaigh.

wealthy *adj* saibhir.

wear *vt* (*clothes*) caith.

weather *n* aimsir *m*.

weave *vt* figh.

weaver *n* fíodóir *m*.

web *n* líon *m* (damháin alla); (*comput*) idirlíon *m*.

webbed *adj* scamallach.

wed *vt* pós.

wedding *n* bainis *f*.

Wednesday *n* An Chéadaoin *f*.

wee *adj* beag.

weed *n* fiail *f*. • *vt* déan gortghlanadh.

week *n* seachtain *f*.

weep *vt vi* caoin.

weigh *vt* meáigh.

weight *n* meáchan *m*.

weir *n* cora *f*.

welcome *n* fáilte *f*. • *vt* fáiltigh.

well *n* tobar *m*. • *adj* maith. • *adv* go maith.

west *n* iarthar *m*. • *adj* iartharach. • *adv* thiar; siar (*to the west*); aniar (*from the west*).

westerly *adj* (gaoth *f*) aniar.

westward *adv* siar.

wet *adj* fliuch.

whale *n* míol *m* mór.

what *interr pn* cad (é). • *rel pn* a.

wheat *n* cruithneacht *f*.

wheel *n* roth *m*.

wheeze *vi* cársán a bheith ionat.

whelk *n* cuachma *f*.

when *adv* cén uair. • *conj* nuair.

whence *adv* cad as.

whenever *adv* an uair.

where *interr pn* cá (háit *f*). • *conj* an áit *f*.

whereas *conj* cé go.

whereby *adv* trína.

wherever *adv* cibé áit.

whereupon *adv* agus leis sin.

whether *conj* cé acu.

which *pn* cé acu. • *adj* cé (acu).

while *n* tamall *m*. • *conj* fad; le linn.

whin *n* aiteann *m*.

whip *n* fuip *f*. • *vt* fuipeáil.

whirlpool *n* coire *m* guairneáin.

whiskers *npl* (*of cat*) guairí *m*.

whisky *n* uisce *m* beatha, fuisce *m*.

whisper *n* cogar *m*. • *vi* abair i gcogar.

whistle *vi* lig fead. • *n* (*sound*) fead *f*; (*instrument*) feadóg *f*.

white *adj* bán; (*wine*) geal.

who *interrog pn* cé. • *rel pn* a; (*neg*) nach, nár.

whoever *pn* cibé; an té.

whole *adj* iomlán.

wholesale *n* mórdhíol *m*.

whoop *vi* lig liú.

whose *pn* cé.

why *adv* cad chuige; cén fáth.

wick *n* buaiceas *m*.

wicked *adj* droch-; urchóideach.

wide *adj* leathan.

widow *n* baintreach *f*.

widower *n* baintreach *f* fir.

width *n* leithead *m*.

wife *n* bean *f* (chéile).

wild *adj* allta; fiáin.

wilderness *n* fásach *m*.

will *n* toil *f*; (*last*) uacht *f*.

willing *adj* toilteanach.

willow *n* saileach *f*.

willpower *n* neart *m* tola *f*.

wily *adj* glic.

win *vt* buaigh.

wind *n* gaoth *f*.

window *n* fuinneog *f*.

windpipe *n* píobán *m*.

windward *n* taobh na gaoithe *f*.

windy *adj* gaofar.

wine *n* fíon *m*.

wing *n* sciathán *m*.

wink *vi* caoch (súil *f*).

winter *n* geimhreadh *m*.

wintry *adj* geimhriúil.

wipe *vt* cuimil.

wire *n* sreang *f*.

wiry *adj* miotalach.

wisdom *n* críonnacht *f*.

wise *adj* críonna.

wish *vt* is mian liom. • *n* mian *f*.

wit *n* meabhair *f*; ciall *f*.

witch *n* cailleach *f*.

with *prep* le; in éineacht le.

wither *vi* searg; feoigh.

within *adv* istigh.

without *adv* amuigh. • *prep* gan.

witness *n* finné *m*. • *vt* feic.

witty *adj* dea-chainteach.

wizard *n* draíodóir *m*.

wolf *n* mac tíre *f*.

woman *n* bean *f*.

womanly *adj* banúil.

womb *n* broinn *f*.

wonder *n* ionadh *m*; iontas *m*. • *vi* níl a fhios agam.

woo *vt* meall.

wood *n* coill *f*; (*timber*) adhmad *m*.

woodland *n* talamh *m* coille.

woodlouse *n* míol *m* críon.

wool *n* olann *f*.

word *n* focal *m*.

word processor *n* próiseálaí focal *m*.

wordy *adj* foclach.

work *vi* oibrigh. • *n* obair *f*.

worker *n* oibrí *m*.

workmanship *n* ceardaíocht *f*.

world *n* domhan *m*.

worldly *adj* saolta.

worldwide web *n* líon *m* domhanda.

worm *n* péist *f*.

worn *adj* caite.

worry *n* imní *f*. • *vt* cuir imní ar.

worse *adj* níos measa.

worsen *vi* téigh in olcas.

worship *n* adhradh *m*.

worst *adj* is measa.

worth *n* fiúntas *m*; luach *m*. • *adj* fiú.

worthless *adj* beagmhaitheasach.

worthy *adj* fiúntach.

wound *n* cneá *f*. • *vt* cneáigh.

wrangle *vi* déan clampar. • *n* clampar *m*.

wrap *vt* corn; fill.

wrapper *n* forchlúdach *m*.

wrath *n* fraoch *m*.

wreath *n* fleasc *f* (bláthanna).

wreck *n* long *f* bhriste; carr *m* scriosta. • *vt* scrios.

wren *n* dreoilín *m*.

wrench *vt* srac (rud) ó (dhuine).

wrest *vt* srac (ó).

wrestle *vi* déan iomrascáil *f* (le).

wrestling *n* iomrascáil *f*.

wring *vt* fáisc.

wrinkle *n* roc *m*. • *vt* roc.

wrist *n* caol *m* na láimhe.

wristwatch *n* uaireadóir *m* (láimhe).

write *vt* scríobh.

writer *n* scríbhneoir *m*.

writhe *vi* bí ag lúbarnáil.

writing *n* scríbhneoireacht *f*.

wrong *n* olc *m*; éagóir *f*. • *adj* cearr; contráilte; mícheart.

wry *adj* cam; searbh.

XYZ

xenophobe *n* seineafóbach *m*.
xenophobia *n* seineafóibe *f*.
X-ray *n* x-gha *m*; x-ghathú *m*.
yacht *n* luamh *m*.
Yankee *n* Poncánach *m*.
yard *n* slat *f* (0.914m); clós *m*.
yarn *n* snáth *m*; (*story*) scéal *m*.
yawn *n* meanfach *f*.
year *n* bliain *f*.
yearly *adj* bliantúil.
yearn *vi* bheith ag tnúth le.
yearning *n* tnúthán *m*.
yeast *n* giosta *m*.
yellow *adj n* buí *m*.
yelp *vi* lig sceamh.
yes *adv* (*gram: repeat verb and tense used in question in positive— see also* **no**).
yesterday *adv* inné.
yet *conj* mar sin féin. • *adv* go fóill.
yew *n* iúr *m*.
yield *vt* táirg; (*submit*) géill.
yoke *n* cuing *f*.
yolk *n* buíocán *m*.
yonder *adv* thall.

you *pn* (*sing*) tú, tusa, (*pl*) sibh, sibhse.
young *adj* óg.
youngster *n* (*boy*) buachaill *m*; (*girl*) girseach *f*; (*child*) páiste *m*.
your *pn* (*sing*) do.
yours *pn* (*pl*) bhur; **sincerely yours** is mise (le meas).
yourself *pn* tú féin.
yourselves *pn* sibh féin.
youth *n* (*state*) óige *f*; (*person*) ógánach *m*.
youthful *adj* óigeanta.
yuppie *n* suasóg *f*.
zeal *n* díograis *f*.
zealous *adj* díograiseach.
zebra *n* séabra *m*.
zenith *n* buaic *f*.
zero *n* nialas *m*.
zest *n* flosc *m*.
zigzag *n* fiarlán *m*.
zip, zipper *n* sip *f*.
zodiac *n* stoidiaca *m*.
zoo *n* zú *m*.
zoology *n* míoleolaíocht *f*.